GÉOGRAPHIE • 1er CYCLE DU SECONDAIRE

TERRITOIRES

SUZANNE LAURIN

MANUEL DE L'ÉLÈVE 1

ERPI
ÉDITIONS DU RENOUVEAU PÉDAGOGIQUE INC.
5757, RUE CYPIHOT, SAINT-LAURENT (QUÉBEC) H4S 1R3
TÉLÉPHONE : (514) 334-2690 TÉLÉCOPIEUR : (514) 334-4720
erpidlm@erpi.com www.erpi.com

Directrices de l'édition
Suzanne Berthiaume
Murielle Villeneuve

Chargées de projet et réviseures linguistiques
Monique Boucher
Christiane Gauthier

Correctrices d'épreuves
Lucie Bernard
Odile Dallaserra

Recherchistes (photos et droits)
Pierre Richard Bernier
Carole Régimbald

Recherchiste documentaire
Émilie Laurin-Dansereau

Rédacteurs
Roger Drouin (À vos ordinateurs !, dossiers 1 à 5)
Diane Hurteau (À vos ordinateurs !, dossier 6)
Dominique Forget (Carrefour science)
Hervé Gagnon (Carrefour histoire, dossier 4)
Martin Fournier (Carrefour histoire, dossier 5)

Coordonnatrice graphique
Denise Landry

Couverture
Benoit Pitre

Conception graphique et édition électronique
Benoit Pitre

Illustrateurs
Robert Dolbec : p. 25, 29, 33
Philippe Germain : p. 157, 166, 188
Jérôme Mireault, Colagene.com : p. 106-107, 134
Michel Rouleau : p. 8-9, 34 (relief de la carte 2.4), 75 (relief de la carte 3.4), 163, 164-165, 168, 169, 170, 175, 180, 181, 242, 244, 252-253 (pictogrammes), 263
Yayo : p. 28, 39, 46, 48, 60, 65, 72, 91, 102, 123, 133, 144

Cartographie
Dimension DPR

Dépôt légal : 2e trimestre 2005
Bibliothèque nationale du Québec
Bibliothèque nationale du Canada

IMPRIMÉ AU CANADA 234567890 II 098765
ISBN 2-7613-1502-2 10607 BCD JS12

Consultants pédagogiques

Michel Brousseau, professeur, école secondaire La Camaradière, commission scolaire de la Capitale

Francine Cadieux-Roy, professeure, collège Notre-Dame-de-Lourdes, Longueuil

Alain Dubois, conseiller pédagogique, commission scolaire de Sorel-Tracy

Réviseurs scientifiques

Dossier 2 : Annie Mercier, chercheuse en biologie, Société d'exploration et de valorisation de l'environnement (SEVE)

Dossier 3 : Catherine Tessier, professeure de science et technologie, école secondaire du Chêne-Bleu, commission scolaire des Trois-Lacs

Dossier 4 : Dinu Bumbaru, architecte, directeur des politiques à Héritage Montréal

Dossier 5 : Yvon Pesant, géographe, conseiller en aménagement et en développement rural

Dossier 6 : Normand Hall, spécialiste en développement touristique durable, président de la Société pour un tourisme durable et responsable (STDR)

Remerciements

L'auteure et l'éditeur remercient les personnes suivantes pour leurs commentaires judicieux au cours de l'élaboration de cet ouvrage : Sandra Bendavid, Bernard Bérubé, Réjean Blais, Gilles Desharnais, Dominique Desrochers, Yvan Émond, Nathalie Ferron, Christine Fillion, Charles Goulet, Catherine Larivière, Jean Lavallée, Martin Leguerrier, Sylvianne Martineau, Antoine Nadeau, Hal Perry, Alain Pothier, Martin Régis, Michèle Renaud, Catherine Thomassin, Michel Verreault, Charles Villemaire.

Mot de l'auteure

Vous avez entre les mains un manuel de géographie qui contient de belles images, des cartes et une foule de renseignements. Mais un manuel de géographie, ça sert à quoi ? Ça sert à donner de l'information sur différents territoires situés ici et ailleurs dans le monde.

Oui, mais encore ?

Un manuel de géographie, ça aide à réfléchir et à poser des questions pertinentes sur nos lieux de vie. Par exemple, où habitons-nous ? Pourquoi là et pas ailleurs ? D'où vient le nom de ma localité, de ma rue ? Pourquoi les humains aménagent-ils leurs territoires d'une certaine façon plutôt que d'une autre ? Sommes-nous si différents les uns des autres à l'échelle de la planète ? L'état de l'environnement est-il aussi inquiétant qu'on le dit ? Comment peut-on agir pour transformer nos territoires et améliorer la qualité de vie des gens ? Un manuel de géographie, ça aide aussi à trouver des éléments de réponse aux questions posées et à développer ainsi notre intelligence du monde.

Oui, mais encore ?

Un manuel de géographie, ça sert à ouvrir les frontières que nous avons dans la tête ! Ça incite à faire preuve de curiosité et d'ouverture pour comprendre ce qui nous entoure : tantôt un fait d'actualité qui concerne une collectivité, tantôt une décision prise par les autorités, tantôt une action faite par un voisin.

Oui, mais encore ?

Et si un manuel de géographie, ça permettait aussi de rêver, d'imaginer que vous êtes là en train de converser avec les habitants d'un endroit que vous ne connaissez pas et où vous irez peut-être, de faire des projets, d'en parler avec les autres dans la classe, dans votre famille...

Un manuel de géographie, c'est... un livre ouvert sur votre vie. Qui sait où cela vous mènera ?

Suzanne Laurin

Table des matières

ANNEXES

TECHNIQUES ET MÉTHODOLOGIE

Où trouver quoi ?

Aperçu d'un dossier

A Les pages d'ouverture

Le **type de territoire** étudié avec son **concept central.**

Une courte présentation de la **problématique** du dossier.

Le **titre** du dossier présenté sous forme de question. C'est à cette question que tout le dossier cherche à répondre.

Une ou plusieurs **photos** qui invitent à s'interroger : où est-ce ? en quoi cela peut-il être relié au dossier ?

Dossier 3

TERRITOIRE URBAIN – RISQUE NATUREL

VIVRE DANS UNE VILLE À RISQUE : COMMENT S'ORGANISER ?

Comment vivre dans une ville exposée à un risque d'origine naturelle ? Tremblements de terre, volcans, cyclones, inondations, glissements de terrain : les citadins apprennent à composer avec ces réalités. Toutefois, les territoires ne sont pas égaux devant de tels risques. L'éducation et les moyens économiques influencent la **capacité de s'organiser** des populations en cas de catastrophe.

3.1a 3.1b
3.1c 3.1d

sommaire

58 59

L'**organisation** du dossier.

B Quelques pages d'un dossier

Des **définitions** qui sont reprises dans le glossaire, à la fin du manuel.

Des **questions** qui incitent à la réflexion.

Des **photos** qui intriguent, qui exigent qu'on les interprète.

Des données présentées sous forme de **tableaux.**

Des **caricatures** qui soutiennent le propos tout en faisant réfléchir.

PREMIÈRE PARTIE LE TERRITOIRE PROTÉGÉ

3 Contre quoi protéger un territoire?

Il faut protéger les territoires contre la dégradation. Un territoire protégé peut être menacé de dégradation de plusieurs façons, notamment par :

- l'exploitation commerciale des ressources, comme le minerai et le bois ;
- divers polluants : pesticides*, pluies acides*, eaux usées* ;
- le développement agricole et urbain ;
- la disparition d'habitats, c'est-à-dire de milieux qui sont propres à la vie de diverses espèces animales ou végétales ;
- un nombre trop grand de visiteurs ;
- le braconnage, c'est-à-dire la pratique de la chasse et de la pêche sans permis ou dans des lieux où ces activités sont interdites ;
- les changements climatiques, qui causent par exemple la fonte des glaciers ou le dessèchement des sols ;
- l'introduction de nouvelles espèces, animales ou végétales. Par exemple, l'introduction, il y a quelques années, d'orignaux et de lièvres dans le parc national du Gros-Morne, dans la province de Terre-Neuve-et-Labrador, a bouleversé les habitats et la végétation du parc, mettant ainsi en péril la survie d'autres espèces.

Les mêmes menaces pèsent-elles sur tous les territoires protégés de la planète ? Pourquoi ?

Pesticides : Produits chimiques destinés à éliminer les insectes et autres parasites nuisibles.

Pluies acides : Pluies contenant des substances acides d'origine industrielle.

Eaux usées : Eaux souillées par une utilisation urbaine, agricole ou industrielle.

2.13 **Une exploitation minière près du parc national de Lorentz, en Indonésie.** Pourquoi cette activité représente-t-elle une menace pour le parc si la mine est située à l'extérieur des limites de celui-ci ?

2.14 **Près du parc national de Yellowstone, aux États-Unis.** Quelle est la menace illustrée ici ?

DOSSIER 2 | LE TERRITOIRE PROTÉGÉ : CONTRE QUOI ? POUR QUI ? | 27

TROISIÈME PARTIE QUITO, VILLE À RISQUE VOLCANIQUE

3.26 **Quartier des affaires à Quito.** On y trouve des tours à bureaux, des hôtels, des commerces, etc.

Qui habite à Quito ?

La ville compte environ 1,5 million d'habitants. Elle s'est construite sur une étroite bande de terre de 30 km de long sur 4 km de large. Les récents développements se sont faits sur les pentes verdoyantes du Pichincha. La population se répartit de la façon suivante. Au nord, il y a le Quito moderne avec ses larges avenues, ses commerces de luxe et ses grands hôtels. C'est le siège des affaires et de l'administration. Y vivent les classes plus favorisées. Au sud, se trouve le Quito historique, avec ses églises, ses rues étroites et ses marchés. C'est là qu'habite la population autochtone. Puis, à proximité des usines, le long de la route panaméricaine qui traverse Quito, des quartiers ouvriers et populaires se sont multipliés.

L'impact d'une éruption volcanique sera différent dans ces deux quartiers. Pourquoi, selon vous ?

3.27 **Vue de la place de l'Indépendance.** La ville possède le centre historique le mieux conservé de toute l'Amérique latine. Il a été classé site du patrimoine mondial par l'Unesco en 1978 pour ses églises et couvents des 16e, 17e et 18e siècles.

76 | TERRITOIRE URBAIN – RISQUE NATUREL

DEUXIÈME PARTIE LE PARC NATIONAL DE BANFF

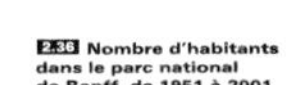

2.36 Nombre d'habitants dans le parc national de Banff, de 1951 à 2001

Année	Habitants
1951	2 856
1961	4 101
1971	3 219
1981	4 627
1991	6 604
2001	9 200

Source : Statistique Canada, 2003. Les chiffres incluent la population de la ville de Banff. Celle-ci comprenait 7135 personnes en 2001.

2.37 Nombre de visiteurs dans le parc national de Banff, de 1950 à 2000

Année	Visiteurs
1950	459 273
1960	1 078 008
1970	2 331 486
1980	3 649 124
1990	3 919 791
2000	4 660 903

Source : Parcs Canada, 2004.

1. **Les visiteurs étaient au nombre de 3000 dans le parc national de Banff en 1887. Pourquoi leur nombre a-t-il tellement augmenté en 100 ans ?**
2. **De 1951 à 2001, le nombre d'habitants a aussi beaucoup augmenté dans le parc. Pourquoi, selon vous ?**
3. **Lisez l'entrevue avec Diane Volkers, une agente du parc national de Banff, aux pages 40 et 41. Que pense-t-elle de la présence importante de visiteurs dans le parc ?**
4. **Depuis 1998, le nombre d'habitants est limité à 10 000 dans la ville de Banff. Pourquoi ?**

2.38 Mais que font tous ces touristes ? Que représentent les animaux ici ? Voyez-vous un lien entre cette caricature et le document 2.37 ?

DOSSIER 2 | LE TERRITOIRE PROTÉGÉ : CONTRE QUOI ? POUR QUI ? | 39

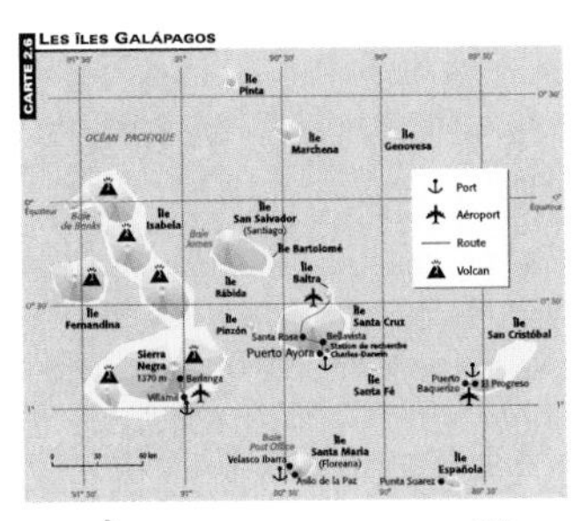

Des **cartes** variées pour représenter un territoire.

Des **images satellitales** qui offrent une autre représentation du territoire étudié.

Image des îles Galápagos prise le 16 mai 2003 par le satellite *Terra*. Le nom officiel des îles est « archipelago de Colón ».

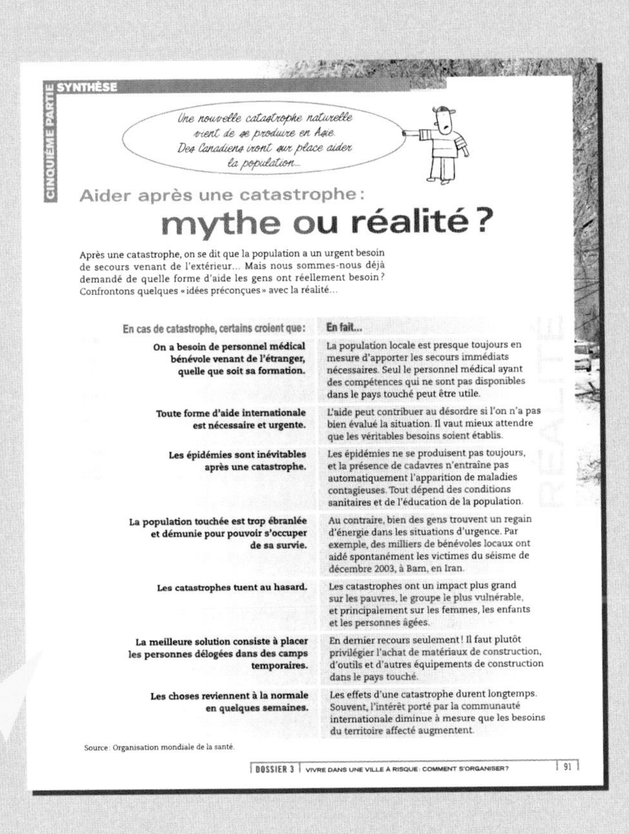

SYNTHÈSE

Une nouvelle catastrophe naturelle vient de se produire en Asie. Des Canadiens iront sur place aider la population…

Aider après une catastrophe : **mythe ou réalité ?**

Après une catastrophe, on se dit que la population a un urgent besoin de secours venant de l'extérieur… Mais nous sommes-nous déjà demandé de quelle forme d'aide les gens ont réellement besoin ? Confrontons quelques « idées préconçues » avec la réalité…

En cas de catastrophe, certains croient que :	En fait…
On a besoin de personnel médical bénévole venant de l'étranger, quelle que soit sa formation.	La population locale est presque toujours en mesure d'apporter les secours immédiats nécessaires. Seul le personnel médical ayant des compétences qui ne sont pas disponibles dans le pays touché peut être utile.
Toute forme d'aide internationale est nécessaire et urgente.	L'aide peut contribuer au désordre si l'on n'a pas bien évalué la situation. Il vaut mieux attendre que les véritables besoins soient établis.
Les épidémies sont inévitables après une catastrophe.	Les épidémies ne se produisent pas toujours, et la présence de cadavres n'entraîne pas automatiquement l'apparition de maladies contagieuses. Tout dépend des conditions sanitaires et de l'éducation de la population.
La population touchée est trop ébranlée et démunie pour pouvoir s'occuper de sa survie.	Au contraire, bien des gens trouvent un regain d'énergie dans les situations d'urgence. Par exemple, des milliers de bénévoles locaux ont aidé spontanément les victimes du séisme de décembre 2003, à Bam, en Iran.
Les catastrophes tuent au hasard.	Les catastrophes ont un impact plus grand sur les pauvres, le groupe le plus vulnérable, et principalement sur les femmes, les enfants et les personnes âgées.
La meilleure solution consiste à placer les personnes délogées dans des camps temporaires.	En dernier recours seulement ! Il faut plutôt privilégier l'achat de matériaux de construction, d'outils et d'autres équipements de construction dans le pays touché.
Les choses reviennent à la normale en quelques semaines.	Les effets d'une catastrophe durent longtemps. Souvent, l'intérêt porté par la communauté internationale diminue à mesure que les besoins du territoire affecté augmentent.

Source : Organisation mondiale de la santé.

Une **synthèse** pour faire le point sur le dossier.

Les rubriques

Les rubriques **Carrefour histoire** et **Carrefour science** incitent à faire des liens avec d'autres disciplines.

Billet de 20 $ canadien : il s'agit de la série 1969-1979.

Des **illustrations techniques** qui aident à comprendre le phénomène abordé.

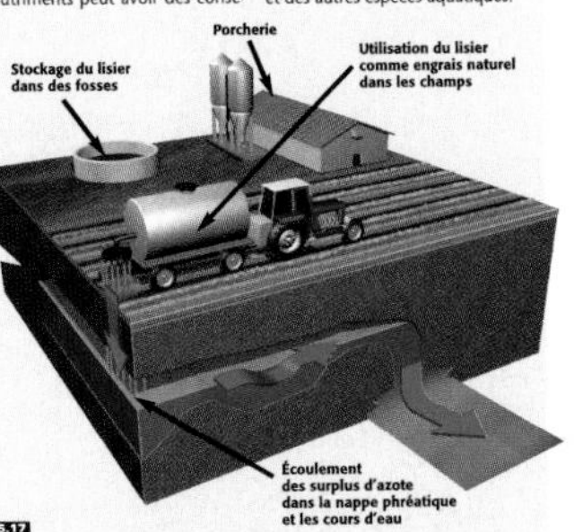

LE PATRIMOINE URBAIN

PREMIÈRE PARTIE

À l'échelle mondiale, c'est le Comité du patrimoine mondial de l'Unesco qui reconnaît officiellement la valeur universelle exceptionnelle des biens patrimoniaux et qui les inscrit sur la Liste du patrimoine mondial.

Par ailleurs, à l'échelle nationale ou locale, d'autres instances ou organisations s'occupent de reconnaître officiellement la valeur patrimoniale de tel ou tel bâtiment, site ou ensemble. Au Québec, c'est le ministre de la Culture, parfois le Conseil des ministres ou encore les municipalités qui ont cette responsabilité légale et font ce choix en prenant l'avis de la Commission des biens culturels du Québec. Toutefois, il est possible que des associations de citoyens ou d'universitaires, par exemple, décident, sans que cela ait d'effet légal, de souligner la valeur de certains biens qu'ils jugent patrimoniaux. Le Conseil des monuments et sites du Québec est un de ces organismes. Voici d'ailleurs ce qu'il dit du patrimoine :

> Le patrimoine n'est pas seulement constitué de monuments historiques reconnus ou protégés. Le patrimoine, c'est aussi l'architecture résidentielle, industrielle, religieuse, militaire ou publique, l'archéologie, les monuments commémoratifs ou artistiques, les ouvrages de génie civil (ponts, barrages), les éléments et sites naturels, les paysages, les villes, les villages, etc. […] Le patrimoine est le reflet de l'évolution sociale et culturelle de notre société : il témoigne de nos traditions, de nos institutions, de nos valeurs, de l'appropriation du territoire […][1].

4.9 Le patrimoine, est-ce seulement cela ?

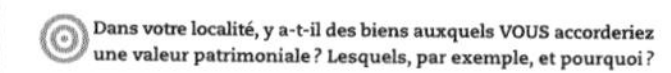

Dans votre localité, y a-t-il des biens auxquels VOUS accorderiez une valeur patrimoniale ? Lesquels, par exemple, et pourquoi ?

Curieux

Quand le cinéma défie la géographie !

Les cinéastes états-uniens tournent souvent des films à Montréal. Où croyez-vous que se déroulent les histoires de ces films ? À Paris, à New York, à Saint-Pétersbourg, à Londres, à Boston ou à Vienne ! Il suffit qu'un bout de rue ou un édifice ait une forme ou une architecture qui rappelle d'autres lieux. Le territoire urbain montréalais est recherché pour ses parcs, son fleuve, sa montagne, ses vieux quais désaffectés, ses maisons historiques ou ses anciens quartiers industriels. Bref, pour son patrimoine ! Alors, la prochaine fois que vous verrez un film qui se passe à New York ou à Paris, regardez attentivement…

« À la place d'Youville, on a recréé en 2002 le mur de Berlin pour simuler le Berlin Est des années 1960 […]. À quelques centaines de mètres de là, on a recréé Helsinki sous la neige en croquant des patineurs sur le bassin Bonsecours. "L'histoire nous menait à Berlin, Helsinki, Philadelphie et New York, et tout ça a été fait à quelques coins de rue de distance", soutient Céline Daignault, une régisseuse d'extérieurs qui connaît Montréal comme le fond de sa poche. »

Source : D'après Isabelle Paré, « Silence, on tourne ! », *Le Devoir*, 5 et 6 juillet 2003, p. 8.

1. Conseil des monuments et sites du Québec, Expérience photographique du patrimoine, Les normes du concours 2004, p. 10.

102 | TERRITOIRE URBAIN – PATRIMOINE

La rubrique **Étude de cas** aide à exercer le raisonnement d'un point de vue géographique.

La rubrique **Curieux ?** présente des faits amusants, étonnants.

La rubrique **Carto** fournit de l'information pour interpréter ou réaliser une carte.

La rubrique **Faire de la géo en...** aide à développer des habiletés d'ordre méthodologique.

La rubrique **À vos ordinateurs !** propose des activités nécessitant l'utilisation de l'ordinateur.

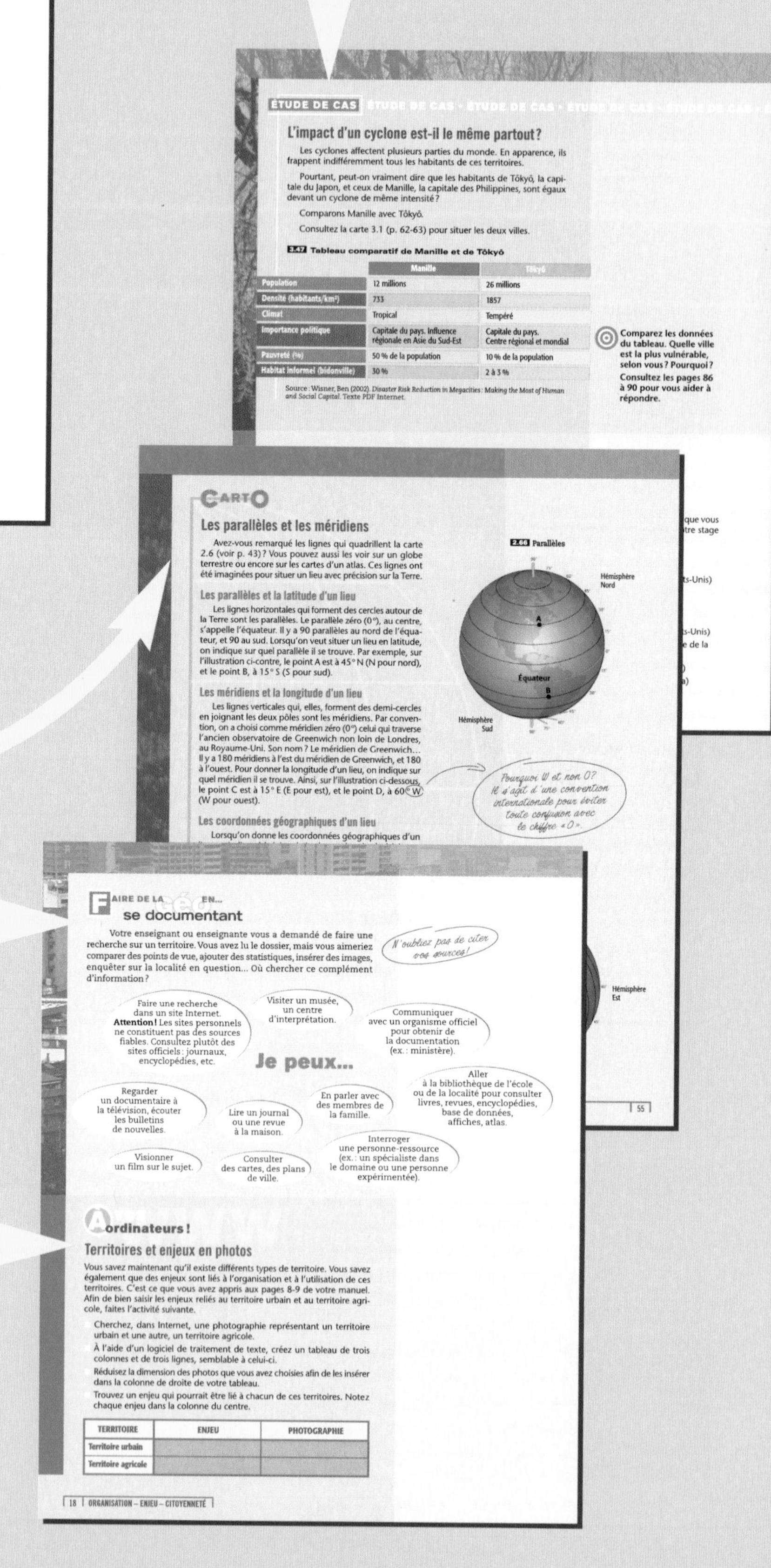

ÉTUDE DE CAS

L'impact d'un cyclone est-il le même partout ?

Les cyclones affectent plusieurs parties du monde. En apparence, ils frappent indifféremment tous les habitants de ces territoires.

Pourtant, peut-on vraiment dire que les habitants de Tōkyō, la capitale du Japon, et ceux de Manille, la capitale des Philippines, sont égaux devant un cyclone de même intensité ?

Comparons Manille avec Tōkyō.

Consultez la carte 3.1 (p. 62-63) pour situer les deux villes.

3.47 Tableau comparatif de Manille et de Tōkyō

	Manille	Tōkyō
Population	12 millions	26 millions
Densité (habitants/km²)	733	1857
Climat	Tropical	Tempéré
Importance politique	Capitale du pays. Influence régionale en Asie du Sud-Est	Capitale du pays. Centre régional et mondial
Pauvreté (%)	50 % de la population	10 % de la population
Habitat informel (bidonville)	30 %	2 à 3 %

Source : Wisner, Ben (2002). Disaster Risk Reduction in Megacities: Making the Most of Human and Social Capital. Texte PDF Internet.

Comparez les données du tableau. Quelle ville est la plus vulnérable, selon vous ? Pourquoi ? Consultez les pages 86 à 90 pour vous aider à répondre.

CARTO

Les parallèles et les méridiens

Avez-vous remarqué les lignes qui quadrillent la carte 2.6 (voir p. 43) ? Vous pouvez aussi les voir sur un globe terrestre ou encore sur les cartes d'un atlas. Ces lignes ont été imaginées pour situer un lieu avec précision sur la Terre.

Les parallèles et la latitude d'un lieu

Les lignes horizontales qui forment des cercles autour de la Terre sont les parallèles. Le parallèle zéro (0°), au centre, s'appelle l'équateur. Il y a 90 parallèles au nord de l'équateur, et 90 au sud. Lorsqu'on veut situer un lieu en latitude, on indique sur quel parallèle il se trouve. Par exemple, sur l'illustration ci-contre, le point A est à 45° N (N pour nord), et le point B, à 15° S (S pour sud).

Les méridiens et la longitude d'un lieu

Les lignes verticales qui, elles, forment des demi-cercles en joignant les deux pôles sont les méridiens. Par convention, on a choisi comme méridien zéro (0°) celui qui traverse l'ancien observatoire de Greenwich non loin de Londres, au Royaume-Uni. Son nom ? Le méridien de Greenwich… Il y a 180 méridiens à l'est du méridien de Greenwich, et 180 à l'ouest. Pour donner la longitude d'un lieu, on indique sur quel méridien il se trouve. Ainsi, sur l'illustration ci-dessous, le point C est à 15° E (E pour est), et le point D, à 60° W (W pour ouest).

Les coordonnées géographiques d'un lieu

Lorsqu'on donne les coordonnées géographiques d'un

2.66 Parallèles

55

FAIRE DE LA GÉO EN… se documentant

Votre enseignant ou enseignante vous a demandé de faire une recherche sur un territoire. Vous avez lu le dossier, mais vous aimeriez comparer des points de vue, ajouter des statistiques, insérer des images, enquêter sur la localité en question… Où chercher ce complément d'information ?

À VOS ordinateurs !

Territoires et enjeux en photos

Vous savez maintenant qu'il existe différents types de territoire. Vous savez également que des enjeux sont liés à l'organisation et à l'utilisation de ces territoires. C'est ce que vous avez appris aux pages 8-9 de votre manuel. Afin de bien saisir les enjeux reliés au territoire urbain et au territoire agricole, faites l'activité suivante.

- Cherchez, dans Internet, une photographie représentant un territoire urbain et une autre, un territoire agricole.
- À l'aide d'un logiciel de traitement de texte, créez un tableau de trois colonnes et de trois lignes, semblable à celui-ci.
- Réduisez la dimension des photos que vous avez choisies afin de les insérer dans la colonne de droite de votre tableau.
- Trouvez un enjeu qui pourrait être lié à chacun de ces territoires. Notez chaque enjeu dans la colonne du centre.

TERRITOIRE	ENJEU	PHOTOGRAPHIE
Territoire urbain		
Territoire agricole		

18 | ORGANISATION – ENJEU – CITOYENNETÉ

À propos de la photo d'ouverture

Cette photo prise sur la rue Sainte-Catherine à Montréal, en plein centre-ville, montre la tour de verre de la Maison des Coopérants et la cathédrale Christ Church. Quels liens peut-on établir entre cette photo et le thème de ce dossier (patrimoine urbain)?

- La photo présente un contraste évident entre deux édifices : un contraste architectural (matériaux et formes), un contraste des fonctions (édifice religieux et tour à bureaux) et un contraste des valeurs (le clocher tend vers Dieu, tandis que la hauteur du gratte-ciel symbolise le pouvoir et la maîtrise technologique).
- Elle témoigne aussi de l'évolution d'un territoire urbain dans le temps, d'hier à aujourd'hui. C'est clair : des choix ont été faits ! Des édifices ont été détruits pour construire le gratte-ciel et l'église anglicane ancienne a été conservée. Peu importe la ville où l'on se trouve dans le monde : des choix doivent être faits.
- Elle illustre enfin une question bien actuelle au Québec : comment gérer le patrimoine religieux dans des villes en développement et... dans une société où la population pratique moins la religion ?

1. **Quel titre donneriez-vous à cette photo ?**
2. **Faites une recherche pour trouver une autre photo qui aurait pu servir d'ouverture à ce dossier. Justifiez votre choix.**
3. **À proximité de l'église illustrée sur la photo, il y a un grand centre commercial souterrain appelé les Promenades de la Cathédrale. Voyez-vous un lien ?**
4. **Quelle photo prendriez-vous pour illustrer le contraste entre l'ancien et le moderne dans votre localité ?**

POUR EN savoir plus...

Des livres et des périodiques

Général

RAGON, Michel. *C'est quoi l'architecture?*, Paris, Éditions du Seuil (coll. Petit Point), 1991, 91 p.

Québec

LAMBERT, Serge, et Jean-Claude DUPONT. *Québec, une histoire capitale*, Sainte-Foy, Éditions GID (coll. 100 ans noir sur blanc), 1998, 215 p.

LAPOINTE, Camille. « Les multiples visages de la place Royale », *Cap-aux-Diamants*, n° 50, été 1997, p. 42-44.

STANTON, Danielle. « La résurrection de la Basse-Ville », *L'actualité*, vol. 23, n° 12, août 1998, p. 56-59.

Paris

ARTHUS-BERTRAND, Yann. *Paris vu du ciel*, Paris, Éditions du Chêne, 2002, 180 p.

CHAUDUN, Nicolas. *L'ABCdaire de Paris*, Paris, Éditions Flammarion (coll. L'ABCdaire-Patrimoine), 1998, 119 p.

Rome

BONAFOUX, Pascal. *L'ABCdaire de Rome*, Paris, Éditions Flammarion (coll. L'ABCdaire-Patrimoine), 2000, 119 p.

MOATTI, Claudia. *À la recherche de la Rome antique*, Paris, Éditions Gallimard (coll. Découvertes – Archéologie), 2003, 192 p.

Athènes

AUBIN, Benoît. « Athènes sera-t-elle prête ? », *L'actualité*, vol. 27, n° 14, 15 septembre 2002, p. 64-70.

Beijing

COATALEM, Jean-Luc (directeur). « Pékin, Porte de la Chine », *Géo*, n° 289, mars 2003, p. 50-104.

Des sites Internet

Conseil international des monuments et des sites (ICOMOS).

Organisation des villes du patrimoine mondial (OVPM).

Site officiel des Jeux olympiques d'Athènes.

Site officiel des Jeux olympiques de Beijing.

Unesco.

Ville de Paris.

Ville de Québec.

Ville de Rome.

Des films et des vidéos

La bicyclette de Pékin, du réalisateur Xiaoshuai WANG.

Le dernier empereur, du réalisateur Bernardo BERTOLUCCI [Beijing].

DOSSIER 4 | HÉRITER D'UNE VILLE : POUR EN FAIRE QUOI ? | 153

La rubrique **À propos de la photo d'ouverture** permet de mieux comprendre pourquoi cette photo a été choisie.

La rubrique **Pour en savoir plus...** propose une médiagraphie : livres, périodiques, films et vidéos pour se documenter davantage.

D Des annexes

Comment faire un croquis et une carte schématique, le tout présenté de façon simple et synthétique.

La définition des mots essentiels à la compréhension des sujets abordés.

Croquis et cartes : mode d'emploi

A Réaliser un croquis géographique

Qu'est-ce qu'un croquis géographique?

Un croquis géographique est un dessin qui propose une représentation simplifiée d'un paysage. Il peut être fait à partir d'une photo ou d'une observation sur le terrain.

Comment faire un croquis géographique ?	Par exemple...
1. Déterminer l'intention du croquis : à quoi servira-t-il ?	*J'observe la photo à partir de laquelle je veux faire un croquis. Mon intention est de montrer l'évolution du patrimoine de Montréal dans le temps.*
2. Déterminer les éléments à représenter.	*Voici les éléments que je retiens :* • *les grands ensembles de construction qui reflètent des époques différentes : ancien, moderne ;* • *l'axe de circulation : pont ;* • *des éléments de la nature : eau, arbres, parc.*
3. Dégager les trois plans : le plan rapproché, le plan moyen, et l'arrière-plan.	arrière-plan (moderne) / plan moyen (ancien) / plan rapproché (moderne)
4. Choisir les symboles pour représenter chaque élément de façon simplifiée.	
5. Tracer le croquis en utilisant les symboles choisis. On peut réaliser le croquis à la main ou à l'ordinateur, et on peut utiliser la couleur.	Mon croquis : **L'évolution du patrimoine de Montréal**
6. Construire la légende.	
7. Donner un titre.	

Légende

Plan d'eau · Parc · Gratte-ciel · Édifice ancien · Arbre · Pont

CROQUIS ET CARTES : MODE D'EMPLOI | 275

Glossaire

Remarque : Plusieurs définitions contiennent des mots en italique. Ces mots sont également définis dans le glossaire. À la fin de chaque définition, une flèche renvoie à une ou des pages pertinentes de votre manuel où le mot apparaît.

A

Acculturation : Modification de la culture d'un groupe ou d'un individu qui résulte du contact avec une autre culture. ➜ p. 227

***Acqua alta* :** Phénomène des « hautes eaux » lié à la marée océanique, mais aggravé par la basse pression atmosphérique, les fortes pluies et l'affaissement de Venise, en Italie. ➜ p. 243

Acropole : Dans la Grèce antique, citadelle ou petite cité fortifiée située en hauteur, qui abritait des lieux religieux, comme des sanctuaires et des temples. ➜ p. 130

Agglomération : Regroupement d'une ville et de sa banlieue, c'est-à-dire des localités qui l'entourent. ➜ p. 66, 84

Agriculture biologique : Mode de production agricole durable qui privilégie le recours aux techniques naturelles (ex. rotation des cultures, composts, *engrais* biologiques, alimentation animale naturelle) et évite l'usage de *pesticides*, d'herbicides, d'antibiotiques ou d'*OGM*. ➜ p. 174

Agriculture durable : Agriculture qui applique les principes du *développement durable*. Elle vise notamment à assurer les besoins de tous en nourriture et à protéger les ressources naturelles (sol, eau, air, *biodiversité* végétale et animale). ➜ p. 173

Agriculture intensive : Agriculture qui vise à obtenir rapidement une plus grande productivité et un meilleur rendement. ➜ p. 173

Aléa : *Phénomène naturel* susceptible d'entraîner un risque. ➜ p. 61

Aquaculture : Élevage d'organismes aquatiques (poissons, mollusques, crustacés, plantes) impliquant une intervention humaine (production, reproduction, alimentation, protection). ➜ p. 176

Aqueduc : Canal qui permet d'amener l'eau d'un point à un autre et qui peut servir à transporter l'eau potable. ➜ p. 178

Archipel : Ensemble d'îles. ➜ p. 42, 239

Atoll : Île en forme d'anneau de *corail* encerclant un *lagon* qui communique avec l'océan par des passes que les bateaux utilisent. Avec le temps, des bandes de sable se déposent autour de la barrière de corail et se recouvrent de cocotiers. ➜ p. 263

Autorités : Personnes ou organismes qui ont le pouvoir de prendre des décisions (par exemple, les autorités gouvernementales). ➜ p. 11, 22, 68, 78

B

Bandes riveraines : Aire de végétation permanente située en bordure d'un champ, le long d'un cours d'eau, d'un fossé ou d'un étang. Cette bande a une fonction de protection contre l'érosion des sols et la *pollution diffuse*. Elle contribue à la *biodiversité*. ➜ p. 168

Bassin versant : Ensemble du *territoire* qui recueille l'eau pour la concentrer dans une rivière et ses tributaires. ➜ p. 170

Bidonville : Quartier urbain défavorisé dont les habitations sont faites de matériaux de récupération. ➜ p. 81

Biodiversité : Nombre d'espèces différentes (d'animaux, de végétaux et de micro-organismes) qui caractérisent les *écosystèmes*. Synonyme de « diversité biologique ». ➜ p. 25

Braconnage : Action de chasser ou de pêcher malgré les interdits. ➜ p. 49, 221

C

Campanile : Tour isolée, souvent près d'une église, où sont placées les cloches. ➜ p. 247

Canton : Système de division des terres, différent du système seigneurial, implanté au 18e siècle dans certaines régions du Québec. À l'origine, les terres sont plutôt de forme carrée et les bâtiments construits assez loin de la route. ➜ p. 160

Cargo : Bateau qui transporte des marchandises. ➜ p. 48

Carte : Représentation d'un espace réel. ➜ p. 15

Carte historique : Représentation de l'organisation d'un espace à un moment donné dans le temps. ➜ p. 17

Carte mentale : Image, représentation que chaque personne se fait de lieux connus. ➜ p. 15

Carte routière : Représentation de différentes localités, des routes qui les relient ainsi que les distances d'un lieu à un autre. ➜ p. 16

Carte schématique : Carte qui propose une représentation simplifiée de l'organisation d'un espace. ➜ p. 151, 276

Carte thématique : Représentation de la distribution d'un phénomène à l'échelle locale, régionale ou mondiale. ➜ p. 16

Carte topographique : Représentation des caractéristiques physiques (relief, cours d'eau, lacs, zones boisées) et humaines (routes, zones habitées, chemins de fer, aéroports, barrages, etc.). ➜ p. 17

Cartographie : Science qui étudie et réalise les cartes géographiques. ➜ p. 51

278 | ANNEXES

Dossier 1

ORGANISATION – ENJEU – CITOYENNETÉ

1.1a
1.1b
1.1c
1.1d
1.1e

UN TERRITOIRE, QU'EST-CE QUE C'EST ?

« D'où venez-vous ? » « Où habitez-vous ? »

Voilà deux questions que chaque habitant de la planète se fait poser régulièrement. En y répondant, on parle forcément de **territoire**, du lieu d'où l'on vient, de celui que l'on habite. Mais qu'est-ce que le mot « territoire » signifie au juste ?

sommaire

1 Un territoire, un espace

habité

partagé

organisé

transformé

avec des enjeux

un territoire

c'est un espace

auquel on s'identifie

où l'on s'enracine

en relation avec d'autres

1.2
Municipalité de Saint-Pie le long de la rivière Noire.

Un espace habité et partagé

Un espace devient un territoire parce qu'il est habité. D'ailleurs, le mot « habiter » ne signifie pas uniquement avoir une adresse quelque part. Il englobe toutes nos activités, tous nos déplacements. Habiter un territoire, c'est avoir des liens avec les autres dans un environnement commun.

Ce territoire, nous le partageons avec d'autres. Évidemment, les habitants d'un même territoire ne sont pas tous pareils. Ils ne sont pas tous du même âge ni du même sexe. Ils ne parlent pas nécessairement la même langue et ils peuvent être d'origines diverses. Ils occupent des métiers différents dans des secteurs économiques variés. Ils n'ont pas non plus les mêmes activités et ils peuvent être de religion différente ou encore avoir d'importants écarts de revenus.

Certaines de ces différences sont visibles dans l'espace. Ainsi, les gens plus favorisés, de même que les gens de même origine, ont tendance à se rassembler dans un même quartier. Les industries se regroupent, pour leur part, dans des zones* industrielles, les magasins occupent une même artère commerciale et les agriculteurs exploitent leurs terres en zones agricoles.

*

Zone: Portion de territoire délimitée par les autorités et attribuée à une activité principale.

Un espace organisé

Pour que l'on puisse vivre ensemble sur un même territoire, il faut une certaine organisation. Le degré et le type d'organisation peuvent toutefois varier d'un territoire à un autre.

La plupart des territoires s'organisent autour des éléments suivants.

- Des services publics: réseau de transport en commun, d'autobus scolaires, d'aqueduc, d'égouts et de système de collecte des déchets.
- Une administration et des règles de fonctionnement, un plan d'urgence, etc.
- Des espaces réservés à des fonctions spécifiques: centres d'affaires, résidences, commerces, industries, parcs, etc.
- De grands axes de circulation, parfois un aéroport ou une gare, qui assurent la liaison avec d'autres territoires.
- Des lieux de rencontres, de débats et de prises de décision: mairie, édifice parlementaire, places publiques, organismes communautaires, etc.

1.3
Vue du district de Manhattan et de Central Park, à New York. La photo dégage un effet d'organisation. À quoi tient cette impression ?

Un espace transformé

Un territoire, c'est dynamique, ça bouge ! Au fil du temps, les personnes qui l'occupent le transforment. Des édifices sont détruits, d'autres sont construits, des quartiers riches s'appauvrissent et d'autres deviennent de plus en plus recherchés. Des immeubles sont érigés sur des terres qui étaient cultivées il n'y a pas si longtemps. Ici, un parc est aménagé, là on bâtit un entrepôt. L'ancienne ville devient le centre historique de la ville moderne. Le Vieux-Québec et le Vieux-Montréal en sont des exemples.

Parfois, des événements entraînent des modifications majeures. Une guerre ou un séisme peuvent détruire une ville. Des inventions vont modifier l'aspect d'un lieu. Pensons à l'automobile qui a obligé la création de routes... et d'autoroutes !

Ouvrez l'œil et vous découvrirez des traces des anciennes occupations : l'affiche d'un commerce d'antan sur un mur, les cheminées d'un édifice industriel transformé en appartements, une ancienne voie de chemin de fer devenue piste cyclable.

Bref, un territoire c'est un espace que des humains se sont approprié, qu'ils ont transformé et auquel ils ont donné un sens et une organisation particulière.

Source : *Programme de formation de l'école québécoise*, ministère de l'Éducation, 2003, p. 301.

Mirabel : quelques étapes de la transformation d'un territoire

1.4

Territoire agricole exproprié

- **1969.** Expropriation d'un vaste territoire agricole de 97 000 acres dans la région de Sainte-Scholastique dans le but de construire un aéroport international.
- 10 000 habitants de 14 municipalités sont touchés.
- **1970.** Destruction de fermes et de rangs pour faire place à la première piste d'atterrissage.

1.5

Paysage aéroportuaire en construction

- **1971.** Création de la ville de Mirabel par la fusion de 13 secteurs.
- Mirabel porte le nom de « ville » même si 87 % de son territoire est agricole.
- **1975.** Ouverture du site aéroportuaire comprenant une aérogare, des pistes d'atterrissage, un hôtel, un bâtiment administratif et un parc de stationnement. Ces installations occupent 4,5 % du territoire de Mirabel.

1.6

Mirabel : une ville à la campagne ?

- **2004.** Après 29 ans d'activités, l'aéroport ferme ses portes au transport de passagers.
- Des projets sont à l'étude dans le but de transformer, de nouveau, le territoire.
- La vocation de Mirabel reste principalement agricole.

Trouvez un exemple de transformation dans votre localité. Demandez à des personnes plus âgées de vous aider. Est-ce que vous savez ce qui a provoqué un tel changement?

2 Un territoire, des paysages

Un territoire est constitué de multiples paysages auxquels nous sommes sensibles. Quand on pense à un paysage, on s'imagine une peinture ou une carte postale représentant la nature, un point de vue admiré au cours d'une balade, etc. Mais est-ce suffisant pour définir ce qu'est un paysage ?

Un paysage, c'est une partie de territoire telle que perçue par celui ou celle qui l'observe. L'importance que nous accordons à un paysage varie selon les personnes et l'époque. Pourquoi ? Parce que notre regard est influencé par nos valeurs, par notre culture.

1.7 Jonathan observe le paysage en vue d'une randonnée à vélo. Quant à Gabrielle, elle doit prendre une photo de paysage pour son cours de dessin. Ils ne perçoivent pas la réalité de la même façon. Pourquoi ?

Contrairement à ce que l'on pense souvent, un paysage n'est pas toujours naturel. On s'intéresse de plus en plus aux paysages culturels tant dans les villes que dans les campagnes. D'ailleurs, « beaux » ou « laids », il s'agit de paysages avec leurs caractéristiques propres. Doit-on conserver ces lieux ou les transformer ? C'est la décision à prendre.

1.8 **Vieux-Port de Montréal** depuis l'ouest de la ville. À quoi ressemblait le port de Montréal avant de devenir « vieux » ? Pourquoi a-t-on décidé de le transformer ?

1.9 **Échangeur Turcot à Montréal.** Les voies rapides font partie intégrante du paysage des grandes villes. Ce paysage urbain est-il beau ou laid, selon vous ? Pourquoi ? Devrait-on le transformer ? Si oui, comment ?

3 Un territoire, des enjeux

Selon leur rôle dans la société, les habitants d'un territoire n'ont pas nécessairement les mêmes intérêts. Industriels, écologistes, commerçants, agriculteurs et résidants d'un quartier peuvent différer d'opinion sur la façon d'utiliser l'espace. Ces différences de vue causent souvent des problèmes. C'est ce qui fait l'objet d'enjeux* territoriaux. Voici quelques exemples d'enjeux.

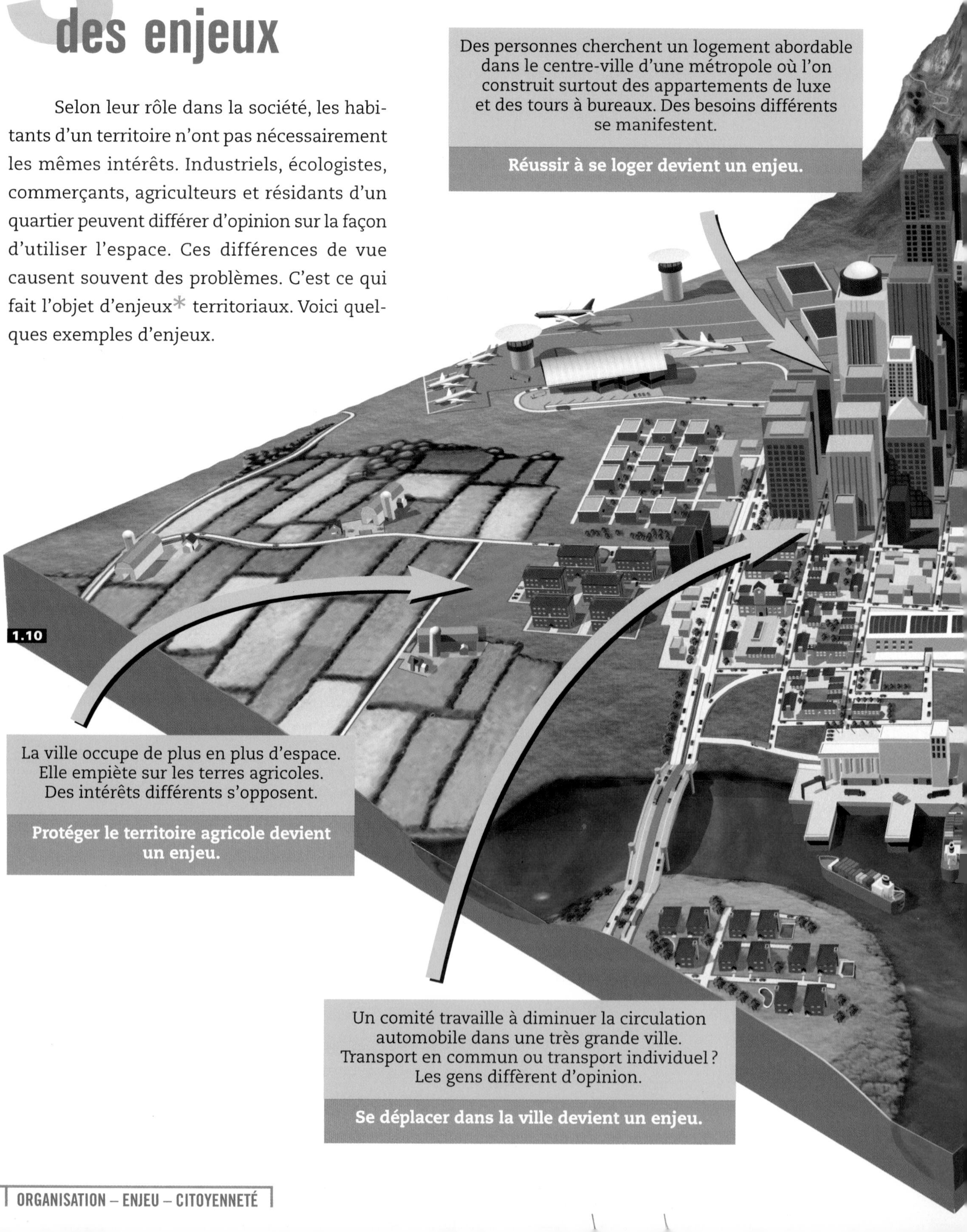

Des personnes cherchent un logement abordable dans le centre-ville d'une métropole où l'on construit surtout des appartements de luxe et des tours à bureaux. Des besoins différents se manifestent.

Réussir à se loger devient un enjeu.

1.10

La ville occupe de plus en plus d'espace. Elle empiète sur les terres agricoles. Des intérêts différents s'opposent.

Protéger le territoire agricole devient un enjeu.

Un comité travaille à diminuer la circulation automobile dans une très grande ville. Transport en commun ou transport individuel ? Les gens diffèrent d'opinion.

Se déplacer dans la ville devient un enjeu.

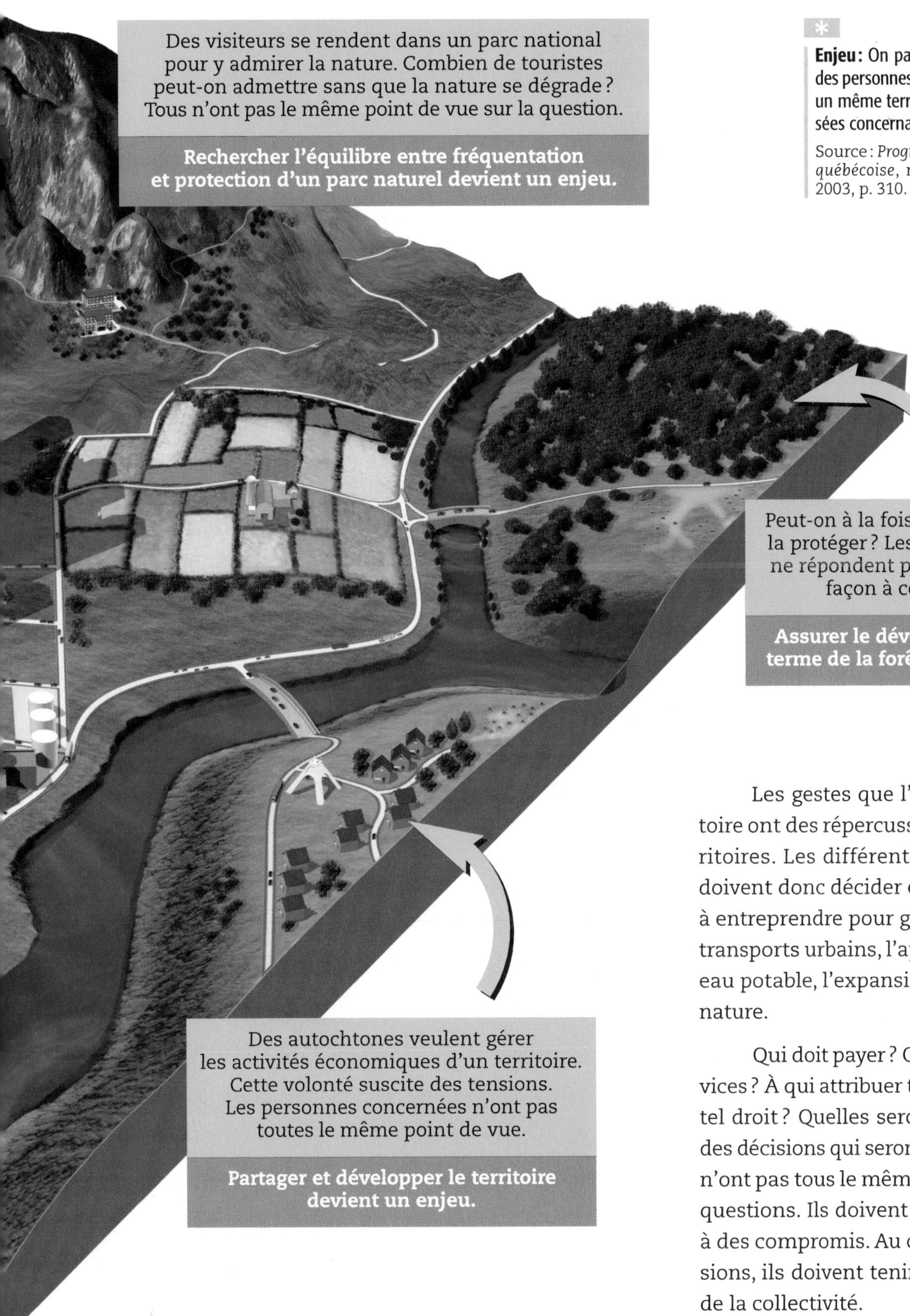

Des visiteurs se rendent dans un parc national pour y admirer la nature. Combien de touristes peut-on admettre sans que la nature se dégrade ? Tous n'ont pas le même point de vue sur la question.

Rechercher l'équilibre entre fréquentation et protection d'un parc naturel devient un enjeu.

*

Enjeu : On parle d'enjeu territorial lorsque des personnes ou des groupes qui partagent un même territoire ont des opinions opposées concernant l'utilisation de l'espace.

Source : *Programme de formation de l'école québécoise*, ministère de l'Éducation, 2003, p. 310.

Peut-on à la fois exploiter la forêt et la protéger ? Les groupes concernés ne répondent pas tous de la même façon à cette question.

Assurer le développement à long terme de la forêt devient un enjeu.

Des autochtones veulent gérer les activités économiques d'un territoire. Cette volonté suscite des tensions. Les personnes concernées n'ont pas toutes le même point de vue.

Partager et développer le territoire devient un enjeu.

Les gestes que l'on pose sur un territoire ont des répercussions sur d'autres territoires. Les différents groupes concernés doivent donc décider ensemble des actions à entreprendre pour gérer, par exemple, les transports urbains, l'approvisionnement en eau potable, l'expansion d'une ville ou… la nature.

Qui doit payer ? Où faire passer les services ? À qui attribuer telle responsabilité ou tel droit ? Quelles seront les conséquences des décisions qui seront prises ? Les citoyens n'ont pas tous le même point de vue sur ces questions. Ils doivent discuter pour arriver à des compromis. Au cours de leurs discussions, ils doivent tenir compte des intérêts de la collectivité.

Bref, l'enjeu aujourd'hui, c'est d'habiter un territoire sans le rendre « inhabitable » pour soi-même et pour les autres.

4 Les différents types de territoire

Les territoires de la planète ne sont pas tous organisés de la même façon. Par exemple, l'organisation de l'espace dans une ville est totalement différente de l'organisation dans une région rurale. Par ailleurs, un même type d'organisation peut se trouver en de nombreux endroits sur la planète. Ainsi, partout où il y a des villes, on reconnaît un type d'organisation propre à la ville.

Pour que cela soit plus facile à comprendre, on a distingué cinq types de territoire ou cinq façons d'organiser l'espace : le **territoire région,** le **territoire urbain,** le **territoire agricole,** le **territoire autochtone** et le **territoire protégé.**

À quoi reconnaît-on chaque type de territoire ?

C'est un **territoire région**. Comment le sait-on ?

Il s'agit d'un espace humain et physique où se déroule une activité dominante (tourisme, exploitation des forêts, des ressources naturelles, etc.). La région s'organise le plus souvent autour d'une ville principale et elle présente des traits culturels communs.

Ex. : La région touristique de Charlevoix, avec la municipalité de Baie-Saint-Paul au premier plan.

1.11

C'est un **territoire urbain**. Comment le sait-on ?

Il s'agit d'un espace humain et physique organisé autour d'une ou de plusieurs villes étroitement liées. Ses caractéristiques : concentration de population, grands axes routiers, centre d'affaires, quartiers commerciaux et résidentiels, banlieues environnantes.

Ex. : Le territoire urbain de Montréal, avec ses vastes banlieues de la rive nord et de la rive sud.

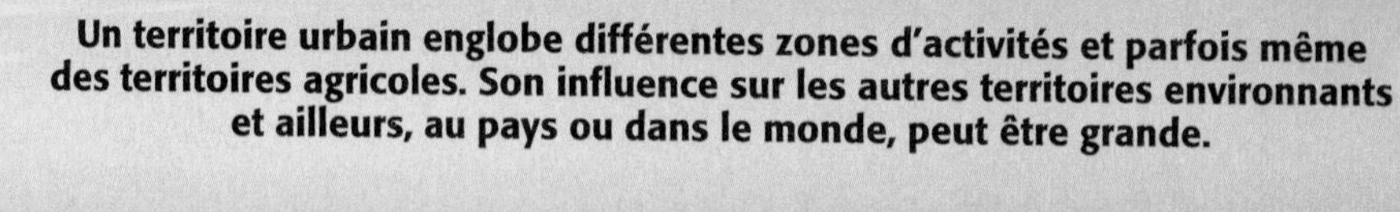

Un territoire urbain englobe différentes zones d'activités et parfois même des territoires agricoles. Son influence sur les autres territoires environnants et ailleurs, au pays ou dans le monde, peut être grande.

1.12

C'est un **territoire agricole**. Comment le sait-on?

Il s'agit d'un espace humain et physique dont l'organisation est marquée par des activités agricoles et les échanges qui en découlent. Certains traits le caractérisent: maisons dispersées, fermes et bâtiments spécialisés, villages, industries et services liés à l'agriculture.

Ex.: Le territoire agricole de la vallée du Saint-Laurent (la municipalité de Lotbinière).

1.13

C'est un **territoire autochtone**. Comment le sait-on?

Il s'agit d'un espace habité par des citoyens issus d'une première nation. Ceux-ci ont obtenu ou revendiquent des droits sur leurs terres ancestrales. L'organisation de ce type de territoire est marquée par des activités et une culture qui reflètent l'identité du peuple autochtone concerné.

Ex.: Le territoire du Nunavut (la localité de Pond Inlet).

1.14

C'est un **territoire protégé**. Comment le sait-on?

Il s'agit d'un espace naturel que les autorités ont décidé d'aménager et de réglementer afin d'éviter qu'il se dégrade. Ses limites sont bien définies. Son organisation vise à maintenir un équilibre entre la nature et la fréquentation touristique.

Ex.: Le parc régional de la Gatineau.

1.15

Le territoire a un nom

Le territoire est d'abord défini par son nom, un peu comme les gens. Ainsi, une personne dira: « Je suis d'ici, et non de là. »

Souvent, le toponyme rappelle l'histoire et la géographie d'un lieu.

Il aide à comprendre l'évolution d'un territoire et ce qu'il signifie pour ses habitants.

Au Québec, la plupart des toponymes sont liés à:

- un site naturel: ex.: Lachute;
- un personnage marquant (anglophone ou francophone): ex.: Brownsburg-Chatham, Joliette;
- la religion catholique: ex.: Mont-Saint-Hilaire;
- la présence des premières nations: ex.: Maskinongé.

Le nom d'un lieu, c'est son toponyme. Savez-vous d'où vient le toponyme de votre localité?

CARTE 1.1 **EXTRAIT DE LA CARTE ROUTIÈRE DU QUÉBEC**

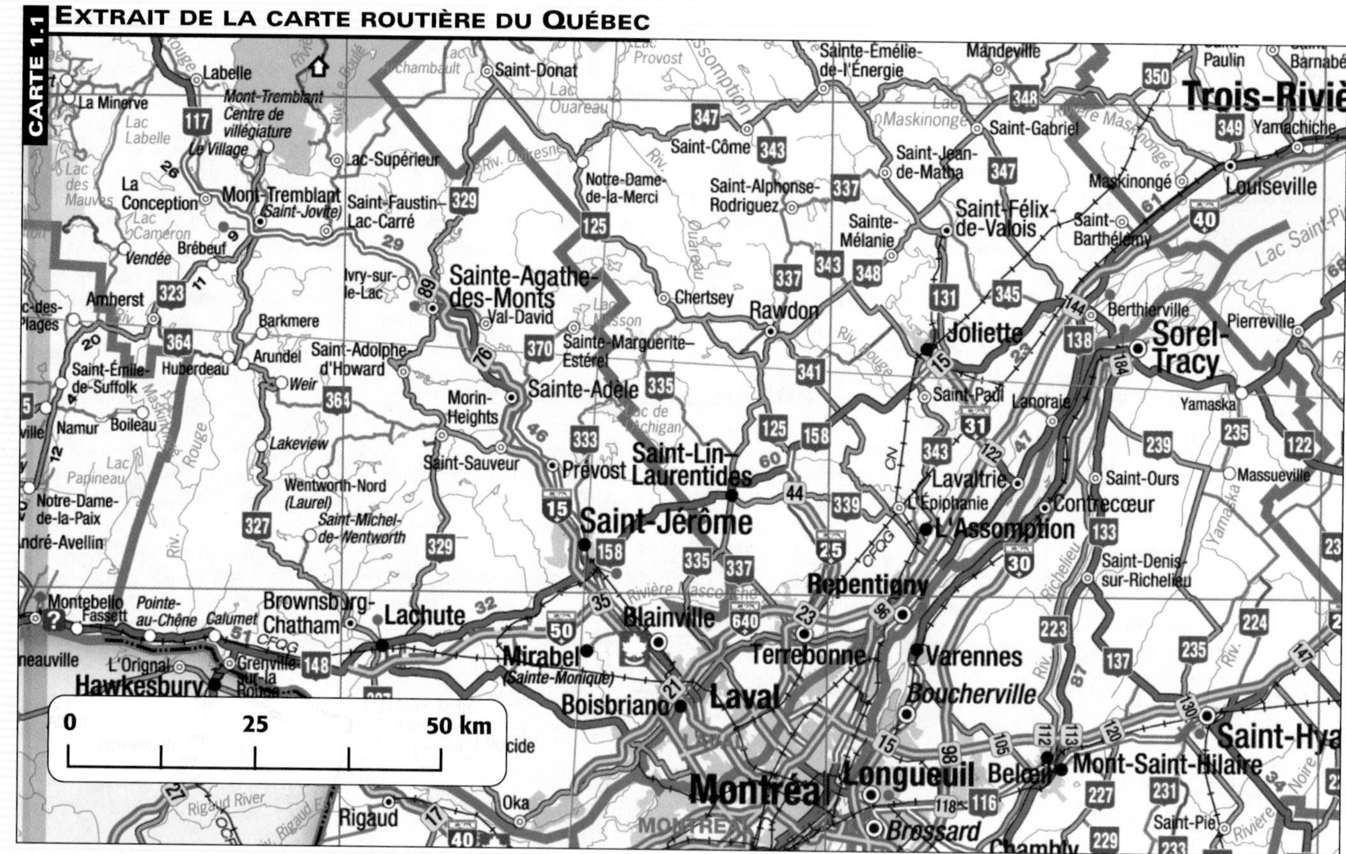

Source: Ministère des Transports du Québec.

Sur la carte 1.1, choisissez quelques toponymes. Dans quelle catégorie pouvez-vous classer chaque toponyme choisi?

Étant donné l'échelle de la carte, certains lieux ne sont pas représentés. Comparez avec une autre carte. Pouvez-vous localiser Verchères, par exemple?

5 Vivre ensemble sur la planète

Qu'avons-nous en commun avec les Chinois, les Australiens, les Saoudiens ou les Mexicains ? En apparence, nous sommes si différents et surtout si éloignés… Pourtant, nous sommes tous liés les uns aux autres. Les gestes que nous faisons ont des répercussions sur les autres humains et sur les territoires qu'ils habitent. En sommes-nous conscients ?

Voici quelques exemples de liens qui nous unissent.

- Ce que nous mangeons provient d'un peu partout dans le monde : papayes, riz et bananes ne poussent pas ici.
- Ce que l'on produit sur les fermes est lié aux besoins du marché local, mais aussi du marché mondial.
- Des personnes d'ethnies* différentes vivent sur un même territoire en raison du phénomène des migrations internationales.
- Le restaurant-minute le plus près de chez nous fait partie d'une chaîne que l'on trouve presque partout sur la planète.
- La mauvaise qualité de l'eau d'une municipalité peut être liée aux déchets provenant d'une région industrielle située plus loin.
- Pratiquement tous les territoires de la planète sont unis par un vaste réseau virtuel : Internet.

*

Ethnie : Groupe de personnes qui partagent une culture commune, c'est-à-dire une langue, une histoire, des institutions, etc. Plusieurs groupes ethniques habitent le territoire du Québec.

1.16
Divers types de réseaux relient les territoires de la planète entre eux : de communication, de transport, Internet, etc. Comment votre territoire est-il relié au monde ?

Ensemble, mais pas sur le même pied

Il existe des inégalités entre les individus, entre les groupes et entre les sociétés. Certains territoires sont plus développés que d'autres. Ces inégalités se manifestent aussi sur un même territoire, entre des quartiers riches et des quartiers pauvres d'une ville, par exemple.

Devant cette situation, des personnes ont décidé d'agir. Elles ont fondé des organisations dans le but d'aplanir les inégalités et de préserver l'environnement. Elles veulent reboiser les forêts, protéger l'eau, réduire la consommation d'essence, etc. L'objectif de telles pratiques est de répondre aux besoins de tous les habitants de la Terre tout en préservant les ressources pour les générations futures. C'est ce qu'on appelle le « développement durable ». De plus en plus, les gouvernements et les entreprises adoptent des mesures qui vont dans ce sens. Toutefois, cela ne fait pas encore l'unanimité.

« Équitable » et « durable », deux mots dont vous entendrez de plus en plus parler. Pourquoi, selon vous ?

Des images venues du ciel !

Depuis le début des années 1960, des satellites d'observation de la Terre transmettent ce que l'on appelle des « images satellitales ». Les chercheurs y trouvent une source inépuisable de renseignements sur les phénomènes naturels, la météo, les aménagements humains, l'état des ressources naturelles, etc. Il ne s'agit ni de cartes ni de photos. D'ailleurs, les couleurs sont artificielles. Leur choix dépend de l'utilisation qui en est faite. Ainsi, le rouge fait bien ressortir les zones de végétation. C'est la couleur privilégiée lorsque vient le temps d'étudier un territoire protégé ou de planifier l'exploitation d'une forêt.

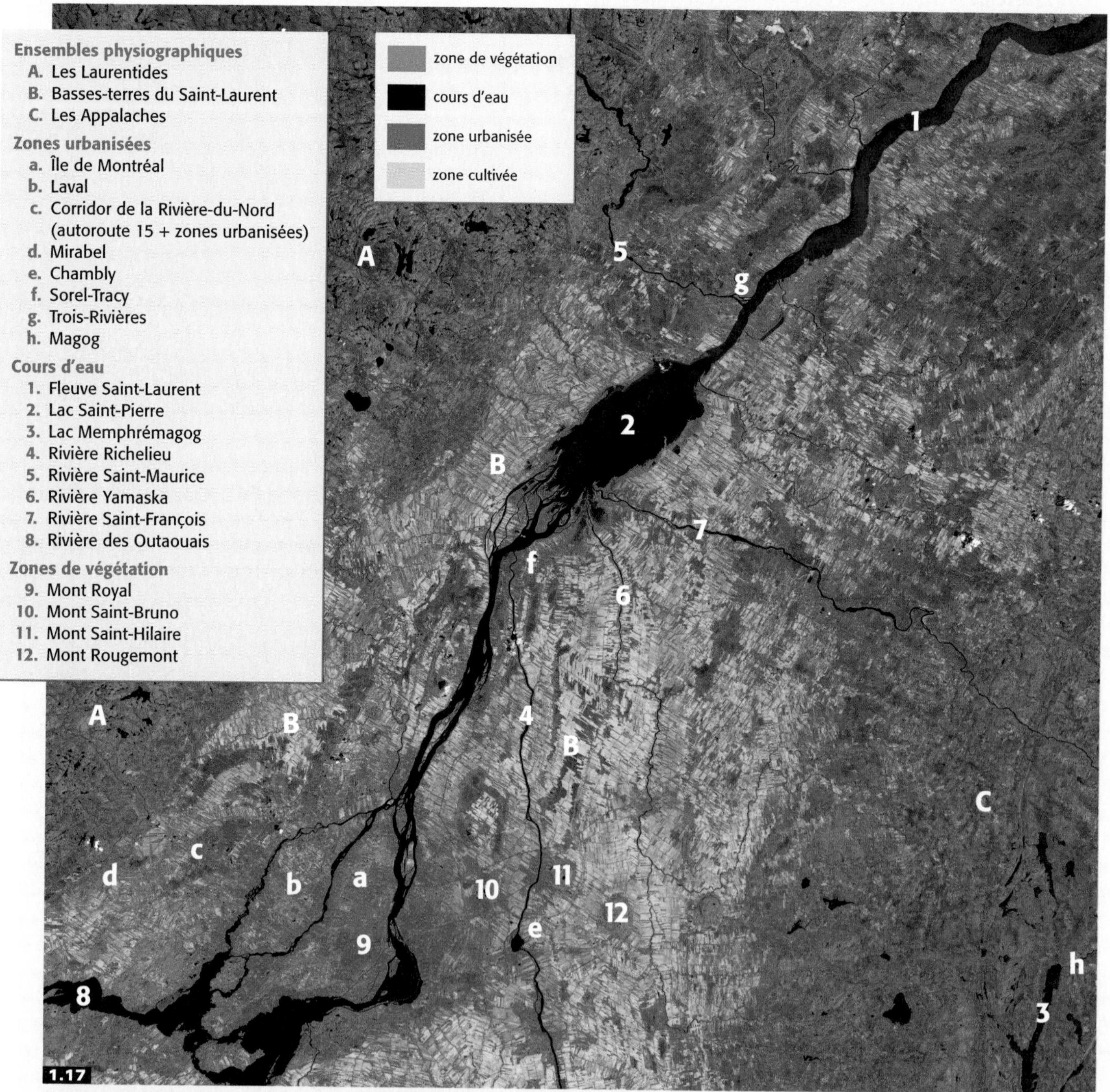

Image satellitale d'une partie du territoire du Québec. Cette image a été prise à partir du satellite *Landsat* le 8 juin 2001. Pouvez-vous reconnaître d'autres éléments que ceux qui sont identifiés sur l'image ?

6 Des cartes, toutes sortes de cartes

Les cartes sont une représentation d'un espace réel. Elles nous aident à nous diriger. Elles nous permettent aussi de repérer un lieu, de comprendre l'actualité, d'analyser la distribution d'un phénomène ou l'impact d'un problème sur un territoire.

Il existe toutefois de nombreux types de cartes pour représenter un espace. Si une personne est perdue dans une ville, de quelle carte aura-t-elle besoin : planisphère, carte thématique, carte routière, carte historique, plan de ville ? Pour choisir la « bonne » carte, nous devons d'abord définir nos besoins. Il faut aussi pouvoir décoder l'information qui est sur la carte, car elle possède un langage qui lui est propre : titre, échelle, légende et symboles.

carrefour Science

Des cartes à l'écran

« Un système d'information géographique » (SIG) est un outil informatique qui regroupe des cartes et des bases de données. Il s'agit d'un outil important qui aide à prendre des décisions lorsque vient le temps d'aménager un territoire. Imaginons que les autorités de la ville veulent régler un problème d'embouteillage dans une très grande ville. Combien d'autos passent à cet endroit ? Doit-on dévier la circulation ? Y aura-t-il alors un bouchon ailleurs ? Serait-il préférable de construire une autoroute ? Grâce au SIG, on peut simuler différents scénarios et faire un choix plus éclairé.

A Une carte dans sa tête

Chaque jour, nous utilisons des habiletés spatiales, et cela même sans nous en rendre compte. En effet, notre cerveau reconnaît et mémorise les formes connues de notre environnement. Ce sont nos repères*. Sans eux, on se perd ! C'est ce qu'on appelle une « carte mentale* ».

Par contre, dans un lieu qui ne nous est pas familier, le risque de s'égarer augmente, car le cerveau est incapable de décoder le paysage. Il n'a pas de repères. C'est alors que la carte devient essentielle !

Repère : Signe, objet qui aide à retrouver un endroit.

Carte mentale : Image, représentation que chaque personne se fait de lieux connus.

Quels sont vos repères pour ne pas vous égarer dans la région où vous habitez ?

Curieux

Toujours utiles, les cartes imprimées ?

Je suis un petit appareil utilisé dans les avions, les autos, les bateaux et, de plus en plus, par les randonneurs. Je vous fournis des renseignements sur votre localisation à la surface de la Terre… Qui suis-je ? Un GPS, bien sûr !

GPS signifie *Global Positioning System*. Inventé par l'armée américaine en 1990, l'instrument capte les signaux d'un réseau de satellites en orbite autour de la planète.

À partir de ces signaux, l'appareil donne la position exacte. Il peut même indiquer la distance qui reste à franchir jusqu'au point d'arrivée, ce qu'il y a de l'autre côté de la colline, le chemin le plus court pour se rendre à destination, etc. Il aide aussi à tracer un itinéraire et à le suivre, sur une carte ou sur une photo aérienne à l'écran.

1.18 Certaines automobiles sont équipées de GPS.

Le GPS va-t-il remplacer les cartes traditionnelles ?

Il s'agit plutôt de deux outils complémentaires. Pour représenter l'état des ressources en eau sur un territoire, la carte est essentielle. Toutefois, dans le domaine du transport, notamment, le GPS est des plus efficaces. Qu'en est-il des personnes qui font de la randonnée en forêt ? Si elles ont de l'expérience, de bonnes piles et que la forêt ne bloque pas la réception des ondes, le GPS est parfait. Autrement, il vaut mieux avoir une carte… et une boussole !

Alors, quelle carte choisir?

Planisphère

Le planisphère est une carte de l'ensemble du globe terrestre en projection plane. On **choisit** ce type de carte pour représenter la division politique des territoires ou encore la distribution d'un phénomène sur l'ensemble de la planète (risques d'origine naturelle, grandes métropoles dans le monde, etc.). La carte 1.2 représente la répartition des parcs naturels dans le monde.

CARTE 1.2 **LES PARCS NATURELS QUI FONT PARTIE DU PATRIMOINE MONDIAL**

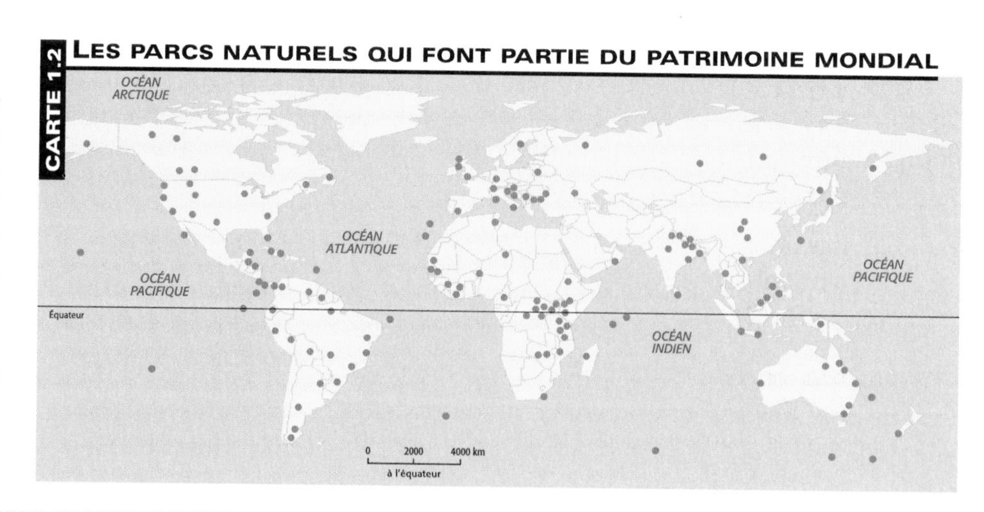

Carte thématique

La carte thématique sert à représenter la distribution d'un phénomène à l'échelle locale, régionale ou mondiale. On **choisit** aussi ce type de carte pour comparer un même phénomène sur des territoires différents (dégâts causés par un cyclone en Floride et aux Philippines, par exemple). Ici, la carte thématique 1.3 représente le risque de coulées de boue vers la ville de Quito si le volcan Guagua Pichincha entrait en éruption.

CARTE 1.3 **LE RISQUE DE LAHARS À QUITO**

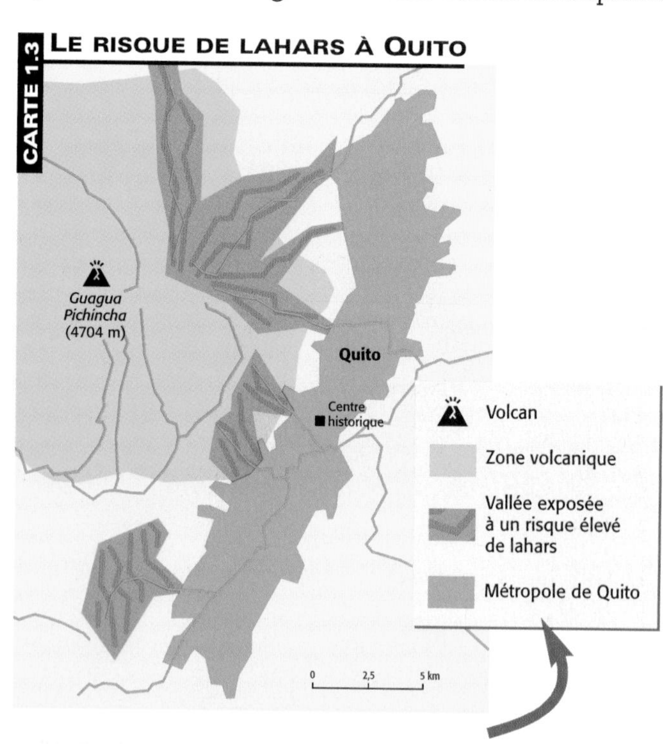

La **légende** regroupe, dans un tableau, tous les symboles figurant sur la carte et en explique les significations. C'est ce qui permet de décoder l'information qui y est représentée.

Carte routière

La carte routière sert à situer les différentes localités d'un territoire, les routes qui les relient ainsi que les distances d'un lieu à un autre. On **choisit** ce type de carte lorsque l'on voyage ou que l'on veut franchir de longues distances.

Bien sûr, une carte n'est pas le monde réel! Il faut le réduire tout en maintenant un rapport de proportion entre les distances réelles et leur représentation sur le papier. On dit alors que la carte est «**à l'échelle**».

CARTE 1.4 **EXTRAIT DE LA CARTE ROUTIÈRE DU QUÉBEC**

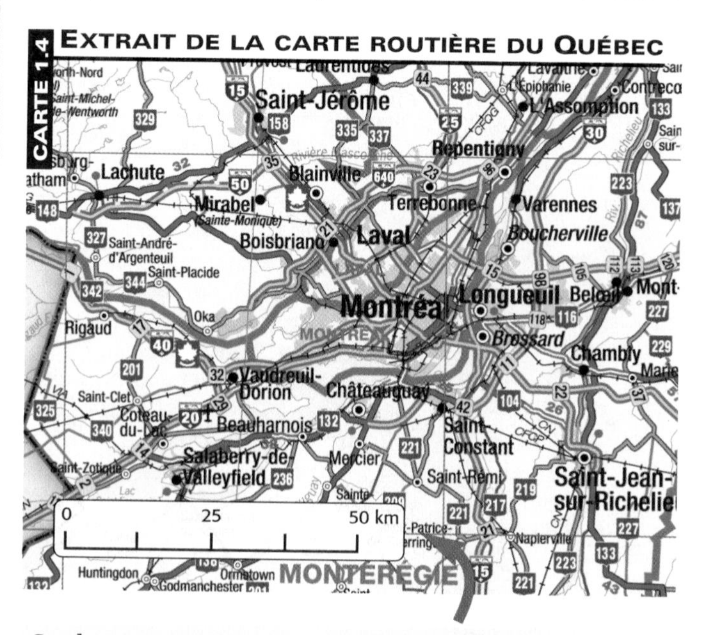

Sur la carte 1.4, on a une **échelle graphique**. Celle-ci est présentée sous la forme d'une ligne droite divisée en sections de longueurs égales. Ici, 2 cm sur la carte représentent 25 km dans la réalité. Toutes les cartes du manuel utilisent une échelle graphique.

Plan de ville

Un plan de ville est une carte qui représente la superficie d'une ville et en localise les principaux éléments. On **choisit** ce type de carte pour se diriger dans une ville. On y trouve les noms des rues, les grands axes routiers, les espaces verts, les grandes lignes du transport en commun ainsi que les principaux repères de la localité (collines, cours d'eau, édifices publics, etc.).

Les touristes utilisent souvent des plans de ville simplifiés pour s'orienter. Le plan touristique de la ville patrimoniale de Québec (carte 1.5) en est un exemple.

La **rose des vents** indique normalement les quatre points cardinaux : nord, est, sud et ouest. Toutefois, dans l'exemple ci-dessous, seul le nord est représenté. Par convention, le nord est toujours en haut et l'est, à droite. C'est pourquoi on utilise la rose des vents seulement lorsque la carte est orientée différemment.

CARTE 1.5 PLAN TOURISTIQUE DE LA VILLE PATRIMONIALE DE QUÉBEC

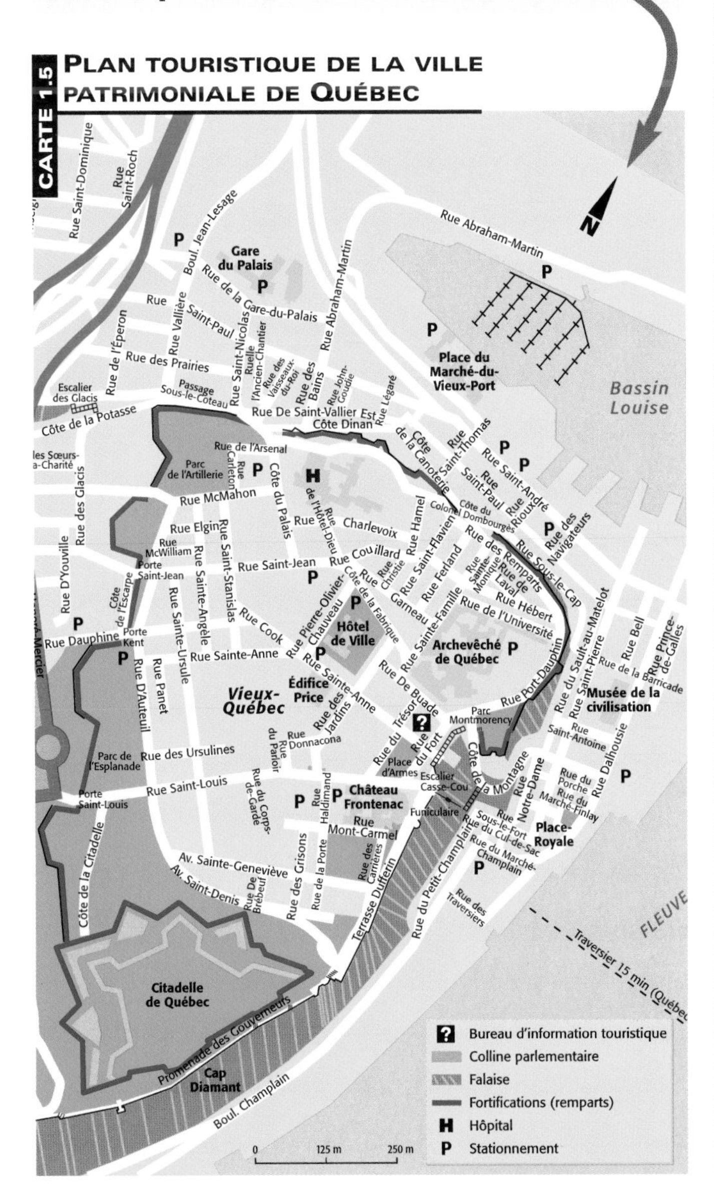

Carte historique

La carte historique permet de représenter l'organisation d'un espace à un moment donné dans le temps. On **choisit** aussi ce type de carte lorsqu'on a besoin de montrer l'évolution de la distribution spatiale d'un phénomène dans le temps. La carte 1.6 représente l'organisation de la ville d'Athènes au 5e siècle av. J.-C.

CARTE 1.6 ATHÈNES, 5e SIÈCLE AV. J.-C.

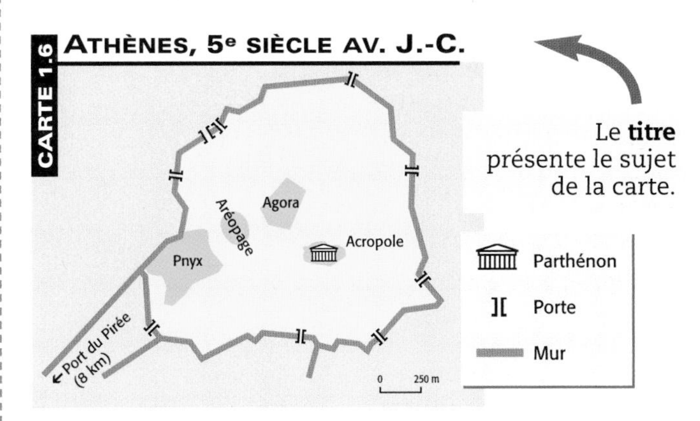

Le **titre** présente le sujet de la carte.

Carte topographique

La carte topographique représente les caractéristiques physiques (relief, cours d'eau, lacs, zones boisées, etc.) et humaines (routes, zones habitées, chemins de fer, aéroports, barrages, etc.) d'un territoire. On **choisit** ce type de carte, entre autres, lorsque l'on fait des randonnées en montagne. Les lignes brunes sont des courbes de niveau. Elles relient tous les points de même altitude par rapport au niveau de la mer. Sur la carte 1.7, la différence entre les courbes équivaut à 50 pieds (environ 15 m).

CARTE 1.7 CARTE TOPOGRAPHIQUE

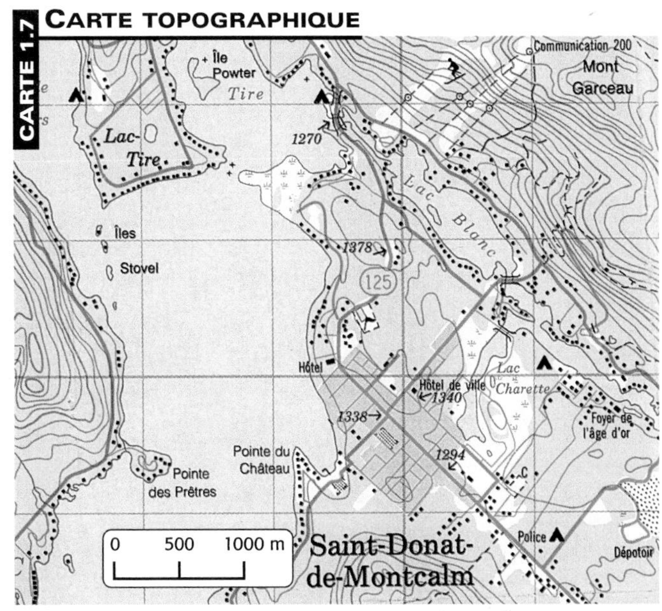

Source : Ministère des Mines, des Ressources et de l'Énergie, Canada.

FAIRE DE LA GÉO EN... se documentant

Votre enseignant ou enseignante vous a demandé de faire une recherche sur un territoire. Vous avez lu le dossier, mais vous aimeriez comparer des points de vue, ajouter des statistiques, insérer des images, enquêter sur la localité en question... Où chercher ce complément d'information ?

N'oubliez pas de citer vos sources !

Je peux...

- Faire une recherche dans un site Internet. **Attention !** Les sites personnels ne constituent pas des sources fiables. Consultez plutôt des sites officiels : journaux, encyclopédies, etc.
- Visiter un musée, un centre d'interprétation.
- Communiquer avec un organisme officiel pour obtenir de la documentation (ex. : ministère).
- Aller à la bibliothèque de l'école ou de la localité pour consulter livres, revues, encyclopédies, base de données, affiches, atlas.
- Regarder un documentaire à la télévision, écouter les bulletins de nouvelles.
- En parler avec des membres de la famille.
- Lire un journal ou une revue à la maison.
- Interroger une personne-ressource (ex. : un spécialiste dans le domaine ou une personne expérimentée).
- Visionner un film sur le sujet.
- Consulter des cartes, des plans de ville.

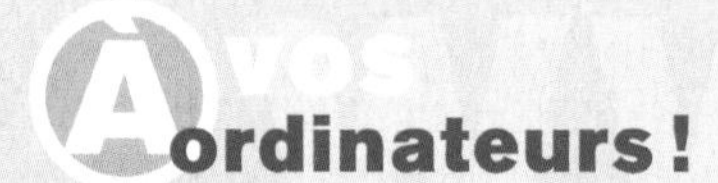

À vos ordinateurs !

Territoires et enjeux en photos

Vous savez maintenant qu'il existe différents types de territoire. Vous savez également que des enjeux sont liés à l'organisation et à l'utilisation de ces territoires. C'est ce que vous avez appris aux pages 8-9 de votre manuel. Afin de bien saisir les enjeux reliés au territoire urbain et au territoire agricole, faites l'activité suivante.

- Cherchez, dans Internet, une photographie représentant un territoire urbain et une autre, un territoire agricole.
- À l'aide d'un logiciel de traitement de texte, créez un tableau de trois colonnes et de trois lignes, semblable à celui-ci.
- Réduisez la dimension des photos que vous avez choisies afin de les insérer dans la colonne de droite de votre tableau.
- Trouvez un enjeu qui pourrait être lié à chacun de ces territoires. Notez chaque enjeu dans la colonne du centre.

TERRITOIRE	ENJEU	PHOTOGRAPHIE
Territoire urbain		
Territoire agricole		

À propos des photos d'ouverture

Il y a des mots extrêmement difficiles à photographier : le mot « territoire », par exemple. Essayez de « faire entrer » le territoire que vous habitez dans une seule image, impossible ! Vous pouvez montrer certaines réalités qui aideront à reconnaître votre localité, mais vous ne pouvez pas la montrer entièrement.

Les cinq photos d'ouverture du dossier ont été choisies parce qu'elles représentent dans une certaine mesure les types de territoire à l'étude. Elles témoignent de réalités du Québec, du Canada et du monde. Situez ces territoires sur une carte. Observez bien chacune des photos : vous y trouverez des indices vous permettant de les interpréter. Pour vous aider, consultez les pages 10-11 de votre manuel.

En voici une brève présentation.

- La photo 1.1a montre une vue d'ensemble de Val-d'Isère (Savoie, France). Elle évoque l'idée d'un **territoire région.** Pourquoi ?
- La photo 1.1b montre un paysage de la ville de Manille (Philippines). Elle évoque l'idée d'un **territoire urbain.** Pourquoi ?
- La photo 1.1c montre une vue d'ensemble de fermes à proximité de la ville d'Alma (Québec, Canada). Elle évoque l'idée de **territoire agricole.** Pourquoi ?
- La photo 1.1d montre une partie de la localité montagnaise de Mashteuiatsh (Québec). Elle évoque l'idée de **territoire autochtone.** Pourquoi ?
- La photo 1.1e montre un paysage naturel photographié dans le parc national de Banff (Alberta, Canada). Elle évoque l'idée de **territoire protégé.** Pourquoi ?

Trouvez d'autres photos au Québec, ailleurs au Canada ou dans le monde qui évoquent ces cinq types de territoire. Pouvez-vous situer ces territoires sur un planisphère ? Avez-vous besoin d'un autre type de carte ?

POUR EN savoir plus...

Des livres

BERTRAND, Yann Arthus. *L'avenir de la Terre : le développement durable raconté aux enfants*, Paris, De La Martinière jeunesse, 2003.

DORION, Henri. *Noms et lieux du Québec*, Sainte-Foy, Les publications du Québec, 1996.

LAHOUD, Pierre, et Henri DORION. *Le Québec vu du ciel*, Montréal, Les Éditions de l'Homme, 2001.

LE DUC, Michel, et Nathalie TORDJMAN. *La ville à petits pas*, Arles, Actes Sud Junior, 2003.

Dans la même collection : *La forêt à petits pas, L'énergie à petits pas, L'eau à petits pas, L'écologie à petits pas, L'Internet à petits pas, Les aliments à petits pas.*

Des sites Internet

Commission de toponymie du Québec.

Conseil du paysage québécois.

Dossier 2

TERRITOIRE PROTÉGÉ – PARC NATUREL

LE TERRITOIRE PROTÉGÉ : CONTRE QUOI ? POUR QUI ?

Partout dans le monde, les autorités délimitent des territoires à protéger. Les parcs nationaux sont des exemples de « territoires protégés ». Mais **contre quoi** veut-on les protéger au juste ? Qu'est-ce qui menace ces territoires ? Et **pour qui** veut-on les protéger ?

sommaire

2.1

1 Qu'est-ce qu'un territoire protégé?

Pendant des millénaires, les êtres humains ont sillonné les mers, parcouru les continents et se sont établis sur de nouvelles terres. Partout, ils trouvaient de quoi vivre. Ils avaient l'impression que les ressources de la Terre étaient inépuisables. Mais, vers le milieu du 19e siècle, une inquiétude a surgi : et si les ressources de la planète s'épuisaient ?

Les États-Unis ont été le premier pays à réagir à cette inquiétude : en 1872, ils ont créé le premier parc naturel au monde, le parc national de Yellowstone. En créant ce parc, les États-Unis visaient à conserver intactes certaines parties de leur immense territoire pour les générations futures[1]. Ce fut le premier territoire protégé.

Aujourd'hui, presque tous les pays ont des territoires protégés. Mais qu'est-ce, au juste, qu'un territoire protégé ? C'est un vaste espace que les autorités* ont décidé d'aménager et de réglementer, afin de le protéger de la dégradation*.

Le simple fait de décider de protéger un territoire soulève cependant des questions. Par exemple, jusqu'à quel point peut-on vraiment protéger un territoire ? Et contre quoi exactement doit-on le protéger ? Enfin, faut-il protéger uniquement les territoires qui sont classés « territoires protégés » ? Ce dossier veut vous amener à réfléchir sur ces questions à l'aide d'un territoire protégé, le parc naturel.

Le parc national de Yellowstone, aux États-Unis. Ce parc est reconnu pour ses paysages spectaculaires, mais la présence constante de milliers de touristes a peu à peu dégradé certains sites.

A Qu'est-ce qu'un parc naturel ?

Les parcs naturels sont des territoires protégés. Mais qu'est-ce qu'un parc naturel ? Tous les parcs sont-ils des parcs naturels ? Par exemple, le petit parc près de votre école ou de votre maison est-il un parc naturel ?

En fait, dans la langue courante, le mot « parc » revêt différentes significations. Ce mot désigne parfois le terrain de jeu ou l'espace vert d'un quartier ; il peut aussi désigner un ensemble de manèges et de jeux : on parle alors de « parc d'attractions », comme celui de la Ronde,

Le parc national du Namib-Naukluft, en Namibie (Afrique). Les paysages des territoires protégés sont multiples : désert de sable, immense glacier ou encore grande forêt près de chez vous...

Autorités : Personnes ou organismes qui ont le pouvoir de prendre des décisions, par exemple les autorités gouvernementales.

Dégradation : Détérioration.

1. Information tirée de *Encyclopédie Yahoo*, « Les parcs nationaux », Hachette Multimédia/Hachette Livre, 2001.

à Montréal. Le mot « parc » peut même désigner un espace servant à accueillir des entreprises : on parle alors de « parc industriel ». Mais tous ces parcs, même lorsqu'ils comportent des espaces verts comme le petit parc de votre quartier, ne sont pas des parcs naturels...

En géographie, on entend par « parc naturel » un grand espace où l'on vise à protéger le patrimoine naturel*, c'est-à-dire la nature. Quand on parlera de « parcs » dans cet ouvrage, on parlera donc de « parcs naturels ». Et, comme nous l'avons dit, tous les parcs naturels sont des territoires protégés.

Il existe une très grande variété de parcs naturels dans le monde. L'Union mondiale pour la nature (UICN)* les regroupe en catégories, selon leurs objectifs. Voici une version simplifiée de cette classification des parcs naturels :

*

Patrimoine naturel : Le patrimoine, c'est ce qui est transmis de génération en génération. Par conséquent, le patrimoine naturel, c'est les grands espaces naturels qu'on a décidé de conserver pour les générations futures.

UICN : Organisme international qui évalue les sites naturels et recommande qu'un territoire soit considéré ou non comme un territoire protégé.

Faune : La faune d'un parc naturel, c'est l'ensemble des animaux de ce parc.

Flore : La flore d'un parc naturel, c'est l'ensemble des végétaux de ce parc.

- **Les réserves écologiques** – Ce sont des espaces où l'on cherche à protéger un écosystème rare ou à constituer un sanctuaire de faune* et de flore* sauvages. Les réserves écologiques ne sont jamais habitées. Par contre, des activités éducatives (comme l'observation des oiseaux) ou scientifiques peuvent s'y dérouler. Les réserves écologiques sont gérées par une administration locale ou nationale.

Qu'est-ce qu'un écosystème ? Voir la rubrique Carrefour à la page suivante.

- **Les parcs régionaux urbains** – Ce sont des espaces souvent habités, où l'on tente de maintenir un certain équilibre entre les activités humaines et la nature. Les parcs régionaux urbains sont situés dans des villes ou à proximité de celles-ci. Ils relèvent d'une administration locale, par exemple, au Québec, d'une région ou d'une ville.

- **Les parcs nationaux** – Ce sont des espaces où l'on cherche à protéger les écosystèmes, mais aussi à fournir aux gens (résidants ou visiteurs) des aménagements récréatifs. Certains sont habités. Les parcs nationaux sont gérés par une administration nationale.

2.4 **La réserve écologique de l'Île-Brion, sur l'île Brion, dans l'archipel des îles de la Madeleine.**

2.5 **Le parc du Mont-Royal, à Montréal, au Québec,** est un territoire protégé depuis 2003. C'est un parc régional urbain.

Lorsqu'un espace est déclaré « parc naturel », il s'ensuit un certain aménagement des lieux (par exemple, la création de sentiers de randonnée) et une réglementation (par exemple, dans certains parcs, l'interdiction de chasser et de pêcher, l'interdiction de cueillir des plantes).

Les parcs naturels que nous allons présenter dans ce dossier sont des parcs nationaux. Les parcs nationaux sont de grands espaces qui offrent des paysages grandioses, avec des écosystèmes variés, peu modifiés par les activités humaines. Ils recèlent de nombreuses espèces animales et végétales de même que des sites qui ont une grande valeur d'un point de vue récréatif, éducatif ou scientifique.

2.6 **Le parc national des Hautes-Terres-du-Cap-Breton, en Nouvelle-Écosse.**

carrefour Science

Un écosystème, qu'est-ce que c'est ?

Un écosystème est un ensemble constitué d'un milieu physique (sol, eau, etc.) et de tous les organismes qui y vivent (animaux, végétaux, microorganismes). Il inclut les interrelations entre le milieu et les organismes. La Terre tout entière est un écosystème ; le petit étang d'un parc naturel est aussi un écosystème.

B Où y a-t-il des parcs naturels ?

CARTE 2.1 LES PARCS NATURELS QUI FONT PARTIE DU PATRIMOINE MONDIAL

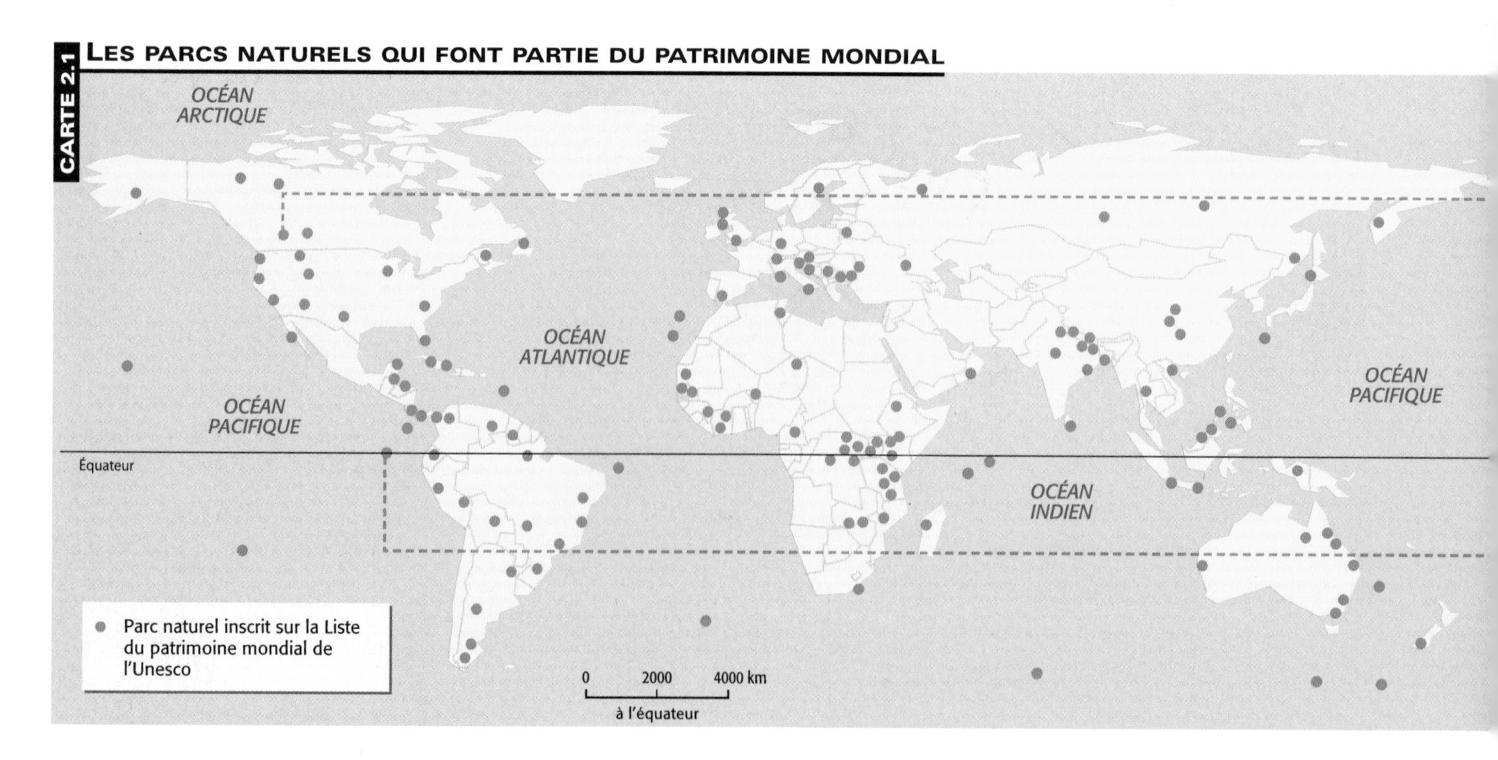

Il y a plus de 100 000 territoires protégés dans le monde, ce qui correspond à environ 12 % de la surface terrestre. De ce nombre, plusieurs sont des parcs naturels.

2.7

Source : *L'accord de Durban*, Union mondiale pour la nature, 2003.

La carte 2.1 présente les parcs naturels que l'Unesco* considère comme faisant partie du patrimoine mondial, c'est-à-dire le patrimoine qui appartient à toute l'humanité.

Parmi tous ces parcs, deux ont été retenus pour ce dossier : le parc national de Banff (Canada) et le parc national des Galápagos (Équateur). Ces deux parcs sont inscrits sur la Liste du patrimoine mondial* de l'Unesco. Ils illustrent bien les grandes questions que soulève la protection des territoires.

2.8
Le parc national de Banff, en Alberta, au Canada.

2.9
Le parc national des Galápagos, en Équateur.

*

Unesco : Organisation des Nations unies pour l'éducation, la science et la culture. La presque totalité des pays du monde sont membres de l'Unesco. L'Unesco fait elle-même partie de l'Organisation des Nations unies (ONU), fondée en 1946 pour assurer la paix et la sécurité internationales.

Liste du patrimoine mondial : Liste dressée par l'Unesco qui comprend des biens (objets, sites et paysages) qui ont une très grande valeur pour l'humanité.

carrefour Science

La biodiversité

Un des buts recherchés dans la création d'un parc naturel, c'est de protéger et de maintenir la biodiversité. On détermine la biodiversité par le nombre d'espèces différentes (d'animaux, de végétaux, et de micro-organismes) qui caractérisent les écosystèmes. « Diversité biologique » est synonyme de « biodiversité ».

La diversité des espèces diminue un peu partout dans le monde. En effet, les Nations unies estiment que, dans 30 ans, le quart des espèces de mammifères et le huitième des espèces d'oiseaux seront disparues. La cause principale de cette diminution serait la destruction des habitats, soit des milieux de vie de ces espèces, comme les forêts.

Quelles seront les conséquences de cette diminution des espèces vivantes sur la planète et sur les êtres humains ? C'est ce qu'étudient certains chercheurs.

Sources : D'après *La Recherche*, nº 333, « Biodiversité », juillet-août 2000, et Programme des Nations unies pour l'environnement.

2 Pourquoi protéger un territoire ?

Certains espaces sont déclarés « territoires protégés » pour les raisons suivantes :

- Ils sont représentatifs d'une région naturelle d'une province ou d'un pays.
  Pouvez-vous donner un exemple près de votre localité ?
- Ils offrent des paysages d'une valeur exceptionnelle.
  Selon vous, pourquoi le paysage du document 2.10 a-t-il une valeur exceptionnelle ?
- Ils contiennent des écosystèmes riches ou rares.
  Lorsqu'on dit vouloir protéger l'écosystème d'un parc, que veut-on protéger ?
- Ils procurent des espaces récréatifs et éducatifs aux visiteurs.
  En quoi peuvent consister ces espaces ? Quelles activités peut-on y faire, croyez-vous ?
- Ils offrent des lieux où l'on peut goûter la nature et s'en inspirer.
  Quel type de paysage vous inspire le plus dans un parc naturel ?
- Ils conservent des traces d'anciennes activités humaines ou d'anciennes sociétés.
  Pouvez-vous dire de quel genre de traces il s'agit sur le document 2.11 ?
- Ils contiennent des traces de phénomènes physiques anciens, comme des fossiles ou des volcans.
  Pourquoi les fossiles sont-ils si précieux, selon vous ? Que nous apprennent-ils ?
- Ils favorisent la recherche scientifique.
  Quel genre de recherche peut-on faire dans un parc naturel, à votre avis ?
- Ils procurent des retombées économiques : activités touristiques et emplois, par exemple.
  Pouvez-vous nommer des emplois créés dans votre région grâce à l'existence d'un territoire protégé ?
- Ils constituent un symbole de l'identité d'une population ou d'une société.
  Savez-vous ce qu'est un symbole ? Pouvez-vous en donner des exemples ?

Croyez-vous que chacune de ces raisons s'applique à tous les territoires protégés de la planète ? Pourquoi ?

2.10
Le parc national de l'Iguazu, à la frontière de l'Argentine et du Brésil (Amérique du Sud).

2.11
Le parc national de Mesa Verde, aux États-Unis.

Le parc national du Bic, au Québec.
2.12

3 Contre quoi protéger un territoire?

Il faut protéger les territoires contre la dégradation. Un territoire protégé peut être menacé de dégradation de plusieurs façons, notamment par:

- l'exploitation commerciale des ressources, comme le minerai et le bois;
- divers polluants: pesticides*, pluies acides*, eaux usées*;
- le développement agricole et urbain;
- la disparition d'habitats, c'est-à-dire de milieux qui sont propres à la vie de diverses espèces animales ou végétales;
- un nombre trop grand de visiteurs;
- le braconnage, c'est-à-dire la pratique de la chasse et de la pêche sans permis ou dans des lieux où ces activités sont interdites;
- les changements climatiques, qui causent par exemple la fonte des glaciers ou le dessèchement des sols;
- l'introduction de nouvelles espèces, animales ou végétales. Par exemple, l'introduction, il y a quelques années, d'orignaux et de lièvres dans le parc national du Gros-Morne, dans la province de Terre-Neuve-et-Labrador, a bouleversé les habitats et la végétation du parc, mettant ainsi en péril la survie d'autres espèces.

Les mêmes menaces pèsent-elles sur tous les territoires protégés de la planète? Pourquoi?

*

Pesticides: Produits chimiques destinés à éliminer les insectes et autres parasites nuisibles.

Pluies acides: Pluies contenant des substances acides d'origine industrielle.

Eaux usées: Eaux souillées par une utilisation urbaine, agricole ou industrielle.

2.13 **Une exploitation minière près du parc national de Lorentz, en Indonésie.** Pourquoi cette activité représente-t-elle une menace pour le parc si la mine est située à l'extérieur des limites de celui-ci?

2.14 **Près du parc national de Yellowstone, aux États-Unis.** Quelle est la menace illustrée ici?

PREMIÈRE PARTIE LE TERRITOIRE PROTÉGÉ

De 1995 à 2003, le parc national de Yellowstone était inscrit sur la Liste du patrimoine mondial en péril* de l'Unesco. En effet, en 1995, l'Unesco avait jugé que les menaces qui pesaient sur le parc étaient si fortes qu'elles mettaient le parc en danger. Parmi ces menaces, mentionnons le traitement insuffisant des eaux usées qui dégradait la qualité de l'eau, le nombre excessif de visiteurs et des projets d'exploitation minière à proximité du parc. À la suite de l'abandon des projets d'exploitation minière, l'Unesco a accepté, en 2003, de retirer le parc de la Liste du patrimoine mondial en péril.

* **Liste du patrimoine mondial en péril :** Cette liste, dressée par l'Unesco, comprend des biens qui ont une très grande valeur pour l'humanité, mais qui sont menacés de destruction par des causes naturelles ou des activités humaines.

2.15 **Au parc national de Yellowstone, aux États-Unis,** les touristes se pressent pour observer un geyser. Un geyser est une source d'eau chaude qui jaillit à intervalles plus ou moins réguliers.

La plupart d'entre nous ne savaient pas que des menaces pesaient sur le parc national de Yellowstone. Pourquoi ? Cela dépend peut-être de nos sources d'information. Voici un petit exercice qui permet de comparer l'information donnée par deux sources différentes sur le même sujet.

Consultez d'abord, dans le site Internet de l'Unesco, la Liste du patrimoine mondial en péril. Choisissez un parc national qui y figure et prenez en note les éléments qui contribuent à la détérioration de ce parc. Comparez ces éléments aux menaces qui sont énumérées à la page précédente.

Trouvez maintenant un autre site Internet qui donne une description du parc national que vous avez choisi. Notez bien la source du site. Assurez-vous que le site n'a pas de lien avec l'Unesco, sinon vous obtiendrez les mêmes renseignements que ceux que vous avez obtenus précédemment. S'agit-il, par exemple, du site officiel du parc, du site d'un gouvernement, d'une entreprise touristique, d'un individu ?

Comparez l'information contenue dans ce site avec celle de l'Unesco à l'aide des questions suivantes.

1. **Mentionne-t-on le fait que le parc figure sur la Liste du patrimoine mondial en péril ?**
2. **Trouve-t-on les mêmes renseignements dans les deux sites ? Pourquoi, selon vous ?**

2.16 Que regardent les touristes ?

4 Pour qui et comment protéger un territoire ?

Il faut bien sûr protéger le territoire pour les générations présentes ; toutefois, c'est surtout pour les générations futures que les efforts sont faits. Et comment peut-on protéger un territoire ? Essentiellement, par le développement durable. Le développement durable vise à satisfaire les besoins de la population actuelle sans nuire aux besoins des générations futures. Le développement durable tend à un équilibre entre les trois aspects illustrés ci-contre.

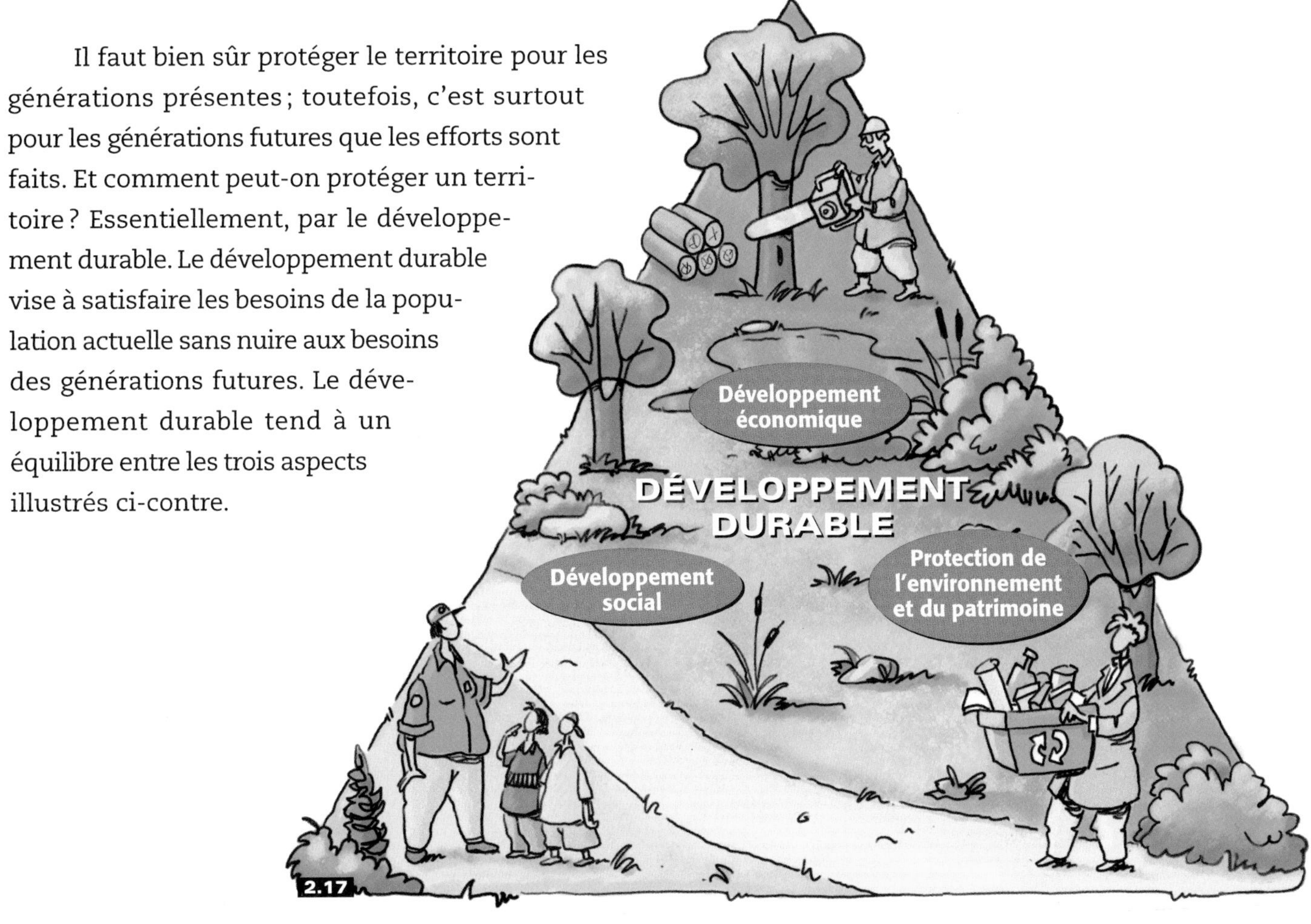

2.17

Divers groupes (économiques, sociaux, etc.) doivent participer au développement durable et s'entendre sur l'importance et la façon de protéger le territoire. Quels sont ces groupes ?

- Les gouvernements, à différentes échelles : municipale, provinciale, nationale ;
- certains organismes internationaux comme l'Unesco ou d'autres à caractère financier, par exemple les banques ;
- des associations touristiques ;
- des représentants de la population locale, c'est-à-dire des gens qui habitent les territoires protégés ou à proximité de ceux-ci ;
- des scientifiques ;
- des environnementalistes, c'est-à-dire des personnes qui se consacrent à la protection de l'environnement* ;
- des groupes de défense des animaux et de la nature.

*

Environnement : « L'environnement est un ensemble en perpétuel changement, dont les hommes font partie. C'est la nature avec tous les aménagements réalisés par les hommes. C'est aussi l'ensemble des relations qui existent entre l'homme et ce qui compose son milieu de vie. Ces composantes sont à la fois physiques, chimiques, biologiques, écologiques, sociales et culturelles. »

Source : Lucien BUISSON et Pierre GUÉRIN, *L'environnement*, PEMF, 1996, p. 30.

5 Les parcs nationaux au Canada et au Québec

Bien qu'au Canada et au Québec on trouve différentes catégories de parcs naturels, nous ne traiterons ici que des parcs nationaux.

A Les parcs nationaux du Canada

En 2005, le Canada comptait 41 parcs nationaux. Ce nombre doit être mis à jour fréquemment car, depuis quelques années, le gouvernement canadien, comme bien d'autres gouvernements, a tendance à créer de nouveaux parcs nationaux. La carte 2.2 tient d'ailleurs compte des projets de parcs, c'est-à-dire des espaces que les autorités canadiennes envisagent de transformer en parcs nationaux.

Les parcs nationaux du Canada sont administrés par Parcs Canada, un organisme qui relève du gouvernement fédéral. C'est cet organisme qui crée les parcs nationaux canadiens et voit à leur protection.

2.18

Le paysage du lac Louise est souvent utilisé dans les brochures touristiques pour représenter le parc national de Banff. Pourquoi, selon vous ?

Parcs nationaux existants

1. Ivvavik
2. Vuntut
3. Kluane[R]
4. Aulavik
5. Tuktut Nogait
6. Nahanni[R]
7. Quttinirpaaq
8. Sirmilik
9. Auyuittuq
10. Ukkusiksalik
11. des Îles-Gulf[R]
12. Gwaii Haanas[R]
13. Pacific Rim[R]
14. des Glaciers
15. du Mont-Revelstoke
16. Yoho
17. Kootenay
18. Wood Buffalo
19. de Jasper
20. Elk Island
21. de Banff
22. des Lacs-Waterton
23. de Prince-Albert
24. des Prairies
25. Wapusk
26. du Mont-Riding
27. Pukaskwa
28. des Îles-de-la-Baie-Georgienne
29. de la Péninsule-Bruce
30. de la Pointe-Pelée
31. des Îles-du-Saint-Laurent
32. de l'Archipel-de-Mingan[R]
33. de Forillon
34. de la Mauricie
35. Kouchibouguac
36. Fundy
37. de l'Île-du-Prince-Édouard
38. des Hautes-Terres-du-Cap-Breton
39. Kejimkujik
40. Terra-Nova
41. du Gros-Morne

Parcs nationaux projetés

1. du Bras-Est-du-Grand-Lac-des-Esclaves
2. du Nord-de-l'Île-de-Bathurst
3. des Basses-Terres-du-Manitoba
4. des Monts-Torngat
5. des Monts-Mealy

R : Parc qui est en fait une réserve de parc national : c'est un espace mis de côté en attendant le règlement de toute revendication territoriale autochtone, dans le but d'en faire un parc national.

CARTE 2.2 LES PARCS NATIONAUX DU CANADA

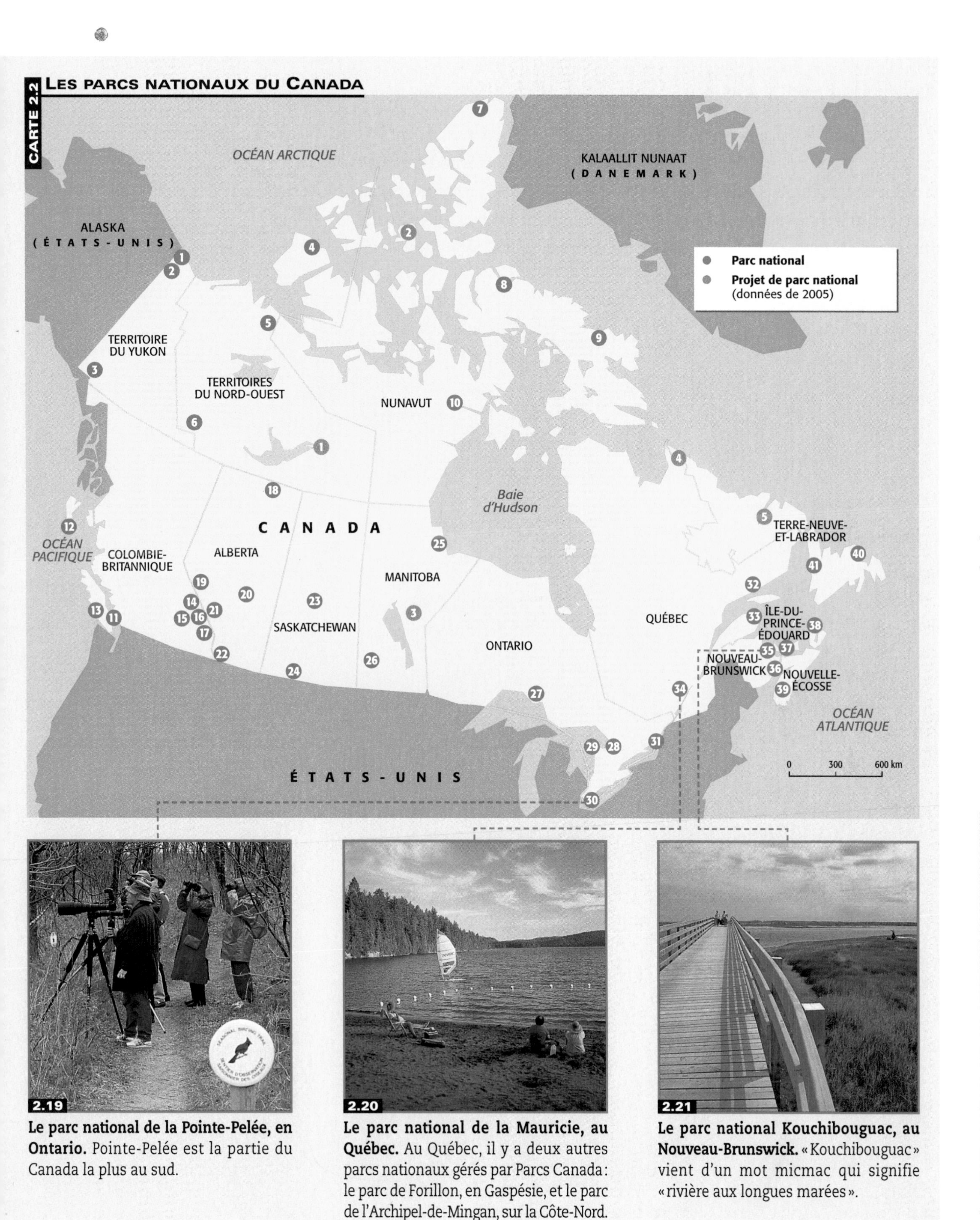

Le parc national de la Pointe-Pelée, en Ontario. Pointe-Pelée est la partie du Canada la plus au sud.

Le parc national de la Mauricie, au Québec. Au Québec, il y a deux autres parcs nationaux gérés par Parcs Canada : le parc de Forillon, en Gaspésie, et le parc de l'Archipel-de-Mingan, sur la Côte-Nord.

Le parc national Kouchibouguac, au Nouveau-Brunswick. « Kouchibouguac » vient d'un mot micmac qui signifie « rivière aux longues marées ».

B Les parcs nationaux du Québec

En plus des parcs nationaux du Canada, le Québec comptait, en 2005, 23 parcs nationaux du Québec. Ces parcs sont administrés par la Société des établissements de plein air du Québec (Sépaq), un organisme qui relève du gouvernement du Québec. Le parc marin du Saguenay–Saint-Laurent est géré conjointement par Parcs Canada et la Sépaq.

Des « réserves naturelles », des « parcs régionaux », des « parcs nationaux », des « parcs nationaux du Canada », des « parcs nationaux du Québec »... Ouf ! que de termes ! Ne vous laissez pas étourdir ! Ce que vous avez à retenir, c'est que les parcs nationaux constituent une catégorie de parcs naturels. Vous avez oublié ce qu'est un parc naturel ? ce qu'est un territoire protégé ? Allez voir aux pages 22 et 23 ; ça, c'est important !

CARTE 2.3 **LES PARCS NATIONAUX DU QUÉBEC**

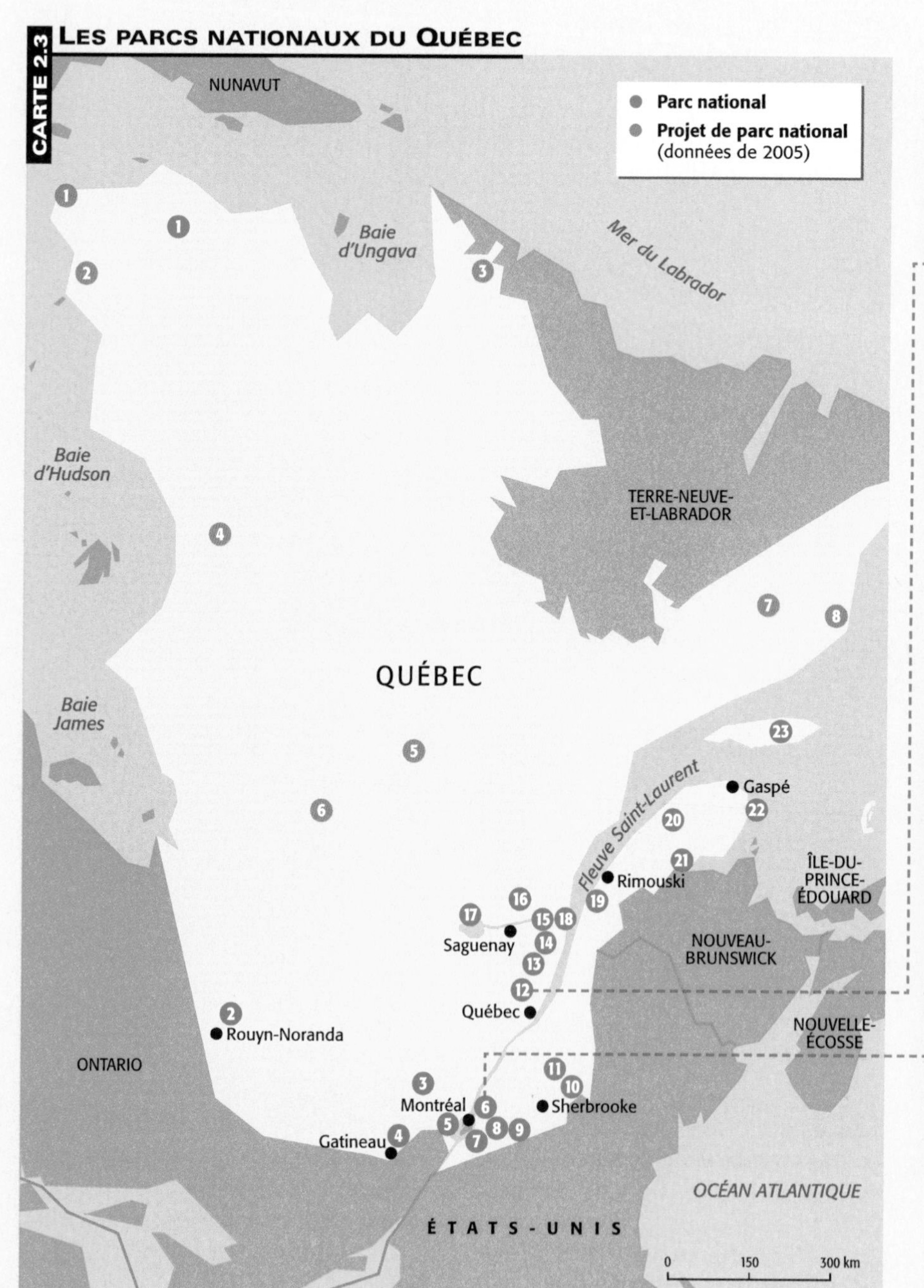

2.22 **Le parc national de la Jacques-Cartier, au nord de Québec.** Un parc caractérisé par des vallées aux versants abrupts. Il tient son nom de la rivière Jacques-Cartier qui le sillonne.

2.23 **Le parc national des Îles-de-Boucherville, près de Montréal.** Contrairement à l'image qu'on s'en fait parfois, les parcs nationaux ne sont pas tous situés dans des régions sauvages, éloignées des grandes villes !

C Qui s'occupe des parcs nationaux ?

Plusieurs personnes ou organismes interviennent dans la gestion d'un parc national. Qui sont-ils ?

2.24 Activité éducative dans le parc national du Mont-Mégantic, au Québec.

Parcs nationaux existants

1. des Pingualuit
2. d'Aiguebelle
3. du Mont-Tremblant
4. de Plaisance
5. d'Oka
6. des Îles-de-Boucherville
7. du Mont-Saint-Bruno
8. de la Yamaska
9. du Mont-Orford
10. du Mont-Mégantic
11. de Frontenac
12. de la Jacques-Cartier
13. des Grands-Jardins
14. des Hautes-Gorges-de-la-Rivière-Malbaie
15. du Saguenay
16. des Monts-Valin
17. de la Pointe-Taillon
18. du Saguenay–Saint-Laurent[M]
19. du Bic
20. de la Gaspésie
21. de Miguasha
22. de l'Île-Bonaventure-et-du-Rocher-Percé
23. d'Anticosti

Parcs nationaux projetés

1. du Cap-Wolstenholme
2. des Monts-de-Puvirnituq
3. des Monts-Torngat-et-de-la-Rivière-Koroc
4. des Lacs-Guillaume-Delisle-et-à-l'Eau-Claire
5. Albanel-Témiscamie-Otish
6. Assinica
7. Natashquan-Aquanus-Kenamu
8. Harrington-Harbour

M : Parc marin

2.25

1 Qu'est-ce qui caractérise le parc national de Banff?[1]

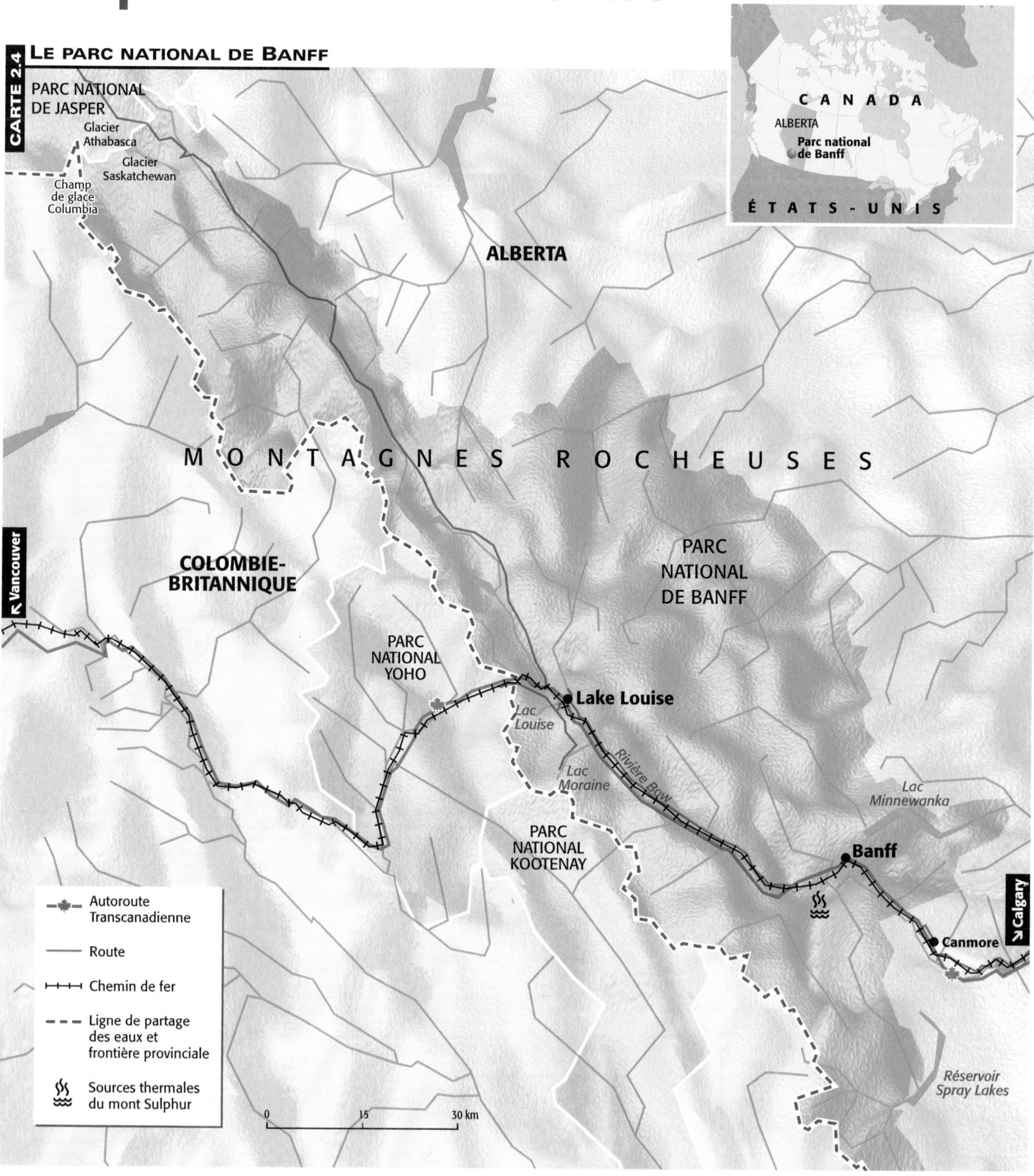

1. L'information de cette section est en grande partie tirée du site Internet de Parcs Canada.

2.26

Vue de la ville de Banff, dans le parc national de Banff. Remarquez que la ville et le parc portent le même nom.

- Le parc national de Banff* est situé en Alberta, dans les montagnes Rocheuses. Il couvre une superficie de 6641 kilomètres carrés. On n'y trouve qu'une ville, Banff, et un village, Lake Louise, lequel est plutôt considéré comme un centre de services pour les touristes du parc et un centre de coordination pour Parcs Canada (voir carte 2.4).
- Le parc national de Banff fait partie de l'ensemble « Parcs des montagnes Rocheuses canadiennes », classé site du patrimoine mondial par l'Unesco en 1984. En plus du parc de Banff, l'ensemble contient trois autres parcs nationaux, soit le parc de Jasper, le parc Kootenay et le parc Yoho, de même que trois parcs provinciaux.
- Le parc national de Banff a été créé en 1885 pour mettre en valeur les sources thermales du mont Sulphur près de la ville de Banff. (Voir la rubrique Carrefour histoire à la page 37.)

2.27

Les sources thermales du mont Sulphur. Une source thermale est une source d'eaux minérales chaudes qui ont des propriétés thérapeutiques, c'est-à-dire qui peuvent aider à guérir des maladies. Les visiteurs viennent s'y baigner. Repérez les sources thermales du mont Sulphur sur la carte 2.4.

Curieux

Où s'écoulent la pluie et la neige qui tombent sur le parc national de Banff ?

La ligne de partage des eaux des Amériques divise l'écoulement de l'eau (pluie ou neige) entre l'océan Pacifique du côté ouest et les autres océans du côté est. Cette ligne imaginaire est située à peu près à la frontière ouest du parc national de Banff (voir carte 2.4). Elle longe les sommets des montagnes Rocheuses, du nord-ouest du Canada jusqu'au Nouveau-Mexique (aux États-Unis). Au Mexique, elle suit les sommets de la sierra Madre. Enfin, en Amérique du Sud, cette ligne continentale relie les sommets des Andes. Le long de cette ligne, des excursions sont proposées aux touristes expérimentés, car... c'est vraiment très haut !

En anglais, vous lirez sur les cartes l'expression « *continental divide* ».

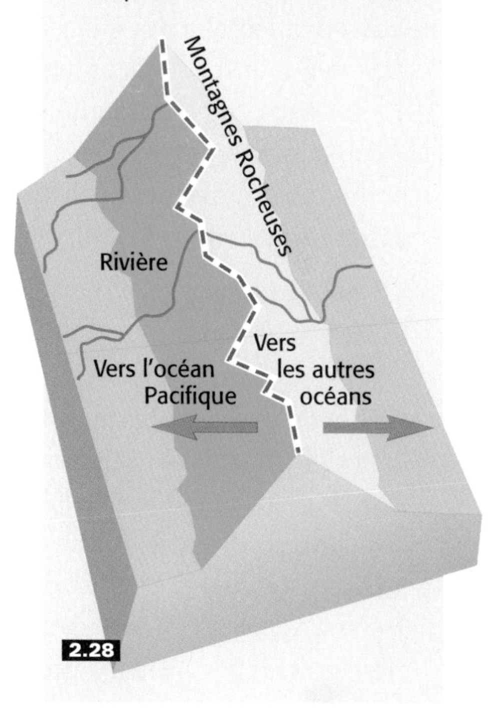

2.28

* **Banff :** Ce nom vient de « Banffshire », en Écosse, lieu de naissance de deux financiers du Canadien Pacifique, le chemin de fer qui a relié le Canada d'est en ouest à la fin du 19e siècle.

- C'est le plus ancien des parcs nationaux canadiens. Il se classe troisième parmi les plus vieux parcs du monde, après le parc national de Yellowstone aux États-Unis et le Royal National Park en Australie.
- Il est reconnu pour ses magnifiques paysages, sa faune, ses sources thermales et la qualité de ses sites récréatifs (de ski, de randonnée, etc.). Des glaciers recouvrent le sommet de certaines montagnes ; ils ont contribué à façonner le paysage du parc : ils ont formé des lacs, des chutes et de larges vallées.

*

Minnewanka : Mot d'origine amérindienne, qu'on peut traduire par « esprits de l'eau ». Le lac Minnewanka était auparavant un lieu spirituel important pour les autochtones de l'endroit. C'est aujourd'hui un site archéologique réputé : des traces de campements autochtones vieux de 10 000 ans y ont été trouvées.

- La faune du parc compte une soixantaine d'espèces de mammifères dont des mouflons d'Amérique, des chèvres de montagne, des cerfs de Virginie, des wapitis, des orignaux, des cougars, des loups, des coyotes, des ours noirs, des grizzlys et des martres.
- Le lac Louise, un des nombreux lacs du parc, est un des endroits les plus célèbres des montagnes Rocheuses canadiennes ; il a été « découvert » par le guide Tom Wilson en 1882. L'existence de ce lac était connue depuis longtemps par les autochtones qui habitaient la vallée de la rivière Bow (voir carte 2.4).
- Le lac Minnewanka* est le plus grand lac du parc ; il a été créé en partie par l'humain. À l'origine, c'était un petit lac près duquel était installé un village : Minnewanka Landing. Pour produire de l'électricité, on a construit des barrages sur le lac, ce qui a eu pour effets de faire monter le niveau de l'eau et d'inonder le village. Aujourd'hui, des plongeurs vont explorer les fonds du lac pour y observer les restes de cet ancien village. Dans son site Internet, Parcs Canada déplore le fait que certains des plongeurs y volent des objets ou tracent des graffitis sur les restes des bâtiments.

2.29 On peut apercevoir des wapitis même dans les rues de la ville de Banff. « Restez à trois bonnes longueurs d'autobus d'un wapiti », recommande Parcs Canada !

Selon vous, pourquoi le mot « découvert » est-il entre guillemets ?

2.30 Un nombre impressionnant d'activités se déroulent sur le lac Minnewanka ou dans ses environs immédiats : randonnée pédestre, pique-nique, observation de la vie sauvage, vélo de montagne, plongée sous-marine, excursion en bateau et pêche pendant l'été, ski de fond et parfois ski alpin pendant l'hiver. Mais l'endroit est aussi le milieu de vie de nombreuses espèces d'oiseaux, de poissons et de mammifères...

- Le parc est présenté comme un symbole de la nature canadienne, ainsi qu'en témoigne la série de billets de 20$ sur lesquels apparaît la photo du lac Moraine.

2.31
Billet de 20 $ canadien : il s'agit de la série 1969-1979.

2.32
Le lac Moraine est situé du côté ouest du parc national de Banff, près du parc national Kootenay. Le lac est nommé d'après les moraines déposées par le glacier Wenkchemna. Des moraines, ce sont des débris (roches, cailloux, galets, sable) déposés au cours de la fonte des glaciers.

Le « cheval de fer » à l'origine du parc…

Nous sommes en 1883. Le Canadien Pacifique, une compagnie financée par le gouvernement du Canada, construit le chemin de fer qui va d'un bout à l'autre du pays ; ses employés viennent d'ériger une gare au pied du mont Cascade, en Alberta. Un jour, trois ouvriers, en train de travailler à la voie ferrée tout près de la gare, trouvent des sources thermales au pied du mont Sulphur. Cette nouvelle se répand rapidement : à l'époque, les gens fortunés recherchaient de telles sources et allaient y prendre des bains afin de soigner certaines maladies. Deux ans plus tard, le gouvernement fédéral décide de créer une zone protégée de 26 km^2 autour de ces sources. La ville de Banff se développera à proximité de cet endroit. C'est cette zone protégée qui formera le premier parc national canadien : le parc national des Montagnes Rocheuses, qui sera nommé plus tard « parc national de Banff ».

2.33

On peut donc affirmer que la création du premier parc national du Canada est étroitement liée à l'histoire de la construction du chemin de fer et même à l'édification du Canada. Rappelons en effet que la fédération canadienne a été créée en 1867 et que la Colombie-Britannique a joint ses rangs en 1871 ; dès le début, les provinces souhaitaient qu'un chemin de fer les relie entre elles afin de favoriser le développement économique du pays.

Aujourd'hui, le train fait toujours partie du paysage du parc national de Banff. Un train panoramique sillonne le parc régulièrement et permet ainsi aux voyageurs d'admirer des sites spectaculaires. Une trentaine de trains de marchandises le traversent aussi chaque jour.

2 Combien y a-t-il d'habitants dans le parc national de Banff ? de visiteurs ?

Qu'il s'agisse de touristes, de résidants ou de travailleurs, les gens sont nombreux à circuler dans le parc national de Banff. Voici des données qui montrent l'évolution de la présence humaine dans le parc.

En 1926, année du premier recensement, la population du parc se chiffrait à 2638 habitants. Au cours de la première moitié du siècle, elle n'a pas beaucoup varié. Par la suite, cependant, elle a augmenté presque constamment, comme le montre le document 2.36.

Quant aux visiteurs, ils étaient 3000 en 1887. Par la suite, leur nombre a grandement augmenté. Consultez le document 2.37 pour constater cette évolution.

2.34
Une rue de la ville de Banff, vers 1900.

2.35
La même rue, aujourd'hui. Depuis 1998, les autorités de la ville ont décrété que la population ne devait pas dépasser 10 000 habitants.

2.36 Nombre d'habitants dans le parc national de Banff, de 1951 à 2001

Année	Habitants
1951	2 856
1961	4 101
1971	3 219
1981	4 627
1991	6 604
2001	9 200

Source : Statistique Canada, 2003.
Les chiffres incluent la population de la ville de Banff. Celle-ci comprenait 7135 personnes en 2001.

2.37 Nombre de visiteurs dans le parc national de Banff, de 1950 à 2000

Année	Visiteurs
1950	459 273
1960	1 078 008
1970	2 331 486
1980	3 649 124
1990	3 919 791
2000	4 660 903

Source : Parcs Canada, 2004.

1. **Les visiteurs étaient au nombre de 3000 dans le parc national de Banff en 1887. Pourquoi leur nombre a-t-il tellement augmenté en 100 ans ?**
2. **De 1951 à 2001, le nombre d'habitants a aussi beaucoup augmenté dans le parc. Pourquoi, selon vous ?**
3. **Lisez l'entrevue avec Diane Volkers, une agente du parc national de Banff, aux pages 40 et 41. Que pense-t-elle de la présence importante de visiteurs dans le parc ?**
4. **Depuis 1998, le nombre d'habitants est limité à 10 000 dans la ville de Banff. Pourquoi ?**

2.38
Mais que font tous ces touristes ? Que représentent les animaux ici ? Voyez-vous un lien entre cette caricature et le document 2.37 ?

3 Entrevue avec une agente du parc national de Banff

L'équipe de *Territoires* a interviewé Diane Volkers, agente au parc national de Banff. Voici une transcription de notre entrevue.

TERRITOIRES : *Depuis combien de temps travaillez-vous au parc national de Banff et pourquoi ?*

DIANE : Je travaille au parc depuis 10 ans. J'ai fait des études en sciences biologiques à Calgary. Les liens entre les êtres humains et leur environnement me passionnent depuis toujours !

TERRITOIRES : *En quoi consiste votre travail ?*

DIANE : Mon travail comporte plusieurs tâches. Je dois faire respecter la Loi sur les parcs nationaux du Canada et tous ses règlements, surtout ceux qui concernent la protection des ressources naturelles et culturelles. Je suis responsable de la sécurité publique, je patrouille l'arrière-pays et je fais des recherches scientifiques. Occasionnellement, je rencontre des groupes de jeunes dans les écoles et leur donne de l'information sur la faune et la flore du parc.

TERRITOIRES : *Pourquoi le parc national de Banff a-t-il été créé ?*

2.39
Les visiteurs sont nombreux au parc national de Banff. En plus du terrain de golf, ils ont à leur disposition une cinquantaine d'hôtels, une quarantaine de gîtes touristiques, 150 restaurants et 250 magasins de détail.

2.40
Diane Volkers, agente au parc national de Banff.

DIANE : À l'origine, c'était pour exploiter les sources thermales situées près de la gare de Banff. En 1887, l'hôtel de Banff a été construit et son terrain de golf aménagé pour les mêmes raisons. Déjà, à cette époque, les touristes pouvaient facilement s'y rendre en train. Le gouvernement canadien voulait aussi mettre en valeur les paysages grandioses des montagnes Rocheuses. Puis, le parc s'est orienté vers le tourisme fondé sur le développement durable et patrimonial, ainsi que vers la conservation des écosystèmes.

TERRITOIRES : *Qui visite le parc national de Banff ?*

DIANE : Plus de la moitié des visiteurs sont canadiens, et en majorité albertains. Environ 25 % des touristes viennent des États-Unis et 15 % des visiteurs proviennent d'autres pays, surtout d'Europe et du Japon. C'est en été et en automne qu'ils sont les plus nombreux. En tout, il y a environ quatre millions et demi de personnes qui visitent le parc chaque année.

TERRITOIRES : *Croyez-vous que le parc a beaucoup changé depuis sa création ?*

DIANE : Oui, il a beaucoup changé ! Le parc est devenu une très grande attraction touristique ! Depuis l'ouverture de l'autoroute Transcanadienne en 1962, près de neuf millions de personnes circulent chaque année dans le parc; cela comprend les quatre millions et demi de visiteurs dont je parlais plus tôt. Le paysage urbain s'est aussi modifié: la population a augmenté, de même que les services offerts aux touristes. Certains changements sont visibles, d'autres ne le sont pas. Par exemple, on ne peut pas voir la pollution causée par l'augmentation du nombre d'automobiles, mais elle est bien là !

TERRITOIRES : *Pourrait-on dire que le parc connaît trop de succès ?*

DIANE : Le parc national de Banff est devenu un symbole de l'identité canadienne. C'est aussi le parc le plus fréquenté du Canada. Pour les gestionnaires du parc, c'est un défi de protéger l'écosystème de montagne et la nature en raison du succès que connaît le parc auprès des visiteurs. Un rapport de la Commission sur l'intégrité écologique des parcs nationaux du Canada[1] relève en effet les nombreux stress qui menacent non seulement le parc de Banff, mais tous les parcs nationaux canadiens. Il montre du doigt les conséquences du nombre très élevé de visiteurs : par exemple, la surutilisation des installations (les stations de traitement des eaux usées, par exemple) et le développement démesuré des routes et des sentiers. Je l'ai constaté moi-même ces dernières années : tous ces facteurs entraînent la détérioration de la qualité de l'air, de l'eau et des sols ainsi que la dégradation des habitats fauniques ; plusieurs animaux, par exemple, se font tuer sur les routes. À peu près tous les parcs nationaux canadiens sont dans la même situation : plus de 14 millions de visiteurs y circulent chaque année ! Comment les parcs pourront-ils continuer à supporter une telle fréquentation ?

2.41

Environ 125 ours ont été tués au cours des 10 dernières années sur les routes des parcs nationaux des Rocheuses canadiennes.

Les conseils d'administration étudient des solutions : on pense par exemple à limiter le nombre de visiteurs. La ville de Banff, qui fait partie du parc national de Banff, limite d'ailleurs sa population à 10 000 personnes. Les autorités de cette ville encouragent les gens à aller vivre à Canmore, où j'habite, une petite ville située à l'extérieur des limites du parc.

2.42

De nombreux autocars des neiges traversent le parc national de Banff chaque semaine pour amener les touristes au glacier Athabasca.

TERRITOIRES : *Selon vous, est-ce partout pareil dans le monde ?*

DIANE : Je crois que le défi des parcs nationaux est le même partout dans le monde : protéger la nature tout en permettant au public d'avoir accès aux parcs. Le Canada participe d'ailleurs à de grandes rencontres internationales sur le tourisme patrimonial durable.

TERRITOIRES : *Merci d'avoir répondu à nos questions.*

---

1. Agence Parcs Canada, *Intacts pour les générations futures ? Protection de l'intégrité écologique par les parcs nationaux du Canada*, vol. I : « Le temps d'agir ». Rapport de la Commission sur l'intégrité écologique des parcs nationaux du Canada, Ottawa, 2000.

1 Qu'est-ce qui caractérise le parc national des Galápagos ?

Les Galápagos sont reconnues pour leurs tortues géantes. En fait, le mot espagnol « galápagos » veut dire « tortues ». Mais au juste, qu'est-ce que les Galápagos ? Quelle est la différence entre les îles Galápagos et le parc national des Galápagos ?

- Les îles Galápagos sont situées dans l'océan Pacifique, à environ 1000 kilomètres à l'ouest des côtes de l'Amérique du Sud. Cet archipel* constitue une province de l'Équateur*, pays d'Amérique du Sud. Au total, l'archipel comprend environ 125 îles et îlots; les 13 îles les plus importantes sont illustrées sur la carte 2.6. L'archipel est d'origine volcanique.
- Le parc national des Galápagos couvre 97 % de l'archipel. Il a été créé en 1959.

CARTE 2.5 LES ÎLES GALÁPAGOS EN AMÉRIQUE

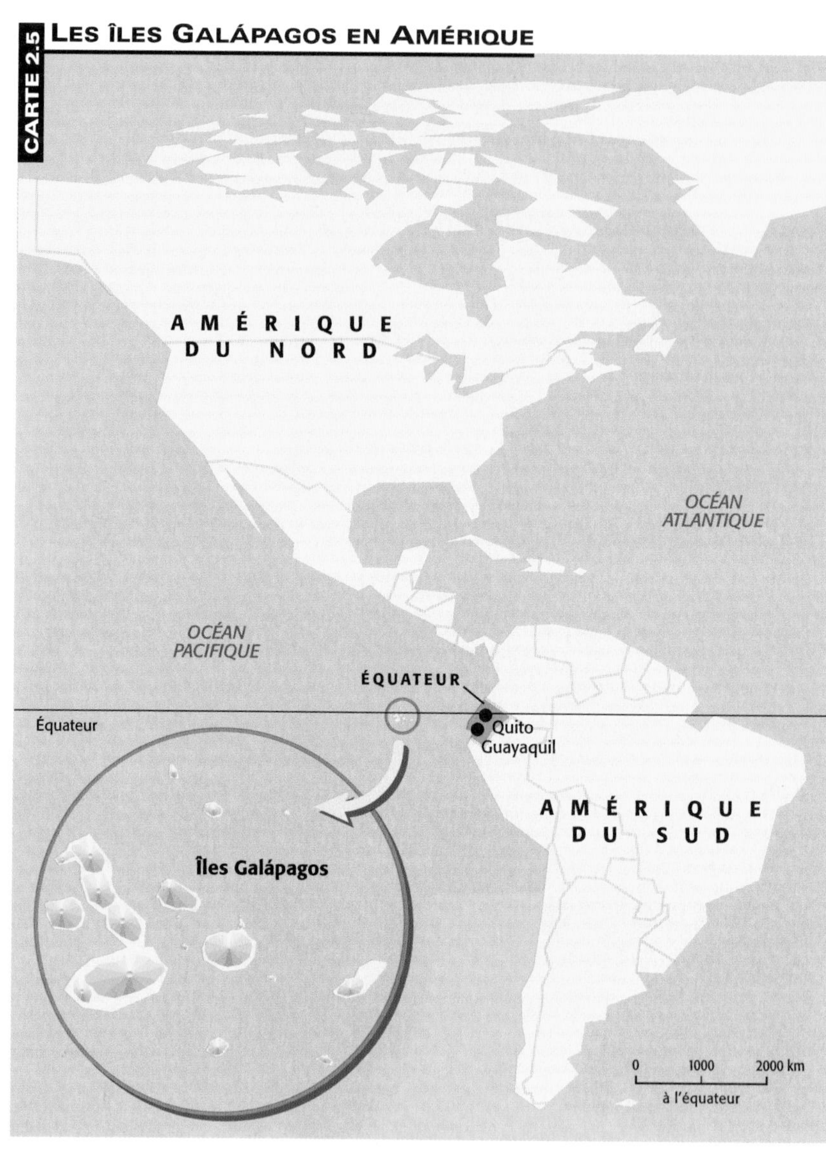

2.43 **Les tortues géantes** pèsent jusqu'à 250 kg et peuvent mesurer 1,50 m. Elles ont été exploitées pour leur viande et leur carapace.

*

Archipel : Ensemble d'îles.

Équateur : Le pays porte ce nom parce que l'équateur le traverse. L'équateur est le cercle qui fait le tour de la Terre, à mi-chemin entre le pôle Nord et le pôle Sud (voir Carto, p. 55). Lorsque le mot désigne le pays, il commence toujours par une majuscule.

CARTE 2.6 LES ÎLES GALÁPAGOS

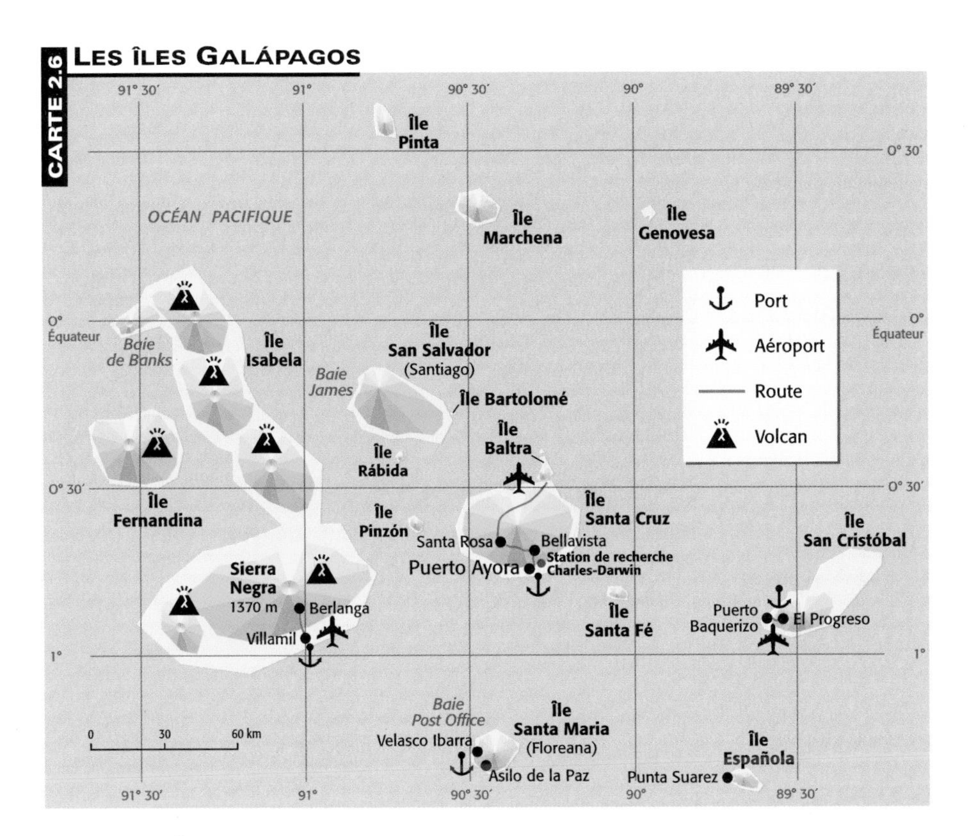

Deux représentations de la même réalité. Comparez la carte et l'image satellitale. Pouvez-vous identifier les îles les plus importantes sur l'image?

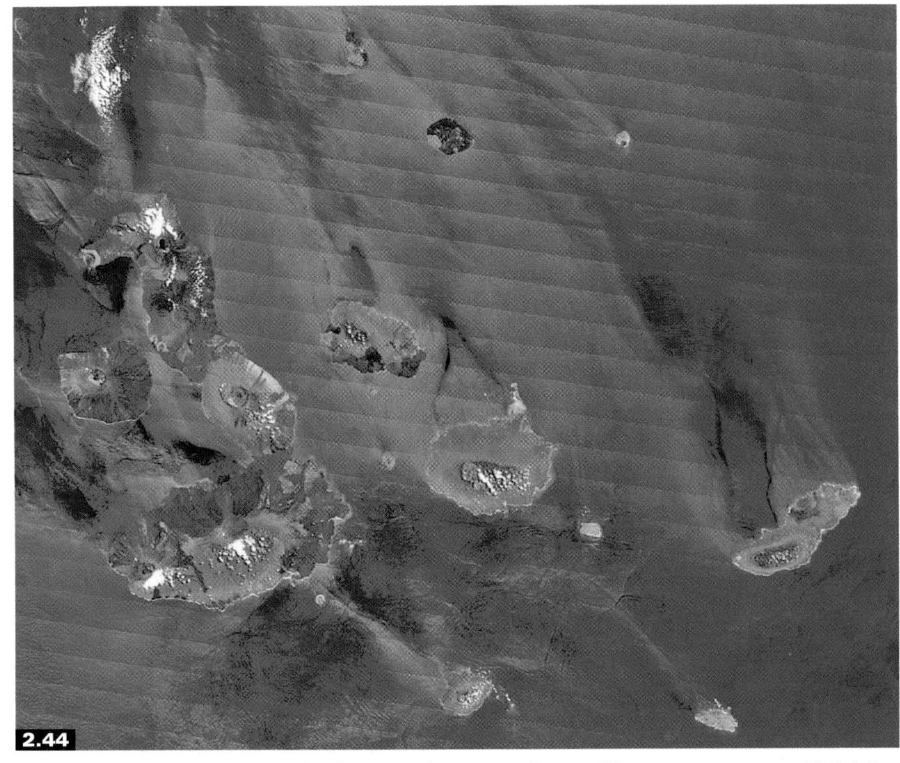

2.44

Image des îles Galápagos prise le 16 mai 2003 par le satellite *Terra*. Le nom officiel des îles est « archipelago de Colón ».

carrefour Histoire

« Sierra Negra », « Santa Maria », « El Progreso » : la majorité des mots qui désignent les lieux aux îles Galápagos sont en espagnol. Pourquoi ? Ces îles ont été rattachées à l'Équateur en 1832. Or, le territoire qui constitue aujourd'hui l'Équateur faisait partie, aux 15e et 16e siècles, de l'Empire inca qui fut conquis par l'Espagne au 16e siècle. C'était l'époque où les grandes puissances européennes, dont l'Espagne, exploraient les océans à la conquête de nouvelles terres.

Quant aux noms de lieux anglais, ils datent de l'époque où les baleiniers et les pirates venus d'Angleterre (voir p. 51) faisaient escale dans les îles Galápagos. Une des baies de l'archipel a d'ailleurs pris le nom de « Post Office », car les baleiniers y laissaient des messages que des navires en partance pour l'Europe ou les États-Unis emportaient à destination.

- Il y a environ 20 000 habitants aux îles Galápagos. Ils tirent leurs revenus de la pêche et du tourisme. Ils habitent des villes et des villages situés sur cinq îles de l'archipel: ces îles font partie du parc national, mais les villes et les villages en sont exclus. Ces quelques localités représentent les trois pour cent de l'archipel des Galápagos qui ne font pas partie du parc national des Galápagos.

- L'île Santa Cruz est la plus peuplée de l'archipel. Sa ville principale est Puerto Ayora, où l'on trouve la majorité des hôtels et des restaurants. Conformément à ce qui est expliqué ci-dessus, l'île Santa Cruz fait partie du parc national, mais la ville de Puerto Ayora, elle, n'en fait pas partie.

2.46
Présente dans les îles Galápagos, la mangrove est un type de forêt tropicale qui «avance» dans la mer. Elle est le refuge de nombreuses espèces d'animaux (poissons, crustacés, oiseaux, etc.) et protège les côtes contre les ouragans.

2.45
De nombreuses espèces d'oiseaux marins, comme les fous à pattes bleues, sont installées dans les Galápagos, car les eaux froides de l'archipel sont très riches en nourriture.

- Tout près de Puerto Ayora, sur l'île Santa Cruz, il y a une station de recherche scientifique qui se consacre à l'étude et à la conservation* des écosystèmes du parc: elle porte le nom d'un grand savant, Charles Darwin. (Voir Carrefour histoire à la page 46.)

- L'île Isabela est la plus grande île de l'archipel: elle mesure 132 kilomètres de longueur sur 84 kilomètres de largeur. La faune y est abondante. Par ailleurs, plusieurs volcans sont encore actifs sur l'île. Le sommet du volcan Sierra Negra offre une vue spectaculaire sur les paysages environnants.

2.47
Des touristes suivent les sentiers aménagés qui conduisent au sommet d'un volcan sur l'île Bartolomé.

Conservation: Action qui vise à maintenir quelque chose en bon état, par exemple, ici, un territoire et ses ressources.

- Le parc national des Galápagos abrite environ 5000 espèces animales et végétales. Quatre-vingts pour cent de ces espèces sont uniques au monde. Cependant, le parc est surtout célèbre pour ses tortues terrestres géantes, ses iguanes et ses oiseaux de mer.
- Certaines îles du parc national des Galápagos ne peuvent pas être visitées, car leur écosystème est trop fragile. C'est le cas, par exemple, des îles Pinta, Marchena et Pinzón.
- Depuis 1998, les îles Galápagos sont reconnues comme une réserve marine. C'est une des plus grandes du monde avec la Grande Barrière de corail en Australie. Une réserve marine, c'est une zone à l'intérieur de laquelle la faune et la flore aquatiques sont protégées.
- Les îles Galápagos sont inscrites sur la Liste du patrimoine mondial de l'Unesco depuis 1978.

2.48

Paysage habité de Puerto Baquerizo, sur l'île San Cristóbal. Aux Galápagos, la population et la faune partagent le même espace.

2.49

Des iguanes marins se chauffent au soleil. Ce sont les seuls lézards vivants à être adaptés à la vie marine. Mais le message sur le panneau ne leur est sûrement pas destiné... Que signifie-t-il, d'après vous ?

2.50

Paysage de l'île Bartolomé souvent utilisé dans les brochures touristiques pour représenter les îles Galápagos. En quoi l'activité touristique risque-t-elle de transformer le paysage ?

carrefour Histoire

Charles Darwin (1809-1882) est un naturaliste britannique. Amoureux fou de la nature, il s'embarque sur un bateau en 1831 pour faire le tour du monde. Il participe à une expédition scientifique en Amérique du Sud et en Australie. Aux îles Galápagos, il étudie la grande variété d'espèces fossiles et vivantes. C'est à partir des observations qu'il a faites au cours de ce voyage et de la vaste collection de fossiles, d'animaux et de plantes qu'il a rapportée, que Darwin a élaboré sa théorie sur l'évolution de la vie dans un ouvrage publié en 1859 : *De l'origine des espèces au moyen de la sélection naturelle.*

À cette époque, cet ouvrage fit scandale, car l'être humain y est présenté comme un simple maillon de l'évolution des espèces animales. La théorie de Darwin a influencé les penseurs et les scientifiques du monde entier. Cette influence est encore importante aujourd'hui.

2.51 Charles Darwin.

Les « istes » des défenseurs de la nature

« Naturaliste », « environnementaliste », « écologiste »... Dans vos lectures, à la radio ou à la télévision, vous verrez ou entendrez souvent ces mots. Qu'est-ce qui les différencie ?

On entend par « **naturaliste** » un ou une spécialiste des sciences naturelles : un ou une naturaliste peut être zoologiste (une personne qui étudie la vie des animaux), botaniste (une personne qui étudie les plantes), minéralogiste (une personne qui étudie les minéraux), etc. Parcs Canada emploie par exemple des naturalistes.

Aujourd'hui, dans certains contextes, le mot « naturaliste » revêt toutefois une tout autre signification. En effet, on appelle parfois « naturalistes » les personnes qui croient qu'on peut étudier la nature indépendamment de la société environnante. Certaines de ces personnes soutiennent que la société est de toute façon fondamentalement nuisible à la nature et qu'il faut donc protéger cette dernière sans nécessairement tenir compte de la population humaine.

Quant au mot « **environnementaliste** », il désigne un ou une spécialiste de l'étude de l'environnement. Plus largement, ce mot fait aussi référence à un groupe ou à une personne qui lutte pour la préservation de l'environnement. La Société pour vaincre la pollution (SVP) et Greenpeace sont des groupes environnementalistes. Ils dénoncent par exemple l'utilisation de certains insecticides qui polluent l'atmosphère.

Finalement, comme son nom l'indique, l'« **écologiste** » est le ou la spécialiste de l'écologie. Le terme « écologiste » s'applique aussi aux partisans de la protection de la nature et du respect de l'environnement. L'écologiste critique la production et la consommation de biens inutiles ou polluants. Il ou elle prône le respect des écosystèmes de même que des besoins fondamentaux de tous les êtres humains. Par exemple, dans plusieurs pays, des écologistes ont contribué à définir des normes d'exploitation de la forêt qui respectent à la fois les ressources de la forêt et les besoins des êtres humains. Le Québécois Pierre Dansereau est un écologiste reconnu internationalement.

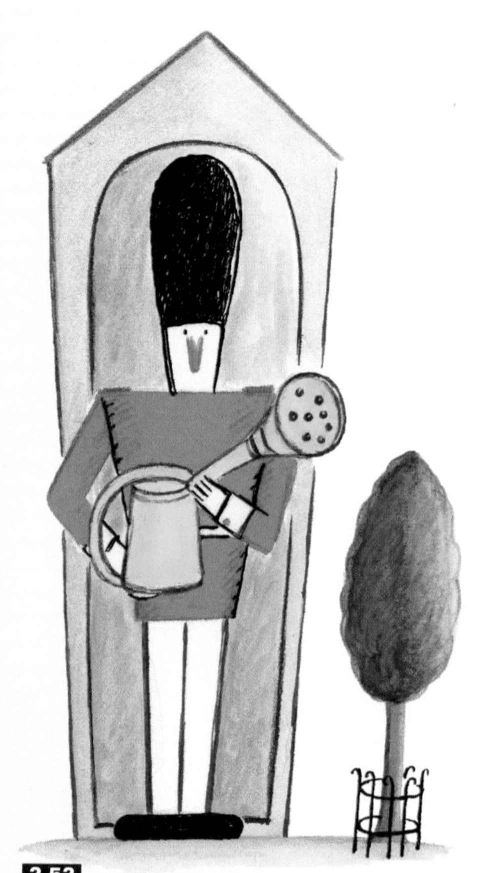

2.52 Ce dessin illustre le concept de territoire protégé. Comment, selon vous ?

2 Un voyage aux Galápagos

Envoyer | Enregistrer | Annuler

Insérer des adresses ou utiliser des alias (en les séparant par une virgule).

À : Olivier@territoires.com

Cc : | Cci :

Objet : Un rêve qui se réalise...

Pièces jointes : [Appliquer]

Bartolomé.jpg (33K) [Supprimer]

Salut Olivier !

Il m'arrive quelque chose d'extraordinaire ! Avec mes parents, je prends l'avion demain à Guayaquil en direction du parc national des Galápagos. Enfin, je réalise mon rêve ! Nous atterrirons à l'aéroport de l'île Baltra et, de là, un bateau d'excursion nous fera visiter plusieurs sites des îles Santa Cruz, Santa Fé, San Cristóbal, Española, Santa Maria, Isabela, San Salvador et Bartolomé.

En espagnol, le « ñ » se prononce « gn », comme dans « espagnol ». « Española » se prononce donc « espagnola ».

Cet archipel d'îles volcaniques est un véritable sanctuaire de la vie sauvage : on peut y observer facilement des tortues géantes, des iguanes, des otaries, des albatros et une foule d'autres animaux. Du haut des volcans (certains sont encore actifs, brrrrr !), les paysages sont splendides, dit-on. Et, puisque les Galápagos sont des îles en plein océan, je pourrai assouvir ma passion pour les poissons : j'ai vu des photos extraordinaires d'espèces très rares qui vivent là-bas. Mes parents m'ont promis que nous ferions de la plongée sous-marine. J'ai hâte !

Je visiterai aussi la station de recherche Charles-Darwin, où l'on peut voir des tortues géantes. Un guide naturaliste nous accompagnera. Je te raconterai. Pour te consoler, je t'envoie une photo du dépliant touristique !

On dit que ce territoire protégé est unique au monde ! Je me sens un peu comme Robinson Crusoé explorant son île déserte...

Que veut dire Martine ?

À bientôt,

Martine

☐ Insérer votre signature

Options : ☑ Enregistrer une copie

2.53

Reconstitution à partir d'une situation réelle décrite dans l'ouvrage de Christophe GRENIER, *Conservation contre nature, Les îles Galápagos*, Paris, IRD Éditions, 2000.

Pensez-vous que Martine fera d'autres découvertes que celles dont elle parle dans son courriel ?

3 Combien y a-t-il d'habitants aux Galápagos ? de visiteurs ?

Les îles Galápagos ont beau être situées en plein océan, à 1000 kilomètres des côtes, elles ne constituent pas pour autant un territoire vierge ! Voici des tableaux montrant l'évolution du nombre d'habitants et du nombre de visiteurs sur ce territoire...

2.54 Nombre d'habitants dans les îles Galápagos, de 1974 à 2000

Année	Habitants
1974	4 000
1982	6 200
1990	9 800
2000	18 000

2.55 Nombre de visiteurs dans le parc national des Galápagos, de 1974 à 2000

Année	Visiteurs
1974	8 000
1982	18 000
1990	40 000
2000	70 000

Source : Christophe GRENIER, *Pour la science*, n° 281, mars 2001, p. 8-9.

Quelques données sur les transports suffisent à démontrer la croissance massive de la présence humaine sur les îles :

- 1975 : un avion par semaine et un cargo* tous les trois mois ;
- 1986 : construction d'un deuxième aéroport ;
- 1995 : construction d'un troisième aéroport ;
- 2000 : quatre avions par jour et quatre cargos par mois.

2.56
Cette tortue des Galápagos en porte lourd sur sa carapace. Que représente chacun des éléments de son fardeau ?

1. **En dehors des limites du parc national des Galápagos, le nombre d'habitants a grandement augmenté dans les dernières années (voir doc. 2.54). Quel rapport pouvez-vous établir entre cette croissance du nombre d'habitants et celle du nombre de touristes dans le parc (voir doc. 2.55) ?**
2. **On constate un développement important du transport sur ce territoire. Pourquoi, selon vous ?**
3. **Quelles conséquences l'augmentation de la présence humaine et le développement du transport risquent-ils d'avoir sur le territoire protégé des Galápagos ?**

*

Cargo : Bateau qui transporte des marchandises.

4 L'enjeu territorial du parc national des Galápagos : protéger ou développer ?

« Invasions d'espèces nuisibles, flambée du tourisme, explosion du braconnage, assassinat d'animaux, surpêche… Que reste-t-il de l'image de “sanctuaire du monde vivant” qui, jusqu'à présent, caractérisait les Galápagos ? »

C'est en ces termes que le journaliste David Pouilloux, de la revue *Science et Vie*, commençait son reportage sur les îles Galápagos, en 2001. Les renseignements des pages 50 et 51 sont tirés de ce reportage[1].

CARTE 2.7 LA DÉGRADATION DE L'ENVIRONNEMENT AUX ÎLES GALÁPAGOS

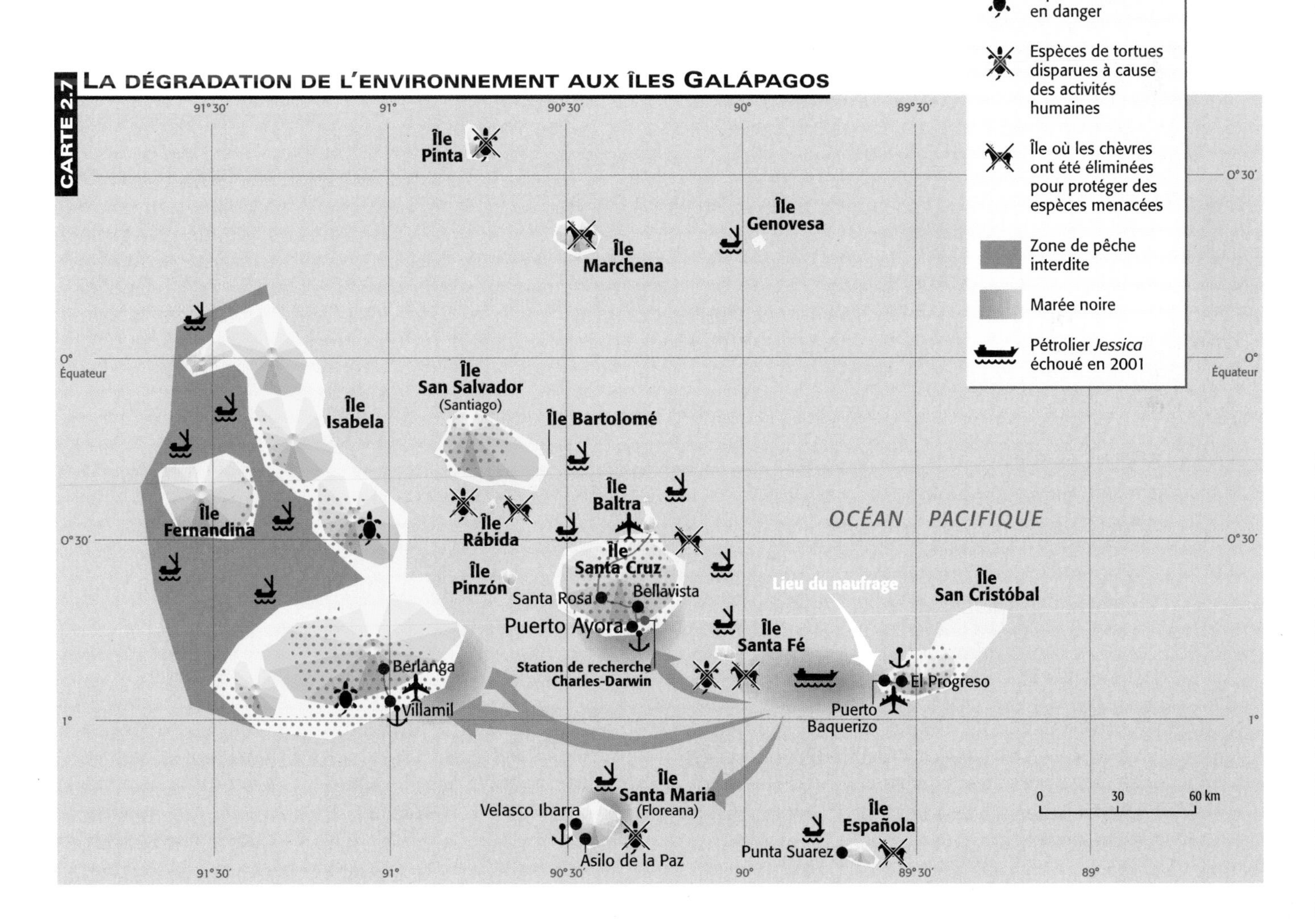

1. David POUILLOUX, « État d'urgence aux Galápagos », *Science et Vie*, n° 1003, avril 2001, p. 110-116.

État d'urgence aux Galápagos

Croissance démographique

De quelques centaines d'habitants au début du 20e siècle, la population des îles Galápagos est passée à près de 20 000 aujourd'hui. Si la population augmente très vite, c'est surtout à cause de l'immigration d'Équatoriens du continent à la recherche de meilleures conditions de vie. Ils sont attirés dans les îles par le tourisme et la pêche commerciale, de même que par les membres de la famille et les amis qui y sont déjà installés.

2.58 Un centre urbain dans les îles Galápagos, à proximité du parc national. Les localités (villes ou villages) ne font pas partie du parc, mais les activités qui y ont cours ont un sérieux impact sur ce territoire.

Pollution

En 1968, les premières croisières touristiques sont organisées aux îles Galápagos. Depuis, elles se sont multipliées. Pour faire fonctionner les bateaux de croisière, il faut de l'essence. Des pétroliers accostent donc maintenant sur les côtes des Galápagos pour livrer du carburant. Ainsi, plus il y a de touristes, plus il y a de bateaux de croisière et plus il y a de pétroliers et, par conséquent, plus il y a de risques de marée noire*.

En 2001, le pétrolier *Jessica* a échoué sur un banc de sable, près de l'île San Cristóbal (voir carte 2.7) : des centaines de milliers de litres de pétrole ont pollué les eaux et nui aux animaux marins. « Les oiseaux marins, souligne par exemple Nicolas Pinczon, ornithologue, se nourrissent de poissons ou d'organismes planctoniques. Ils doivent plonger dans l'eau pour les attraper et donc peuvent se trouver englués dans une nappe de mazout[1]. »

2.57 Le pétrolier *Jessica* échoué sur un banc de sable.

Surpêche

Espadons, thons, requins, concombres de mer : aux îles Galápagos, des pêcheurs puisent abondamment dans la réserve marine de 130 000 kilomètres carrés qui entoure l'archipel. Une loi y interdit pourtant la pêche industrielle.

Espèces menaçantes et prédation

Au fil des ans, certaines espèces ont été introduites dans les îles Galápagos : elles ont proliféré. Elles menacent aujourd'hui les espèces propres à l'archipel. Les envahisseurs les plus dangereux, selon les études du scientifique Christophe Grenier, sont les chèvres, les ânes, les porcs, les chiens, les chats, les fourmis, les guêpes, les rats noirs et les souris. Selon ce chercheur, l'île San Salvador compte par exemple près de 100 000 chèvres ; l'île Isabela, plus de 50 000 : ces animaux empiètent directement sur la nourriture des tortues terrestres

1. Citation tirée d'une entrevue réalisée pour le site de la Foundation Surfrider.

2.59
Sur certaines îles, les autorités ont éliminé les chèvres, véritables menaces à la survie des tortues géantes.

(cactus, herbes, etc.). Les cochons, eux, défoncent le sol et se goinfrent des œufs de tortues. Les chiens, pour leur part, s'attaquent aux iguanes.

Tourisme

Chaque année, plus de 70 000 touristes se promènent au milieu d'œufs pondus par des colonies d'oiseaux de mer, perturbant ainsi la reproduction de ces espèces. Ces touristes, il faut les divertir et les promener en bateau et en autobus, des véhicules qui sont d'importants utilisateurs de carburants néfastes pour l'environnement. Sur la mer, des touristes jettent leurs sacs en plastique pardessus bord: des tortues marines les confondent avec des méduses, leur plat préféré, les avalent et en meurent. Il faut aussi nourrir les touristes, ce qui cause des amoncellements de déchets autour des centres d'habitation.

2.60
Source: Jean-Michel Thiriet, *Pour la science*, n° 281, mars 2001, p. 8.

De vrais pirates!

Aux 16e et 17e siècles, les îles Galápagos ont servi de refuge aux pirates anglais qui pillaient les bateaux et les établissements espagnols le long des côtes. Certains de ces pirates, comme William Dampier, surnommé le « pirate naturaliste », ont fait avancer la connaissance et la cartographie* des îles.

2.61
William Dampier.

*

Marée noire: Vaste nappe de pétrole répandue à la surface de la mer, qui pollue l'eau et les côtes.

Cartographie: Science qui étudie et réalise les cartes géographiques.

Vous parcourez des revues récentes à la bibliothèque. Vous tombez sur le titre suivant: « Les nouveaux pirates des Galápagos ». À qui l'article fait-il allusion, selon vous?

5 Un voyage aux Galápagos – la suite

Envoyer | Enregistrer | Annuler

Insérer des adresses ou utiliser des alias (en les séparant par une virgule).

À : Olivier@territoires.com

Cc : Cci :

Objet : Mon voyage, une semaine plus tard

Pièces jointes : [Appliquer]

Bartolomé.jpg (33k) [Supprimer]

Bonjour Olivier,

Je suis de retour sur le continent, à Quito, la capitale de l'Équateur. Ouf, j'en ai appris des choses en une semaine !

Dans l'avion qui nous amenait aux Galápagos, mon voisin équatorien a souri en regardant la photo sur le dépliant touristique. « C'est un montage », m'a-t-il dit. Eh oui ! Imagine-toi donc que la photo est truquée ! Pour comprendre, il faut que tu saches ceci : on trouve des albatros uniquement sur l'île Española ; or, sur cette île, il n'y a pas de paysages spectaculaires. Le paysage le plus célèbre de l'archipel, par contre, est sur l'île Bartolomé ; mais, sur cette île, il n'y a pas d'albatros. Pour résoudre le problème, une agence de publicité a fait un photomontage qui combine ces deux attraits touristiques majeurs ! L'avais-tu remarqué en regardant la photo du dépliant ?

Les deux photos utilisées pour le photomontage du dépliant touristique.

2.62 Albatros sur l'île Española.

2.63 Paysage de l'île Bartolomé souvent utilisé dans les brochures touristiques.

C'est vrai que j'ai vu des sites magnifiques dans le parc national des Galápagos, mais je me demande pour combien de temps ils le resteront! Selon des habitants avec qui on a parlé, plusieurs de ces sites accueillent trop de visiteurs. En effet, le tourisme est concentré dans quelques endroits, les plus rentables. Les autorités doivent donc aménager ces endroits en conséquence : élargir les escaliers, baliser de nouveaux sentiers, construire des débarcadères. Résultat ? Les colonies d'oiseaux se déplacent, les otaries deviennent agressives, les sentiers et ce qui les entoure se dégradent.
De plus, le parc national est très peu surveillé, à cause d'un manque d'argent et de personnel. Le seul garde que j'ai vu, c'est celui qui prélève la taxe d'entrée au parc national ! On dit qu'il y a des bateaux qui font de la surveillance en mer : il y en a sûrement très peu, car on n'en a pas vu un seul. Mais par contre, on a vu beaucoup de bateaux de croisière pour touristes ! Il semble qu'il arrive encore que les déchets des bateaux de touristes soient jetés à la mer sans que personne n'intervienne.

Et sais-tu quel animal est le plus important aux Galápagos ? Eh bien, j'ai appris que c'est le rat ! Moi qui pensais que c'était la tortue ! Le rat a été introduit dans les îles au 18e siècle par les bateaux qui venaient y faire du commerce ; sa présence menace maintenant plusieurs espèces locales.

En fait, plus les îles Galápagos sont reliées au reste du monde (et aujourd'hui elles le sont surtout par les grandes entreprises de tourisme et de pêche industrielle), plus leur environnement se dégrade. La publicité nous vante la « pureté » des Galápagos, mais j'ai pu constater qu'à Puerto Ayora, à deux pas du parc national et de la station Charles-Darwin, les conditions d'hygiène des habitants sont loin d'être « pures » : manque d'eau potable, dépotoirs à ciel ouvert, pas de système d'égout. Par contre, la rue du bord de mer, elle, est très jolie ! Devine pour qui ?

C'est clair : le parc national des Galápagos est géré en fonction de l'industrie touristique et cela nuit grandement à sa qualité sur les plans écologique et social. Tu me diras qu'on ne peut pas arrêter le temps ! C'est vrai, mais je crois qu'on peut viser un meilleur équilibre entre la protection d'un territoire et son développement économique, et agir en conséquence ! Il me semble que les habitants ont tout avantage à protéger leur territoire : c'est leur gagne-pain, après tout !

Passe le mot : c'est sûr, il n'y a pas que des tortues aux Galápagos...

J'ai hâte de te revoir,

Martine

☐ Insérer votre signature ☐ Code HTML [Aperçu]

Options : ☑ Enregistrer une copie

1. **Le « territoire protégé rêvé » de Martine s'est transformé au cours de son voyage. Si vous étiez Martine, seriez-vous déçue ou plutôt intriguée par vos découvertes ?**
2. **À leur retour des Galápagos, tous les touristes ont-ils fait les mêmes découvertes, selon vous ? Pourquoi ? Imaginez d'autres points de vue.**

Les territoires protégés : avec ou sans habitants ?

Pour conserver la nature, faut-il interdire aux gens d'habiter les territoires protégés ?

OUI

Certains répondent « oui » à cette question ; pour eux, l'être humain a un impact négatif sur les écosystèmes. Pas question alors de laisser des gens habiter des territoires protégés.

Les arguments

Les êtres humains, selon les partisans du « oui », ne peuvent que détruire l'environnement : ils épuisent les ressources d'un territoire, ils polluent lacs, rivières et forêts, etc. Certains de ces partisans ajoutent qu'il est plus simple de gérer un territoire si on n'a pas à tenir compte des besoins d'une population humaine. De plus, disent-ils, les exemples d'équilibre entre conservation de la nature et développement économique sont peu nombreux. Même des administrateurs de territoires protégés associent le comportement des habitants aux problèmes environnementaux de leur territoire.

2.65

Cette image, conçue par l'organisme Conservation de la nature Canada, a paru dans plusieurs revues québécoises. Selon vous, quel message l'organisme veut-il véhiculer ?

NON

Certains répondent « non » à cette question ; selon eux, il serait préférable de laisser les gens habiter les territoires protégés et de les faire participer à la gestion de ces territoires. Ce sont les populations locales, à cause de leur expérience et de leurs connaissances du milieu, qui sont les mieux placées pour protéger leur territoire.

Les arguments

Les partisans du « non » prétendent que ce ne sont pas les activités humaines en soi qui dégradent la nature. Il ne faut pas oublier, disent-ils, que les écosystèmes actuels, même dans les coins les plus éloignés de la planète, sont le résultat d'activités humaines : agriculture, pêche, cueillette de fruits, feux de petites dimensions, déplacements dans les forêts, introduction de nouvelles espèces, etc. Ce qui dégrade l'environnement, précisent-ils, c'est plutôt le fait de ne développer que l'aspect économique des activités humaines, au détriment des aspects sociaux et environnementaux. Ce qu'il faut faire, selon eux, c'est adopter une approche de développement durable. De plus, de leur point de vue, lorsqu'on expulse une population de son territoire ou qu'on lui interdit de mener ses activités traditionnelles, on la prive de ses moyens d'existence : cela peut être catastrophique pour elle. En outre, selon les habitants de ces territoires, ce sont les projets de conservation qui entraînent des conséquences négatives sur l'environnement, entre autres raisons, parce qu'ils attirent beaucoup de visiteurs.

Bref, les avis sont partagés. Certains s'interrogent même sur la pertinence de créer des territoires protégés !

CARTO

Les parallèles et les méridiens

Avez-vous remarqué les lignes qui quadrillent la carte 2.6 (voir p. 43) ? Vous pouvez aussi les voir sur un globe terrestre ou encore sur les cartes d'un atlas. Ces lignes ont été imaginées pour situer un lieu avec précision sur la Terre.

Les parallèles et la latitude d'un lieu

Les lignes horizontales qui forment des cercles autour de la Terre sont les parallèles. Le parallèle zéro (0°), au centre, s'appelle l'équateur. Il y a 90 parallèles au nord de l'équateur, et 90 au sud. Lorsqu'on veut situer un lieu en latitude, on indique sur quel parallèle il se trouve. Par exemple, sur l'illustration ci-contre, le point A est à 45° N (N pour nord), et le point B, à 15° S (S pour sud).

2.66 Parallèles

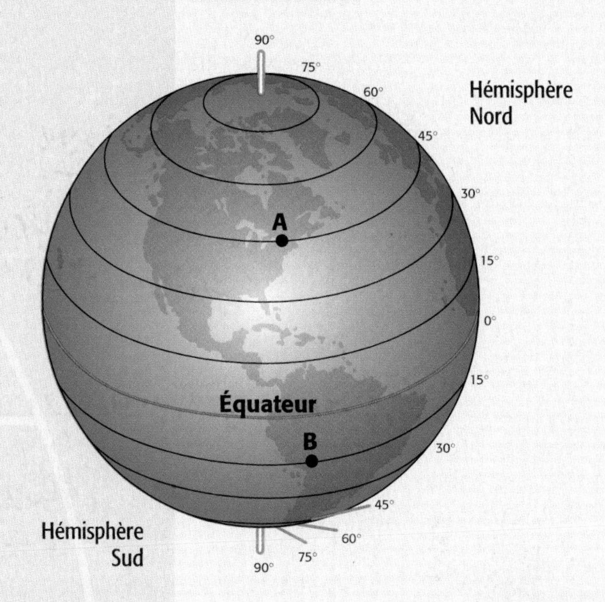

Les méridiens et la longitude d'un lieu

Les lignes verticales qui, elles, forment des demi-cercles en joignant les deux pôles sont les méridiens. Par convention, on a choisi comme méridien zéro (0°) celui qui traverse l'ancien observatoire de Greenwich non loin de Londres, au Royaume-Uni. Son nom ? Le méridien de Greenwich… Il y a 180 méridiens à l'est du méridien de Greenwich, et 180 à l'ouest. Pour donner la longitude d'un lieu, on indique sur quel méridien il se trouve. Ainsi, sur l'illustration ci-dessous, le point C est à 15° E (E pour est), et le point D, à 60° W (W pour ouest).

Pourquoi W et non O ? Il s'agit d'une convention internationale pour éviter toute confusion avec le chiffre « 0 ».

Les coordonnées géographiques d'un lieu

Lorsqu'on donne les coordonnées géographiques d'un lieu, on indique à la fois sa latitude et sa longitude. Mais que faire si un lieu se trouve entre deux parallèles ou entre deux méridiens ? En fait, l'espace compris entre deux parallèles ou deux méridiens se divise en unités plus petites, les minutes (60 minutes par degré), qui elles-mêmes peuvent se diviser en secondes. Par exemple, les coordonnées de l'île Isabela dans l'archipel des Galápagos sont 0° 30' S et 91° 06' W (' pour minute), comme vous pouvez le constater sur la carte 2.6.

Les coordonnées sont indispensables pour les pilotes d'avion, les navigateurs, les explorateurs, etc. Et si vous consultez un atlas, vous verrez qu'elles sont fort utiles. Par exemple, lorsque vous cherchez un lieu dans l'index, vous trouverez non seulement sur quelle carte il figure, mais aussi à quelle position le repérer sur cette carte grâce aux coordonnées géographiques.

À quelles îles correspondent les coordonnées suivantes sur la carte 2.6 ?

1. **1° 25' S et 89° 42' W.**
2. **0° 35' N et 90° 44' W.**
3. **0° 38' S et 90° 23' W.**

2.67 Méridiens

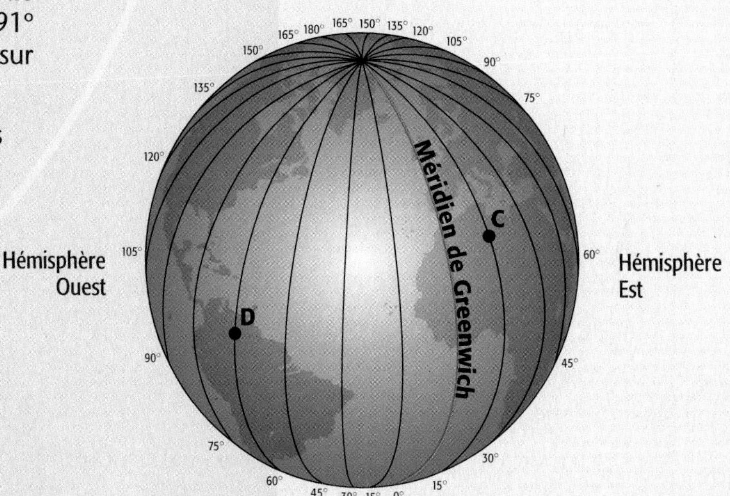

ÉTUDE DE CAS

La petite histoire du parc national de Forillon

Situé en Gaspésie, au Québec, le parc national de Forillon a été créé en 1970. La nature et les paysages exceptionnels de cette presqu'île attirent chaque année plus de 175 000 visiteurs. Le parc profite à l'économie de la région; par exemple, on a dû créer des emplois pour pouvoir accueillir les nombreux visiteurs. Mais, dans l'idée de conserver la nature intacte, on a expulsé plus de 200 familles qui habitaient une dizaine de petits villages situés sur ce territoire. Ces familles vivaient de pêche et d'agriculture. Le chercheur Jules Bélanger écrit: « Il aurait fallu, dans le nouveau parc, respecter la présence des humains avec celle des animaux et permettre aux propriétaires qui le souhaitaient d'y terminer leurs jours. D'ailleurs, Parcs Canada adopta, après la malheureuse expérience de Forillon, une politique plus humaine dans la mise en place de nouveaux parcs. »

Source: Jules Bélanger, « Forillon, 26 ans plus tard », *Magazine Gaspésie*, vol. 33, nº 2, 1996, p. 5.

Et vous, quel est votre point de vue? Faut-il exclure les habitants d'un territoire pour pouvoir le protéger?

2.68

Un coin du parc de Forillon aujourd'hui. Une fois les gens expulsés, Parcs Canada a reconstruit des maisons et un quai pour que les touristes puissent voir des exemples de la vie quotidienne d'autrefois.

À vos ordinateurs!

Créer un dossier « Territoires protégés »

À partir des définitions des différentes catégories de parcs naturels (voir p. 23), recherchez dans Internet trois photographies de paysages de parcs nationaux ou de parcs régionaux urbains. Trouvez des photographies:

- d'un parc du Québec;
- d'un parc d'un pays d'Afrique;
- d'un parc situé ailleurs qu'au Québec ou qu'en Afrique.

Copiez ces images et intégrez-les dans un document à l'aide d'un logiciel de traitement de texte. Près de chaque photo, indiquez:

- le nom du parc;
- le nom du pays;
- si possible, l'année où le parc a été classé « territoire protégé »;
- les raisons pour lesquelles, selon vous, ce parc est protégé;
- les aspects du territoire protégé qui sont reflétés par la photo.

Lorsque vous copiez des photos d'un site Internet, vérifiez sur ce site si on vous donne la permission d'utiliser ces photos. Et n'oubliez pas d'indiquer la source de ces photos sur votre document!

ASTUCE Pour copier une image trouvée dans un site Internet, il faut, selon le type d'ordinateur utilisé:

- cliquer sur l'image et la faire glisser dans la fenêtre du logiciel de traitement de texte utilisé; ou
- faire un « copier-coller ».

Faire de la Géo en... argumentant

Le texte « Les territoires protégés : avec ou sans habitants ? », présenté à la page 54, comporte une argumentation : on présente des points de vue différents et on appuie ces points de vue ou opinions sur des arguments. Exercez vos capacités à argumenter au moyen des questions suivantes.

Un argument, c'est un raisonnement qui vise à appuyer ou à réfuter un point de vue.

1. **Pour quelles raisons certaines personnes proposent-elles d'exclure les habitants des territoires protégés ?**
2. **Pour quelles raisons d'autres personnes proposent-elles de les laisser vivre dans les territoires protégés ?**
3. **Connaissez-vous des situations où un problème concernant un territoire protégé s'est posé ? Décrivez-les brièvement.**

À propos de la photo d'ouverture

Cette photo a été prise dans l'État de Washington aux États-Unis. Quels liens peut-on établir entre cette photo et le thème du dossier (« Territoire protégé ») ? De prime abord, on est frappé par la ligne très nette qui sépare les deux parties de la photo : à gauche, la forêt a été protégée ; à droite, elle a été complètement exploitée et est sillonnée de routes qui ont servi à la circulation des camions. Le contraste saisissant entre les deux parties de la photo nous amène à nous interroger sur les actions et sur les décisions des êtres humains quant à leurs territoires de vie.

1. **Quel titre donneriez-vous à cette photo ?**
2. **Cette photo pourrait-elle avoir été prise ailleurs que dans l'État de Washington ? Donnez un exemple.**
3. **Quelles peuvent être les conséquences de l'exploitation de la forêt à proximité d'un territoire protégé ?**
4. **Trouvez l'exemple d'une photo qui montre un contraste entre la protection d'un territoire et son exploitation.**

Pour en savoir plus...

Des livres et des périodiques

Sur l'environnement et la nature

BUISSON, Lucien, et Pierre GUÉRIN. *L'environnement*, Mouans-Sartoux (France), PEMF (coll. 30 mots clés pour comprendre...), 1996.

Sur les parcs naturels du Canada et du Québec

CROTEAU, André. *Les parcs du Québec. Par monts et merveilles*, Saint-Laurent, Éditions du Trécarré, 1996.

Parcs Canada. *Le Guide des montagnes*, publication annuelle.

Sur les Galápagos

BUCKLEY, Michael. « Îles de merveilles et de honte », *Biosphère*, vol. 17, nº 2, 2001, p. 8-17.

« Îles Galápagos », *National Geographic*, nº 24, septembre 2001.

HAMEL, Jean-François, et Annie MERCIER. « Les jardins de l'enfer », *Géo Plein air*, vol. 15, nº 5, automne 2003, p. 56-62.

MONGES, Philippe. « Galápagos, l'archipel en péril : après la marée noire, le danger continue », *Science et Vie junior*, nº 138, mars 2001, p. 44-52.

Des films et des vidéos

Galápagos, Film Imax, 2002.

In The Wild : Galápagos Islands with Richard Dreyfus, Tigress Productions.

Des sites Internet

Fondation Charles-Darwin [îles Galápagos].

Unesco.

Parcs Canada.

Société des établissements de plein air du Québec (Sépaq).

Dossier 3

TERRITOIRE URBAIN – RISQUE NATUREL

VIVRE DANS UNE VILLE À RISQUE : COMMENT S'ORGANISER ?

Comment vivre dans une ville exposée à un risque d'origine naturelle ? Tremblements de terre, volcans, cyclones, inondations, glissements de terrain : les citadins apprennent à composer avec ces réalités. Toutefois, les territoires ne sont pas égaux devant de tels risques. L'éducation et les moyens économiques influencent la capacité de s'organiser des populations en cas de catastrophe.

sommaire

3.1a

3.1b

3.1c

3.1d

1 Qu'entend-on par «ville à risque»?

Vivre est risqué! On peut être heurté par une voiture, un incendie peut détruire notre maison et on peut se blesser en faisant du sport... La plupart du temps, on prend des mesures pour minimiser les risques. Ainsi, avant de traverser la rue, on s'assure que la voie est libre. Alors, qu'entend-on par « ville à risque » ? Vivre en ville, n'est-ce pas toujours « risqué » ?

On dit qu'une **ville** est **à risque** lorsque sa population est exposée à des menaces d'origine naturelle, socioéconomique, technique ou biologique. Un séisme, une guerre, l'explosion d'une centrale nucléaire ou une épidémie, voilà autant d'événements qui peuvent se produire. Ce sont des risques parce qu'ils peuvent entraîner des pertes de vie, des dommages matériels, des pertes économiques et une dégradation de l'environnement. Et, bien sûr, plus la population est importante et les activités nombreuses, plus le risque est grave.

Il y a donc plusieurs catégories de risques. Dans ce dossier, nous aborderons les **risques d'origine naturelle**, c'est-à-dire le danger que certains phénomènes naturels représentent pour des personnes et des biens. Près du tiers de la population mondiale vit dans des zones où des cyclones*, des inondations, des séismes* ou des éruptions volcaniques peuvent se produire. Ce sont là les quatre types de risques naturels majeurs.

*

Cyclone: Tempête tropicale caractérisée par des vents tourbillonnants très violents.

Séisme: Synonyme de tremblement de terre. Violente secousse de la croûte terrestre.

A Peut-on vraiment parler de risque «naturel»?

Parler de risque « naturel » laisse croire que seule la nature est en cause. Pourtant, si le volcan se trouvait sur une planète inhabitée, serait-il une source de risque ?

3.2
Un risque d'origine naturelle constitue une véritable « épée de Damoclès ». Qu'est-ce que cela signifie pour une ville ?

La région est inhabitée. Si une éruption volcanique se produit, il s'agira d'un simple **phénomène naturel.**

On utilise le mot **aléa** pour désigner un phénomène naturel susceptible d'entraîner un risque.

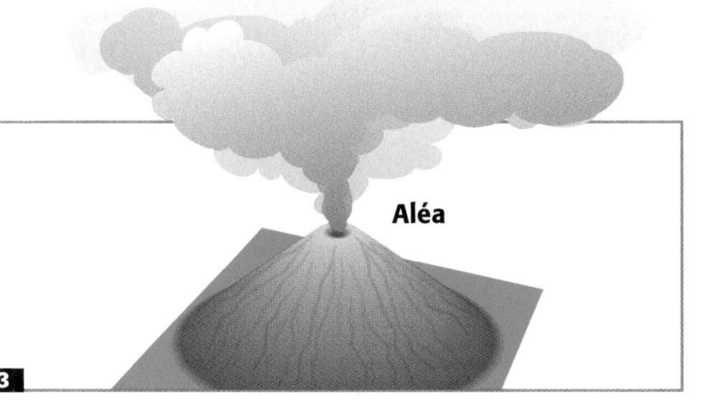

3.3

La région est habitée. Une éruption volcanique constitue alors un **risque** pour la population.

Les personnes et les biens menacés par le risque forment l'**enjeu.**

3.4

L'éruption volcanique a eu lieu. Elle a causé des dommages importants aux personnes et aux biens. L'événement est qualifié de **catastrophe naturelle.** Pourquoi y a-t-il eu catastrophe ? C'est souvent parce que les mesures pour protéger la population sont insuffisantes.

3.5

Qu'est-ce qui fait qu'un phénomène naturel devient un risque naturel?

B Qu'est-ce qui est le plus risqué ?

Grippe ou tremblement de terre : qu'est-ce qui est le plus risqué pour une personne ? Spontanément, on a tendance à répondre le tremblement de terre. Pourtant, les statistiques disent le contraire ! Regardons les données du tableau 3.6.

3.6 Probabilité* de décès pour une année

Si on fume 10 cigarettes par jour.	Une sur 200
Si on attrape la grippe.	Une sur 5000
Au cours d'un tremblement de terre, si on vit en Iran.	Une sur 23 000
Au cours d'une inondation, si on vit en Chine du Nord.	Une sur 100 000
Au cours d'un tremblement de terre, si on vit en Californie.	Une sur 2 000 000

Source : Programme des Nations unies pour le développement.

Comparez les données pour l'Iran et la Californie dans le tableau ci-dessus. Comment expliquez-vous la différence entre les deux?

Probabilité : Événement susceptible de se produire.

2 Existe-t-il des territoires sans risque ?

Regardons la carte des risques d'origine naturelle. « C'est étrange, direz-vous, la plupart des grandes villes sont situées dans des zones à risque. Pourquoi les gens choisissent-ils de vivre dans ces régions ? » En fait, même si toutes les villes ne sont pas également exposées, les territoires sans risque naturel sont pratiquement inexistants. En effet, qui n'a pas vécu un jour une inondation, une sécheresse, une période de canicule, de froid extrême ou une tempête de verglas ?

CARTE 3.1 LES RISQUES D'ORIGINE NATURELLE DANS LE MONDE

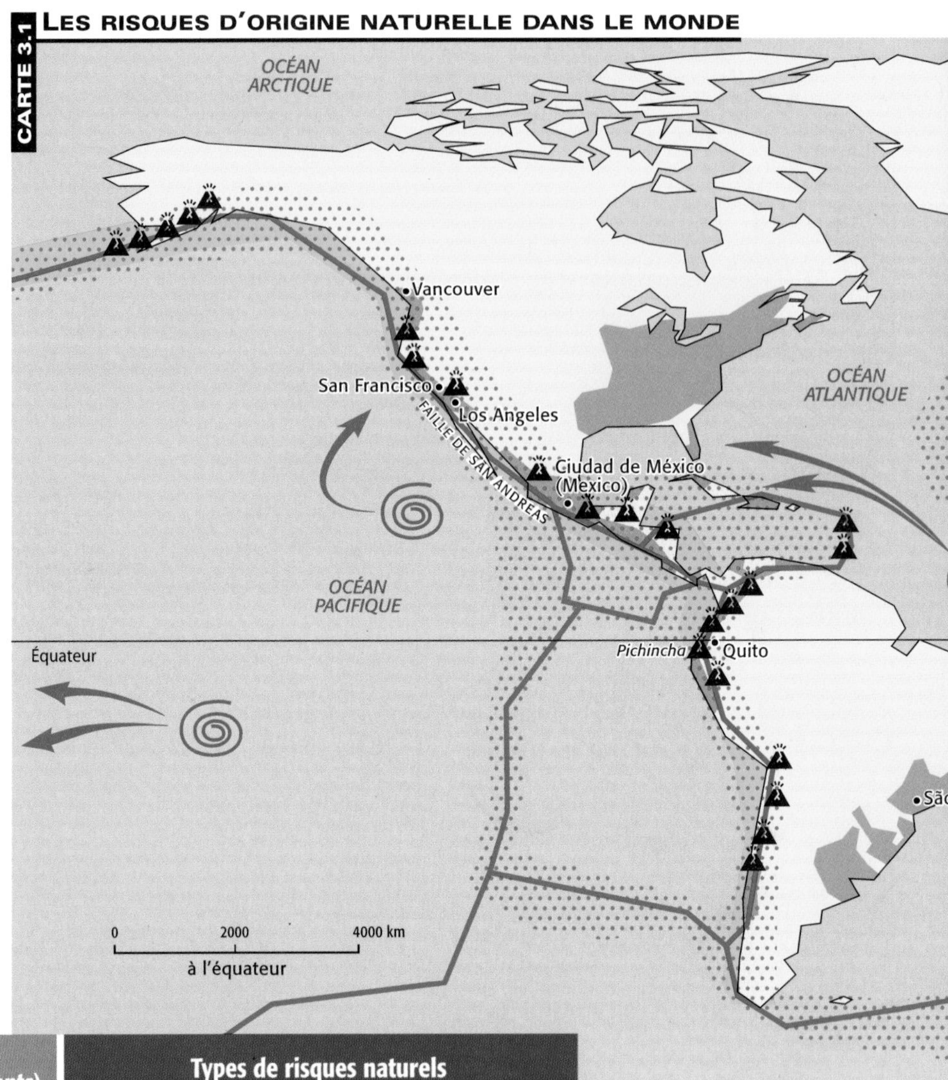

3.7 Comparaison de quelques très grandes villes à risque dans le monde

Villes	Population (millions d'habitants)	Types de risques naturels
Beijing – CHINE	11	Séisme, froid extrême
Bombay – INDE	18	Cyclone, inondation, séisme
Calcutta – INDE	13	Cyclone, inondation
Jakarta – INDONÉSIE	11	Séisme, éruption volcanique
Lagos – NIGERIA	13	Inondation
Los Angeles – ÉTATS-UNIS	13	Séisme, inondation, incendie de forêt, sécheresse
Manille – PHILIPPINES	12	Cyclone, inondation, éruption volcanique, séisme
Mexico – MEXIQUE	18	Séisme, inondation, glissement de terrain
São Paulo – BRÉSIL	18	Inondation, glissement de terrain
Shanghai – CHINE	13	Cyclone, inondation, séisme
Tōkyō – JAPON	26	Séisme, inondation

Source : Organisation des Nations unies, 1999.

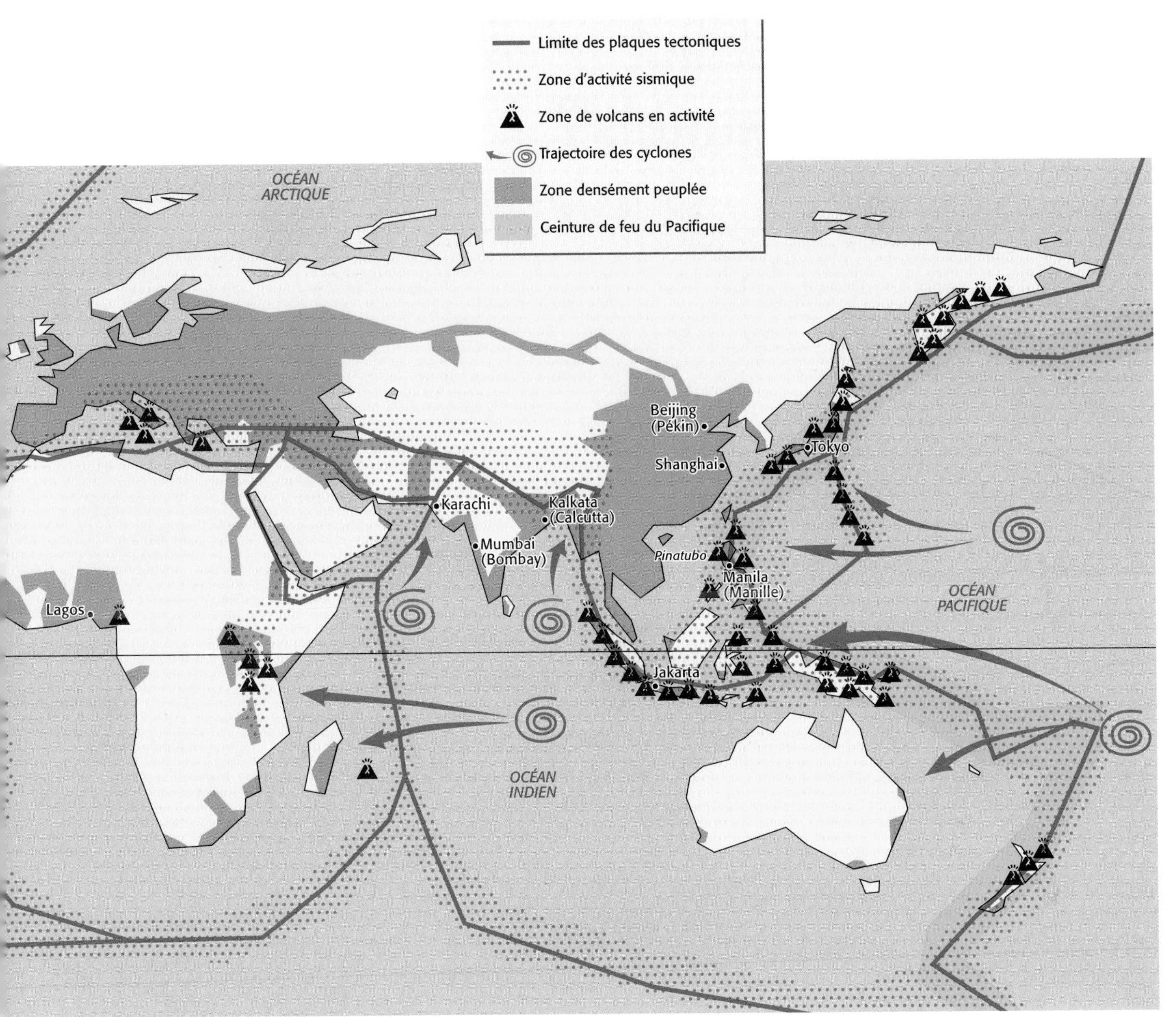

L'aviez-vous remarqué ? Les risques de séismes et d'éruptions volcaniques se situent le plus souvent aux limites des plaques tectoniques.

Malgré les probabilités élevées de catastrophes naturelles, les gens continuent de vivre dans les très grandes villes du monde. Pourquoi ?

- Parce que le territoire est propice aux activités humaines : navigation, mines, commerce, agriculture, etc.
- Parce que les gens sont attachés aux lieux et aux personnes ; ils ont un sentiment d'appartenance à leur territoire.
- Parce que, très souvent, ils n'ont ni les moyens ni la possibilité d'aller vivre ailleurs.
- Parce que, finalement, tous les territoires comportent des risques.

La carte ne montre pas tous les risques naturels qui peuvent se produire sur la planète. Est-ce qu'une telle carte serait possible ?

3 Tous égaux devant les risques naturels ?

3.8
Miami Beach, en Floride aux États-Unis.

Partout sur la planète, les habitants doivent composer avec des risques naturels. Toutefois, pour certains, les risques auront des conséquences plus grandes que pour d'autres. Où vivent les gens ? Dans quelles sortes d'habitations ? Quelles activités pratiquent-ils ? De combien d'argent disposent-ils ? Tous ces éléments déterminent la vulnérabilité* d'une collectivité.

La gestion des risques et des catastrophes ne se fait donc pas de la même façon partout dans le monde. Nous le savons, il existe des inégalités entre les villes des pays riches et celles des pays pauvres. Toutes n'ont pas les mêmes moyens financiers ni les mêmes capacités de s'organiser.

L'impact d'un cyclone sera-t-il le même dans ces deux territoires urbains ? Quel territoire semble le plus vulnérable ? Pourquoi ?

*

Vulnérabilité : La vulnérabilité exprime le niveau de dommages et de pertes de vie pouvant être causés par une catastrophe. Elle se manifeste aussi par la capacité de la population à faire face à la situation.

3.9
Cavite City, près de Manille aux Philippines.

Des perceptions différentes

Pareilles inégalités font que les habitants ne perçoivent pas nécessairement les risques de la même façon. Voici un exemple qui illustre la différence de perception du risque selon le niveau de développement d'un territoire.

Pour situer le Pakistan sur la carte 3.1, cherchez Karachi.

Le **nord du Pakistan, en Asie**, est régulièrement frappé par des inondations, des séismes et des glissements de terrain. Pourtant, les habitants ne perçoivent pas ces risques comme une priorité.

Dans ce territoire très pauvre, se protéger contre les risques de maladies est jugé beaucoup plus important. La population se préoccupe davantage des besoins de base à combler comme réussir à se nourrir et à se loger.

En **Floride, aux États-Unis**, les gens vivent dans un environnement beaucoup moins à risque. Les autorités ont néanmoins mis sur pied d'importants et coûteux programmes de prévention en cas d'inondation.

Dans cet État riche, se protéger contre les risques naturels est perçu comme très important, puisque les autres types de risques sont faibles et que les besoins de base sont comblés.

> *Dans un pays comme les États-Unis, la reconstruction et la reprise des activités économiques sont beaucoup plus rapides que dans les pays qui ont peu de moyens pour faire face aux catastrophes.*
>
> Yann-Arthus Bertrand,
> photographe et auteur de plusieurs livres sur la Terre.

Selon la caricature, les habitants des deux pays illustrés sont-ils également protégés contre le risque volcanique ?

3.10

PREMIÈRE PARTIE LES VILLES À RISQUE NATUREL

1 San Francisco, une ville qui tremble

La ville de San Francisco, comme toute la Californie d'ailleurs, subit régulièrement des séismes. Comment expliquer que des gens continuent d'y vivre malgré cette menace de tremblements de terre ?

Market Street... Près de 100 ans séparent ces deux photos.

3.11 **Le quartier des affaires de San Francisco**, plus précisément Market Street, après le tremblement de terre de 1906.

3.12 **Vue aérienne du même quartier** et de la même rue de nos jours. De toute évidence, le séisme n'a pas empêché la ville de se développer.

Qu'est-ce qui caractérise la ville de San Francisco ?

- **Où est située San Francisco ?** Cette ville est située au centre de la Californie, sur la côte ouest des États-Unis. Elle s'étale autour d'une large baie s'ouvrant sur l'océan Pacifique.
- **D'où vient son nom ?** En 1776, des religieux espagnols, des franciscains, ont fondé une mission catholique à cet endroit. Ils lui ont donné le nom du fondateur de leur communauté, San Francisco de Asis.
- **Qui habite à San Francisco ?** La ville compte environ 730 000 habitants, mais la vaste agglomération urbaine, appelée « San Francisco Bay Area », comprend près de 7 millions d'habitants. Il s'agit d'une métropole à plusieurs pôles : San Francisco, San Jose et Oakland. C'est la cinquième ville en importance des États-Unis. La population est des plus cosmopolites, ce qui signifie que ses habitants viennent de nombreux pays.

CARTE 3.2 AGGLOMÉRATION DE SAN FRANCISCO

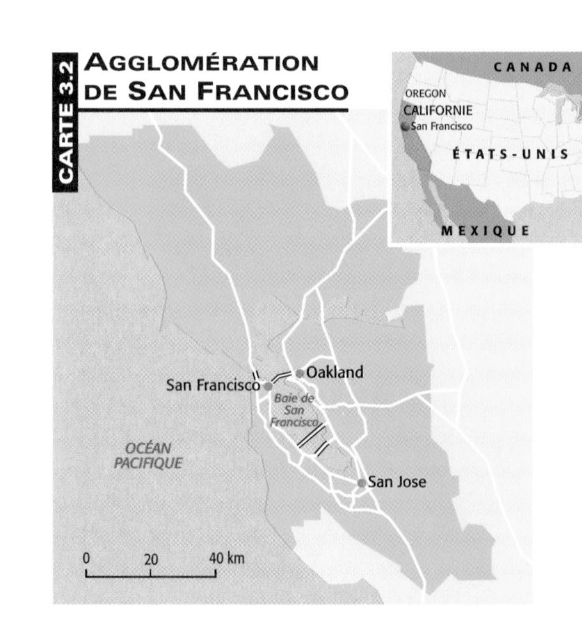

Pourquoi habite-t-on à San Francisco?

San Francisco a connu un premier essor en 1848. Des chercheurs d'or s'y étaient installés au moment de ce que l'on a appelé la « ruée vers l'or ». Son port s'est alors développé ainsi que les banques, grâce à l'or et à l'argent extraits des mines. Son sol est aussi fertile. Il suffit de penser à tous les légumes et fruits qui nous viennent de cette région...

Cette grande métropole de la côte ouest des États-Unis est de plus connue pour ses professions liées aux nouvelles technologies. Les anciens bâtiments industriels ont été convertis en immeubles de bureaux. Le tourisme et le commerce constituent aussi des secteurs importants.

3.13 **Ville multiculturelle, San Francisco** compte la communauté chinoise la plus importante en Amérique du Nord.

La qualité de son architecture, son climat doux et frais, ses quartiers ethniques et ses activités culturelles d'avant-garde en font une ville recherchée. Elle est également reconnue pour la qualité de ses constructions parasismiques*. Malgré les inégalités sociales, c'est une des villes les plus riches des États-Unis. Les autorités investissent donc énormément dans les mesures de prévention en cas de séismes et dans l'information à la population. Cette information est d'ailleurs présentée en plusieurs langues à cause des nombreuses communautés culturelles.

Construction parasismique: Construction susceptible de mieux résister aux secousses sismiques.

Où est situé le Golden Gate Bridge? Consultez la carte 3.3 (p. 70).

3.14 **Le Golden Gate Bridge**, symbole de la Californie, État de l'or.

3.15 Population de San Francisco, de 1848 à 2003[1]

Année	Population
1848 (début de la ville)	1 000
1855 (7 ans plus tard)	50 000
1906 (séisme)	350 000
1989[1] (séisme)	6 000 000
2003	7 000 000

Examinez les données du tableau. Que pouvez-vous en déduire?

1. Les données pour 1989 et 2003 incluent San Francisco Bay Area, soit la grande région métropolitaine de San Francisco.

2 Vivre à San Francisco : pourquoi est-ce risqué ?

- La ville est située sur un ensemble de failles*, la plus connue étant celle de San Andreas. Il existe huit autres failles dans la région de San Francisco.

* **Faille :** Cassure au niveau de la croûte terrestre.

- En 1906, un violent tremblement de terre suivi d'un incendie a ravagé la ville et pratiquement détruit son paysage urbain. Le séisme a fait plusieurs centaines de victimes. En 1989, un autre séisme a causé des dommages et entraîné la mort de 63 personnes.
- La Silicon Valley, banlieue de San Francisco connue pour ses nombreuses entreprises de haute technologie, est construite sur un sol meuble, donc sensible aux secousses, et ses édifices ne sont pas encore solidifiés.
- Livermore, le laboratoire de recherche en armement nucléaire, est construit directement sur la faille de San Andreas. Les autorités assurent cependant que tout est prévu pour éviter une catastrophe nucléaire.
- Plusieurs édifices ont été consolidés selon les nouvelles normes de construction : les écoles, le tunnel du métro, les tours à bureaux du centre-ville. Par contre, le quartier des affaires est entouré de quartiers plus anciens, le quartier chinois notamment, où les constructions ne sont toujours pas solidifiées.
- Les autorités de la ville, en collaboration avec les scientifiques, ont imaginé un scénario catastrophe, qu'ils ont appelé le « Big One ». Ce scénario leur permet de planifier les mesures de sécurité à prendre en cas de séisme majeur.

Bâtie sur plusieurs collines, la ville de San Francisco a un relief accidenté. Pour faciliter les déplacements dans les rues très pentues, on a inventé le *cable car*. Celui-ci fonctionne un peu comme un remonte-pente. Quant à la Transamerica Pyramid, elle a été conçue pour absorber les secousses sismiques. Quel est le lien entre ces deux éléments du paysage urbain ? Les deux ont été construits en fonction de la réalité physique de la ville.

3.17 Comparaison des deux séismes de San Francisco et du scénario catastrophe envisagé

Séisme	Magnitude* approximative	Population	Pertes de vie	Coût des pertes matérielles
1906	7,9	700 000	800	5 millions $
1989	7,1	7 000 000	63	7 milliards $
Big One	Supérieure à 8	10 000 000	1 000	100 milliards $

*

Magnitude : Quantité d'énergie libérée par un séisme.

Pourquoi le coût des pertes matérielles augmente-t-il autant, selon vous ?

Le séisme, une menace qui gronde

La Terre est un peu comme un oignon, faite de plusieurs couches, dont trois principales. Il y a d'abord le noyau, cette masse solide au centre de la Terre, puis le manteau, la couche intermédiaire faite de roches en fusion et enfin, la croûte terrestre, l'enveloppe externe solide qui recouvre la planète.

La croûte terrestre est elle-même composée de plusieurs morceaux qui s'imbriquent les uns dans les autres, un peu comme un casse-tête. Ce sont les plaques tectoniques. Ces plaques flottent sur le manteau et se déplacent constamment en raison des mouvements provoqués par le magma en fusion. Certaines plaques s'éloignent les unes des autres, d'autres glissent les unes sur les autres allant même jusqu'à entrer en collision.

À force de s'étirer ou de se comprimer, les plaques tectoniques finissent par se casser et par former ce que l'on appelle des « failles ». Lorsque cela se produit, le choc est si brutal qu'il dégage une grande quantité d'énergie, ce qui provoque de fortes vibrations. Ce sont des ondes sismiques. Ces dernières voyagent en cercles concentriques jusqu'à la surface de la Terre. C'est ce qu'on appelle un « séisme » ou un « tremblement de terre ».

Souvent, les séismes se produisent en bordure des plaques. C'est le cas en Californie par exemple. Cet État se trouve à la jonction de la plaque pacifique et de la plaque nord-américaine, et directement sur une des plus grandes failles de la croûte terrestre : la faille de San Andreas. (Voir carte 3.1, p. 62-63.)

3.18 Structure de la Terre

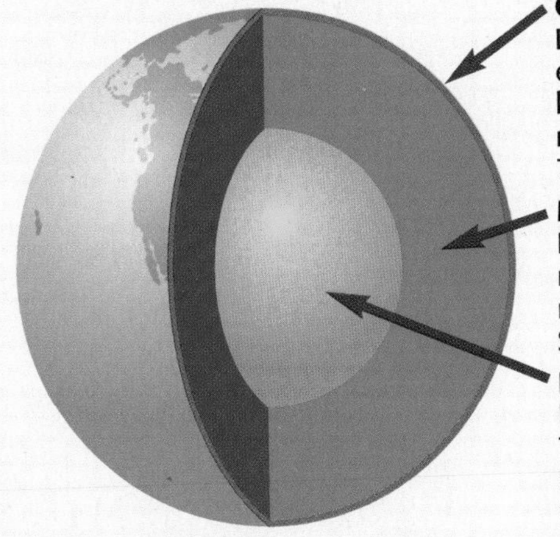

Croûte terrestre
La croûte terrestre forme l'enveloppe externe solide de la Terre. Elle comprend les roches des continents et les fonds marins. Son épaisseur : entre 5 km et 70 km.

Manteau
Le manteau correspond à la couche intermédiaire de la Terre. Il est composé de roches brûlantes en fusion, le magma. Son épaisseur : 3000 km.

Noyau
Le noyau est situé en plein cœur de la Terre. Il s'agit d'une sphère solide, probablement constituée de fer et de nickel. Son épaisseur : 3500 km.

3.19 Séisme

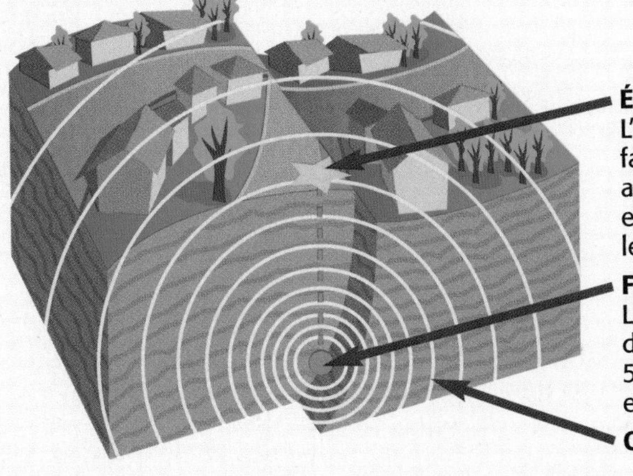

Épicentre
L'épicentre est situé à la surface de la Terre, directement au-dessus du foyer. C'est à cet endroit que les secousses sont les plus violentes.

Foyer
Le foyer est le point intérieur du globe, généralement entre 5 km et 15 km, où l'énergie est libérée.

Ondes sismiques

3 Mieux connaître les séismes

Pour évaluer les risques qui menacent la planète, les scientifiques s'appuient sur de nombreux exemples de catastrophes du passé. Ils analysent les causes des phénomènes et leurs conséquences sur nos vies et notre environnement. C'est ce qui permet aux sociétés de mieux s'organiser pour minimiser les pertes.

Voici des extraits du témoignage de Mary Miller sur le tremblement de terre de 1989 à San Francisco. Au moment du séisme, elle demeurait à quelques kilomètres du sommet de Loma Prieta, situé au nord de Santa Cruz.

Un témoignage, est-ce scientifique ?

Un témoignage est le récit d'un événement, d'une catastrophe naturelle vécus par une personne. Il s'agit d'un document important en science pour mieux connaître le phénomène qui s'est produit. On demande aux gens qui ont vécu un tremblement de terre, par exemple, de remplir un questionnaire ou encore de passer une entrevue. Les renseignements recueillis sont ensuite comparés par des spécialistes. Plusieurs sites Internet invitent les gens à remplir une fiche descriptive. Même ceux qui n'ont pas senti de secousses peuvent participer : cela permet de connaître l'ampleur du séisme.

A «Le séisme de Loma Prieta tel que je l'ai vécu»

«Le 17 octobre 1989, à 16 h 45, je revenais d'un cours à Santa Cruz, à 120 km au sud de San Francisco. J'écoutais le début de la 3e partie de la Série mondiale entre les Athletics d'Oakland et les Giants de San Francisco. En mangeant mon sandwich, je pensais au travail que j'avais à remettre le lendemain. J'en avais sûrement pour la nuit…

À 17 h 4, au moment d'aller sous la douche, j'ai senti le plancher bouger. Comme j'ai grandi en Californie, je suis habituée à ces petites secousses qui durent quelques secondes. Mais là, c'était différent. Après 15 secondes, j'ai compris que le tremblement de terre était tout près et qu'il serait violent.

Dans la cuisine, la vaisselle s'est brisée, le téléviseur est tombé. J'ai juste eu le temps de me demander si je devais rester sous le cadrage de la porte ou courir dehors… J'ai décidé de rester où j'étais. Ma petite maison, dont la structure est en bois, a été secouée, le contenu du réfrigérateur s'est vidé par terre, les bibliothèques ont été projetées au sol. Le grondement à l'extérieur était tel que je n'avais jamais rien entendu d'aussi bruyant !

Rupture dans la faille

J'ai appris plus tard ce qui s'était passé. Il y avait eu rupture dans le sol d'une section de 40 km de la faille de San Andreas, près du sommet de Loma Prieta, qui est à environ 8 km de chez moi. La faille de San Andreas trace

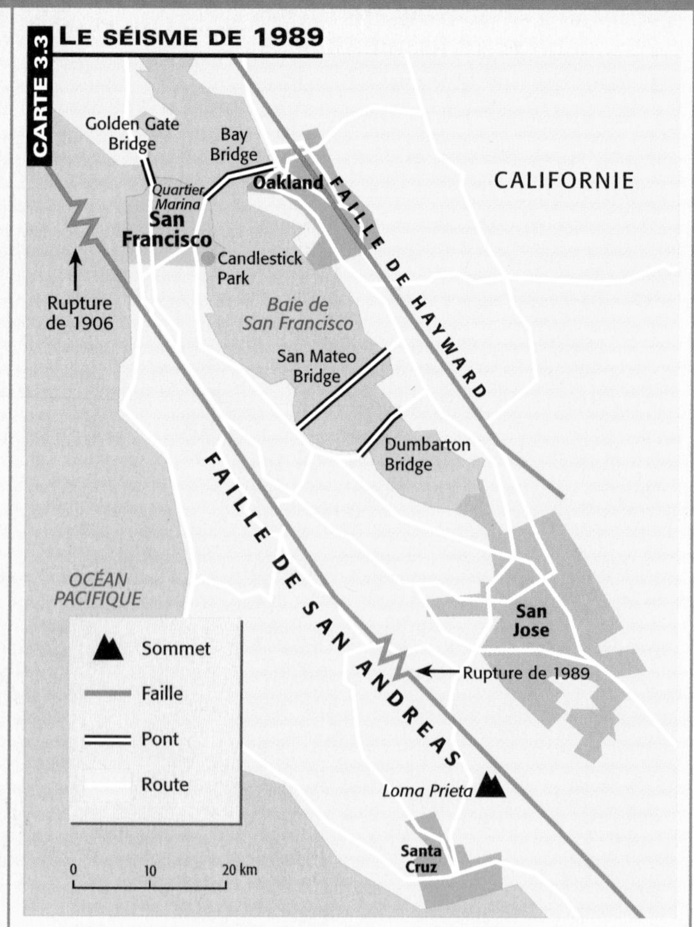

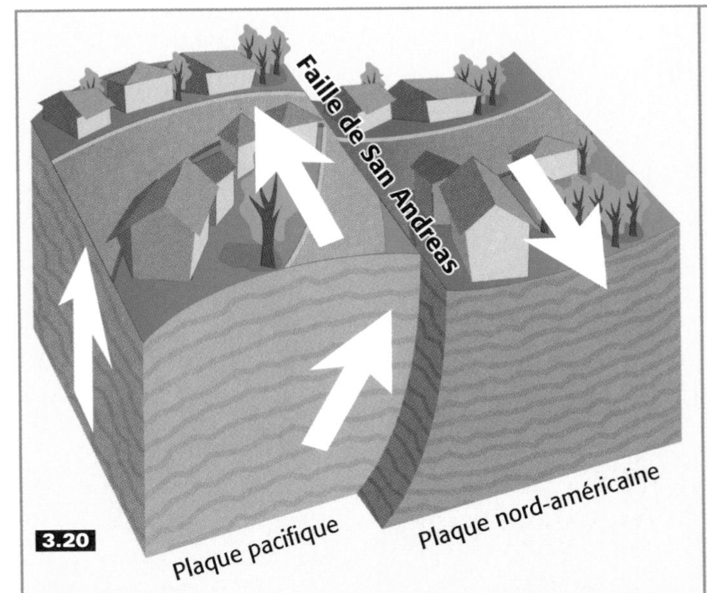

3.20

la frontière entre la plaque pacifique, à l'ouest, et la plaque nord-américaine, à l'est. Ces deux plaques frottent l'une sur l'autre et il arrive qu'elles se coincent. La tension alors trop forte cause une rupture de la roche, ce qui provoque un séisme à la surface de la Terre. Le 17 octobre, la plaque pacifique a fait un bond de près de 2 m vers l'Oregon causant un séisme d'une magnitude de 7,1 sur l'échelle de Richter. De puissantes ondes sismiques ont secoué les édifices et les autoroutes de la région de Santa Cruz et de la baie de San Francisco. Des édifices et des ponts se sont écroulés. L'électricité dans les maisons, les entreprises et au Candlestick Park où le match de la Série mondiale avait lieu a été coupée. Il a fallu trois jours pour rétablir le courant.

Dommages causés par le séisme

Lorsque les secousses ont cessé, j'ai mis mes chaussures pour éviter de me couper. J'ai essayé d'appeler mes amis et j'ai écouté la radio. J'avais besoin de savoir ce qui se passait. Des reporters inquiets parlaient de voitures tombées dans l'effondrement d'une section du Bay Bridge à Oakland. À en croire la radio, des centaines de personnes y étaient mortes. En réalité, cet effondrement a causé le décès de 42 personnes ! Les faits contrediront d'ailleurs la plupart des nouvelles effroyables entendues au cours de la nuit. En tout, 69 personnes ont perdu la vie à la suite de ce séisme.

Une fuite de gaz a causé une explosion. Un incendie majeur s'est alors déclaré dans Marina, un quartier densément peuplé où plusieurs édifices sont en bois. La canalisation d'eau étant brisée, c'est le bateau pompier de la ville qui, arrivé par le port de Marina, a acheminé l'eau pour éteindre le feu. Il y a bien eu un incendie dans le quartier Marina et une partie du Cypress Freeway s'est effondrée. Toutefois, la plupart des habitants de la vaste région métropolitaine n'ont subi que des dommages mineurs. Après coup, on s'est rendu compte que les reportages à la radio avaient exagéré les conséquences du séisme.

À la maison, des amis ont commencé à m'appeler. Ils écoutaient les mêmes nouvelles que moi et ils étaient inquiets. Mon copain Jeff a réussi à me joindre vers 19 h. Trop de gens essayaient d'appeler au même moment, les lignes étaient surchargées. Cela donnait l'impression que le service téléphonique avait été détruit.

Les édifices en brique, contrairement à ceux qui sont en bois ou en acier, sont les plus vulnérables. Ce type de construction, courant dans les édifices de plus de 50 ans, est appelé "maçonnerie non renforcée". Le Code du bâtiment exige dorénavant que les édifices soient renforcés contre les séismes. Le tremblement de terre a été particulièrement violent dans le quartier Marina à San Francisco. Ironiquement, ce quartier avait été reconstruit sur un sol meuble constitué des ruines du séisme de 1906 !

3.21 **Effondrement** d'une section du Cypress Freeway à Oakland.

Pendant que je parlais à Jeff, j'ai senti une nouvelle secousse ! Dix secondes plus tard, Jeff m'a dit qu'il venait de la sentir à son tour. Ce délai représente le temps qu'a mis l'onde sismique pour franchir les 100 km qui séparent Santa Cruz de San Jose, où Jeff habite. Cela m'a convaincue que l'épicentre était plus près de Santa Cruz que de San Jose. En tout, il y a eu 13 secousses supérieures à une magnitude de 4,1 au cours de la nuit. Les gens ont combattu les incendies. Plusieurs ont apporté de l'aide aux voisins, aux personnes âgées et aux démunis. Certains dirigeaient la circulation aux intersections, car les feux ne fonctionnaient plus. Les services d'urgence ont rapidement été mis sur pied, ainsi que des campements pour ceux qui étaient sans logis.

Des mesures de prévention

Chaque fois qu'un important tremblement de terre frappe quelque part dans le monde, je pense à celui que j'ai vécu. Et je sais qu'il y en aura d'autres. J'habite maintenant loin de la faille de San Andreas... mais juste au-dessus de celle de Hayward ! Ma maison est construite selon les normes parasismiques, sur un sol solide. Il me reste à fixer mon ordinateur à mon bureau et mes bibliothèques au mur. J'ai en réserve de la nourriture en conserve, des piles et des lampes de poche, mais je n'ai pas suffisamment d'eau pour tenir plusieurs jours. Je suppose que j'ai encore des leçons à tirer de cette expérience ! »

Traduit et adapté de *Loma Prieta, Ten Years After*, publié dans le site Internet *Exploratorium*, 2003.

3.22 **L'incendie** dans le quartier Marina a fait rage pendant trois jours.

carrefour Science

Des constructions détruites et d'autres pas. Pourquoi ?

Les dommages aux constructions dus aux séismes peuvent varier en fonction de plusieurs facteurs. Quels sont ces facteurs ?

- La magnitude du séisme. Plus la quantité d'énergie libérée est importante, plus les risques de dommages sont grands.
- La proximité de l'épicentre (voir l'illustration 3.19). Plus on est près de l'épicentre, plus les secousses sont fortes.
- La proximité du foyer. Plus le foyer du séisme est près de la surface de la Terre, plus les secousses sont fortes.
- La nature du sol. Les sols meubles propagent davantage les ondes sismiques que les sols rocheux. Les dommages aux édifices construits sur des sols meubles seront donc plus importants.
- Le type de constructions. Certains immeubles sont plus solides que d'autres. Ainsi, les maisons à charpente de bois résistent bien aux secousses.

3.23 Que représente la cabane d'oiseaux ? Pourquoi a-t-elle résisté au séisme ?

B Des échelles pour les séismes ?

Comment les scientifiques mesurent-ils la puissance et les effets d'un séisme ? Avec des échelles ! Les deux plus connues sont :

- l'échelle de Mercalli ;
- l'échelle de Richter.

Vous avez dit Mercalli ?

Giuseppe Mercalli était un sismologue* et un volcanologue* italien. Il est mort à Naples, en Italie, en 1914. En 1902, il publie une échelle de 12 degrés qui mesure l'intensité d'un séisme, c'est-à-dire ses effets. Son échelle tient compte des sensations et des observations des personnes qui ont vécu le séisme ainsi que des dommages aux constructions. Depuis, plusieurs versions modifiées de cette échelle ont été produites, adaptées aux besoins des différentes régions du monde.

Ainsi, la Russie et plusieurs pays d'Europe ont développé l'échelle MSK d'après les initiales des géologues russes Medvedev, Sponheuer et Karnik. Inventée en 1964, elle sert à mesurer, en 12 degrés, les dégâts produits par les séismes.

Vous avez dit Richter ?

Charles E. Richter était un géologue* et un sismologue américain. Il est mort en Californie, en 1985. En 1935, il a inventé la notion de magnitude d'un séisme, c'est-à-dire la quantité d'énergie libérée en son foyer. Il a ensuite développé une échelle permettant de mesurer cette notion. Son échelle est divisée en degrés, 9 étant le plus élevé.

Laquelle est la meilleure ?

Comparez les dates : l'échelle de Mercalli est plus ancienne que l'échelle de Richter. Après Mercalli, Richter a voulu inventer un instrument pour mesurer l'énergie réelle du séisme. En fait, les deux types d'échelles sont importants, car ils mesurent des aspects différents.

Le jeudi 6 novembre 1997 — LE SOLEIL — A 3

LA CAPITALE
ET SES RÉGIONS

LA TERRE TREMBLE À QUÉBEC

LES RETOMBÉES
SÉISME
Depuis 1988

La secousse ressentie dans un rayon de 250 km

« Ça a brassé fort »

Jean-Marc Salvet, Le Soleil

QUÉBEC — Quelques instants après la secousse, tous les pompiers en service dans la région de Québec étaient à bord de leurs véhicules, quadrillant les rues de la ville et des environs.

Les pompiers de Québec étaient sur le qui-vive

Lulu, la chienne du géologue Jean-Yves Chagnon, a continué à dormir pendant le tremblement de terre !

Pas besoin de sismographe !

Anne-Louise Champagne, Le Soleil

SAINTE-FOY — Jean-Yves Chagnon n'a pas eu besoin de sismographe pour qualifier la secousse sismique ressentie hier dans la région de Québec. Bien assis chez lui, il a compris avant que les communiqués officiels ne soient émis que l'épicentre était tout près.

Jusqu'à Riv-du-Loup

3.24
Le journal *Le Soleil*, 8 novembre 1997.
La terre a tremblé dans la région de Québec.

*

Sismologue : Scientifique qui étudie les tremblements de terre.

Volcanologue : Scientifique qui étudie les volcans.

Géologue : Scientifique qui étudie les éléments formant la Terre.

Curieux

Est-ce que la terre tremble au Canada ?

Avez-vous déjà ressenti un tremblement de terre chez vous ? C'est bien possible, car, selon les sismologues, on enregistre chaque année plus de 1500 séismes au Canada.

Le sud-ouest de la Colombie-Britannique est la région la plus active. Plus de 300 séismes s'y produisent chaque année. Toutefois, toute la zone côtière de la Colombie-Britannique, le sud du Yukon, la vallée du Mackenzie dans les Territoires du Nord-Ouest, les îles de l'Arctique ainsi que la vallée de l'Outaouais et celle du Saint-Laurent sont aussi à risque.

Le séisme le plus important des 100 dernières années (magnitude de 8,1) a eu lieu en 1949 dans les îles peu peuplées de la Reine-Charlotte, au nord-ouest de l'île de Vancouver. En novembre 1988, un séisme de magnitude 6 a causé des dommages évalués à des dizaines de millions de dollars dans la région du Saguenay, au Québec. C'est le séisme le plus puissant qu'a connu l'est de l'Amérique du Nord depuis 1935.

Pourquoi ces séismes font-ils moins la manchette des journaux ? Parce qu'ils se produisent sur des territoires peu peuplés. L'impact sur les personnes et les biens y est donc moins grand que dans les villes qui comptent beaucoup d'habitants.

1 Vivre à Quito, sur « l'avenue des volcans »

La ville de Quito est assise sur un volcan, le Pichincha ! Sa dernière éruption remonte à 1999. Celle du Cotopaxi, situé à seulement 35 km de la ville, date d'à peine 100 ans. Ces deux volcans, bien actifs, sont surveillés de près par les géologues et les sismologues. Alors, pourquoi les gens décident-ils d'habiter là ? Que prévoient les autorités de la ville advenant une catastrophe ?

3.25

Vue aérienne de la région de Quito. Comparez la photo à la carte 3.4. Où se trouve le nord sur cette photo ? Quels liens peut-on établir entre les différents éléments qui caractérisent la ville de Quito ?

Qu'est-ce qui caractérise la ville de Quito ?

Quito : Le nom de Quito vient des premiers habitants de la région, les Amérindiens *Quitu*.

Où est située Quito ?

Quito* est la capitale de l'Équateur, un pays d'Amérique du Sud. Elle est perchée à 2800 m d'altitude, dans la vallée de la cordillère des Andes, ce qui en fait la capitale la plus haute du monde après La Paz, en Bolivie.

L'Équateur compte 12 millions d'habitants. Plus de 30 % de la population est concentrée dans les trois principales villes du pays : Guayaquil, Quito et Cuenca. Ces métropoles font face à des problèmes de pollution atmosphérique (due en particulier aux gaz d'échappement de véhicules anciens ou mal entretenus) et d'approvisionnement en eau potable. Comme l'Équateur est situé sur une zone de contact entre des plaques tectoniques, le pays est exposé aux séismes et aux éruptions volcaniques (voir carte 3.1 et Carrefour science, p. 79).

L'économie du pays est surtout basée sur la production agricole : bananes, cacao, café, sucre, etc., et sur les produits de la pêche. Toutefois, des ressources pétrolières importantes ont permis le développement d'industries chimiques et pharmaceutiques dans le nord du pays.

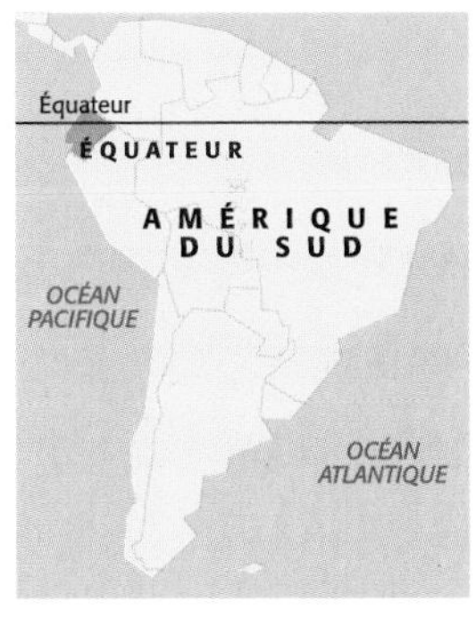

Pourquoi dit-on que Quito est située sur « l'avenue des volcans » ?

Les Andes sont formées de deux cordillères ou chaînes de montagnes parallèles constituées d'une vingtaine de volcans actifs. Entre ces deux chaînes, il y a une vallée de haute altitude (entre 2300 m et 3000 m). En 1802, le géographe allemand Alexandre de Humboldt, qui explorait la région, l'a baptisée « avenue des volcans ». Les dépôts volcaniques ont rendu cette vallée fertile. Elle est habitée et cultivée depuis des milliers d'années. Bien qu'elle représente seulement 5 % du territoire du pays, le tiers des Équatoriens y vivent.

La ville de Quito est construite sur les pentes du volcan Pichincha. Puis, à 35 km au sud de la ville, se trouve le volcan Cotopaxi (5897 m). C'est le deuxième sommet de l'Équateur et le volcan actif le plus haut du monde. Par temps clair, sa silhouette est visible de Quito. On compte 59 éruptions depuis le 16e siècle. Le risque le plus grand, ce sont les lahars, ces coulées de boue destructrices qui pourraient se déverser vers Latacunga, ville d'environ 50 000 habitants, ou vers Quito. Dans cette direction, une partie de la vallée fortement urbanisée est menacée.

CARTE 3.4 **DES VILLES AU PIED DES VOLCANS, EN ÉQUATEUR**

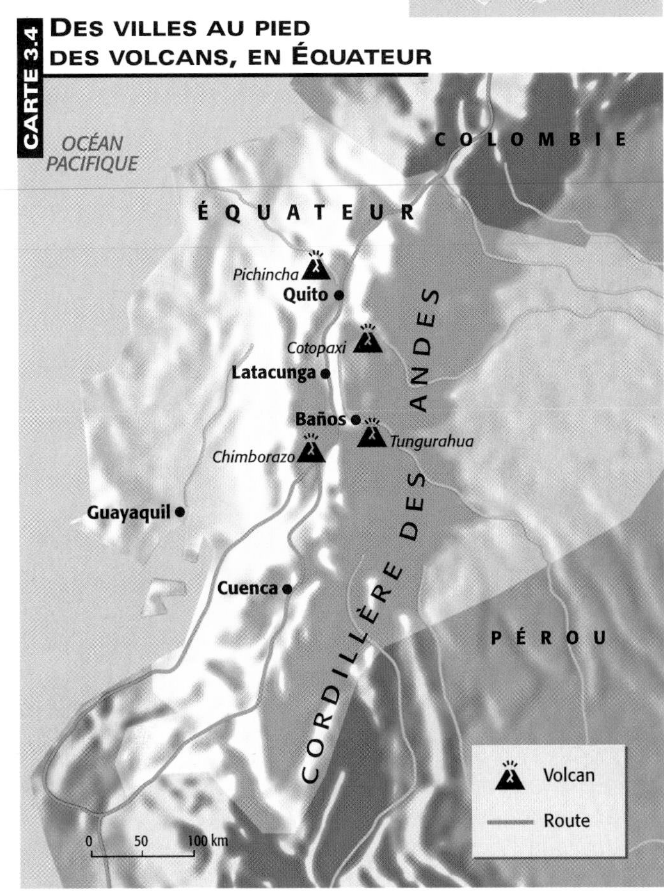

TROISIÈME PARTIE QUITO, VILLE À RISQUE VOLCANIQUE

3.26
Quartier des affaires à Quito. On y trouve des tours à bureaux, des hôtels, des commerces, etc.

Qui habite à Quito?

La ville compte environ 1,5 million d'habitants. Elle s'est construite sur une étroite bande de terre de 30 km de long sur 4 km de large. Les récents développements se sont faits sur les pentes verdoyantes du Pichincha. La population se répartit de la façon suivante. Au nord, il y a le Quito moderne avec ses larges avenues, ses commerces de luxe et ses grands hôtels. C'est le siège des affaires et de l'administration. Y vivent les classes plus favorisées. Au sud, se trouve le Quito historique, avec ses églises, ses rues étroites et ses marchés. C'est là qu'habite la population autochtone. Puis, à proximité des usines, le long de la route panaméricaine qui traverse Quito, des quartiers ouvriers et populaires se sont multipliés.

L'impact d'une éruption volcanique sera différent dans ces deux quartiers. Pourquoi, selon vous?

3.27
Vue de la place de l'Indépendance. La ville possède le centre historique le mieux conservé de toute l'Amérique latine. Il a été classé site du patrimoine mondial par l'Unesco en 1978 pour ses églises et couvents des 16e, 17e et 18e siècles.

2 Profession : gardien de volcans

Y aura-t-il éruption ? tremblement de terre ? C'est ce qu'essaient de savoir des scientifiques qui scrutent les moindres mouvements de la croûte terrestre. Voici un reportage sur des volcanologues et des sismologues à Quito.

*

Sismographe : Appareil servant à mesurer les mouvements à l'intérieur de la Terre.

Sierra : Nom donné aux chaînes de montagnes dans les pays de langue espagnole.

« Lorsque le volcan s'est réveillé, c'était très excitant. Après 12 ans de surveillance, c'était ma première éruption. » Mario Ruiz est sismologue. Devant lui, un ordinateur relié aux sismographes* qui enregistrent en direct les moindres frémissements du Guagua Pichincha, le volcan qui surplombe la capitale équatorienne. Nous sommes à l'Institut de géophysique de l'École polytechnique nationale de Quito, avec une vue imprenable sur la montagne, apparemment calme. « Ces jours-ci, tout est tranquille, confirme Mario Ruiz, tout en précisant qu'on enregistre encore quelque 1000 tremblements de faible intensité par semaine. Mais ça peut s'animer d'une minute à l'autre. »

En Équateur, « guagua » veut dire bébé en langage familier. Pourquoi avoir donné ce nom au volcan ? Parce que, des deux cratères que compte le Pichincha, le Guagua est le plus récent.

Avec six collègues, Mario Ruiz surveille deux volcans en éruption, jour et nuit. D'autres pourraient se réveiller tôt ou tard : la sierra* équatorienne comprend 55 gros édifices volcaniques sur 300 km dont une vingtaine sont considérés comme actifs. Cela signifie qu'ils ont eu au moins une éruption durant ces 10 000 dernières années !

3.28

Le volcanologue Michel Monzier sur le volcan Pichincha en 1999. En quoi le travail du volcanologue est-il utile, aux yeux des autorités de Quito ?

Le Guagua Pichincha, dont l'activité a culminé à l'automne 1999 en projetant un panache de vapeur d'eau à 15 km d'altitude, est rarement en éruption. Le dernier épisode important datait de 1660. Les autorités s'appuient sur les sismologues et les volcanologues pour prendre leurs décisions. Lourde responsabilité ! « Lorsque l'activité sismique augmente, nous devons faire un diagnostic en quelques minutes, puis prédire ce qui va se passer dans l'avenir proche, explique Mario Ruiz. Un exercice dans lequel nous n'avons pas le droit à l'erreur, alors que nous n'avons que de maigres indices. »

À Baños, une ville touristique située au pied du Tungurahua, un autre volcan plus au sud (voir carte 3.4), l'état d'alerte orange a donné naissance à des émeutes qui ont fait un mort à la fin de 1999. « En octobre, 25 000 personnes ont été évacuées par l'armée, raconte Michel Monzier, un volcanologue français détaché à Quito par l'Institut de recherche et de développement. À la fin de l'année, ces gens, qui n'ont reçu aucune aide de l'État, n'avaient plus un sou. Ils sont revenus en force. Aujourd'hui, 10 000 personnes résident à Baños, alors qu'aucune levée de l'évacuation n'a été décidée. Le week-end, ce nombre peut passer à 50 000. Certains jours, lorsque les sismographes s'agitent, il y a de quoi se faire des cheveux blancs ! »

Lorsque les autorités décrètent l'état d'alerte orange, cela signifie que le risque est grand. La terre tremble, le sol se déforme... l'éruption est imminente.

L'alerte rouge signifie que le danger est très grand. Il y a éruption du volcan.

À Quito, aucune évacuation n'a été prévue, même si l'alerte devait passer au rouge. « Il est impossible d'évacuer près d'un million et demi d'habitants, poursuit Michel Monzier. Il y aurait davantage de morts sur les routes que sous les cendres du volcan. » Par chance, le Guagua Pichincha ne crache pas son magma et ses nuées ardentes en direction de la capitale. Le risque majeur consiste dans les pluies de cendres et de pierres ponces, et surtout dans les lahars*, capables de charrier de gros blocs arrachés au flanc du volcan. Les éruptions sont presque toujours accompagnées de fortes pluies. Les *Quiteños* (habitants de Quito) ont eu un avant-goût de ce qui les guette, le 26 novembre 1999, lorsqu'il a « neigé » 3 mm de cendres sur la ville. Ils ont dû balayer, ramasser cette fine poussière, balayer encore. L'aéroport a été fermé durant une semaine. Selon Michel Monzier, le Pichincha a assez de souffle pour envoyer jusqu'à 5 cm de cendres. Le fera-t-il ? Et quand ? Les sismographes n'avertiront que quelques minutes avant.

Source : *Le temps du monde*, 21 août 2000, Zurich.

Pourquoi avoir mis « neigé » entre guillemets ?

CARTE 3.5 LE RISQUE DE LAHARS À QUITO

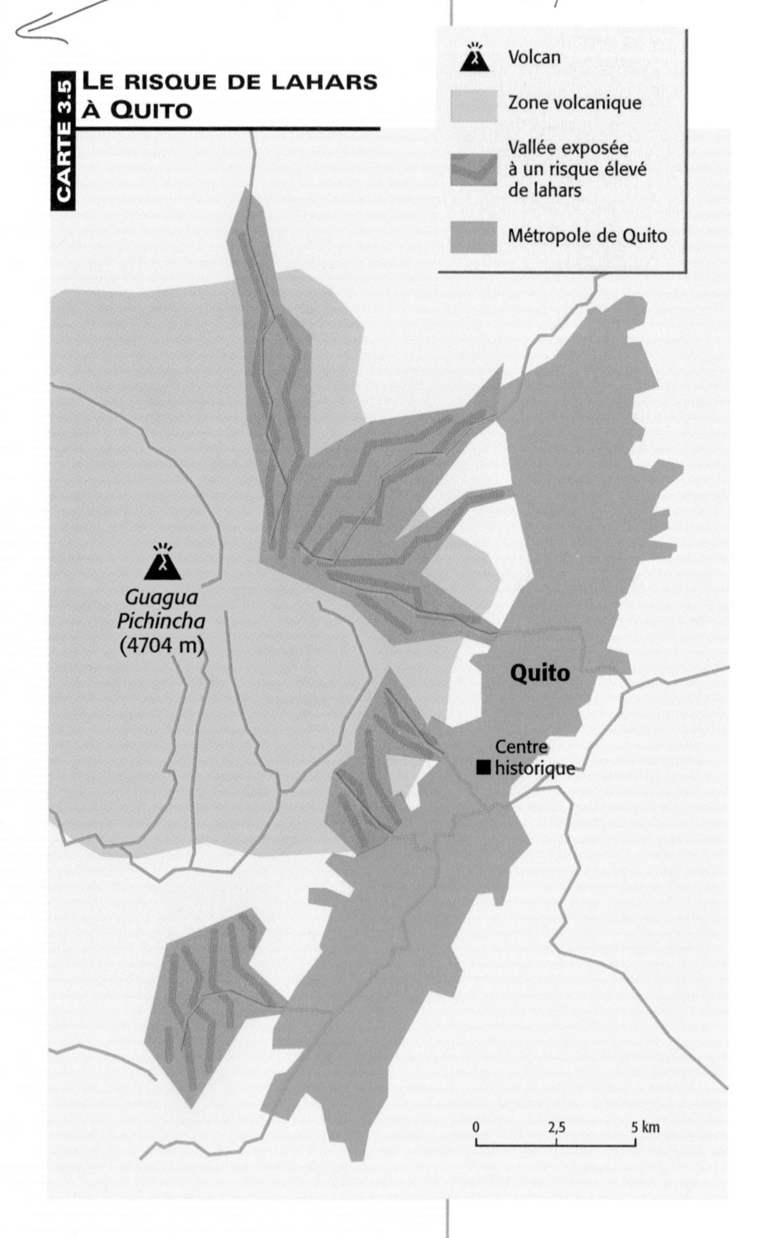

Lahar : Coulée de boue formée de débris volcaniques et d'eau.

Des scientifiques examinent les coulées de boue venant du Pichincha. Pourquoi les coulées de boue et les cendres sont-elles plus dangereuses que la lave à Quito ?

carrefour Science

Le cracheur de feu

La pression est énorme à l'intérieur du manteau de la Terre à cause des nombreux gaz qui s'y trouvent. Sous l'effet de cette pression, le magma, des roches brûlantes en fusion, est poussé vers le haut, à la recherche d'une issue. Lorsqu'il rencontre un point faible, à la jonction de deux plaques tectoniques par exemple, c'est l'explosion. Le magma perce le sol et fait jaillir le volcan.

L'explosion est alors si violente qu'elle fait trembler la terre et couler la lave sur les pentes du volcan. Le liquide bouillant peut parcourir des centaines de kilomètres à des vitesses pouvant atteindre 40 km/h où il détruit tout sur son passage.

Le phénomène est aussi accompagné d'épais nuages de cendres qui se déplacent très rapidement et mettent des mois, voire des années, à se dissiper. Enfin, les lahars sont, eux aussi, redoutables. Ces coulées de boue mesurent parfois plusieurs mètres de haut, engloutissant des villages entiers.

Mais il n'y a pas que des aspects négatifs aux éruptions volcaniques. Ainsi, les cendres projetées contiennent des sels minéraux qui rendent les sols très fertiles. Les éruptions sont aussi à l'origine des gisements de métaux. Et puis, comme les éruptions sont plutôt rares, les gens trouvent avantageux de vivre près de ces « montagnes » avec des terres à cultiver, des pâturages verts, des mines à exploiter et de beaux paysages.

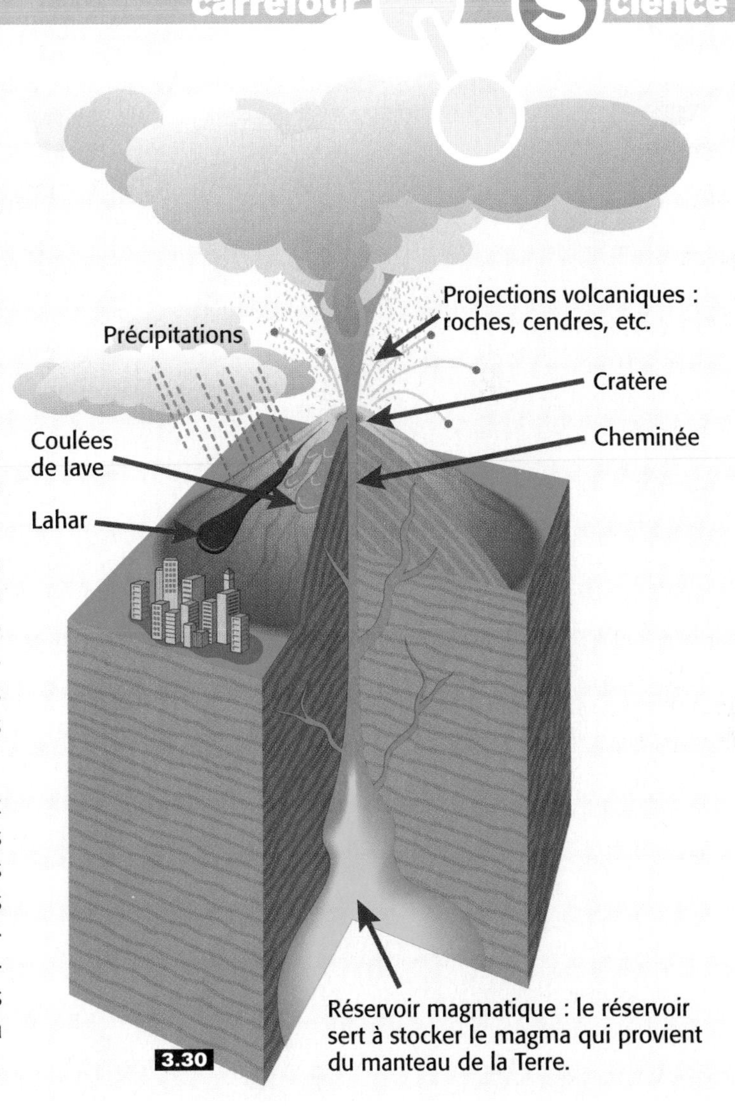

3 Vivre à Quito, grâce aux volcans

Vivre au pied d'un volcan? Quelle idée! Pourtant les volcans font partie de la vie des habitants de Quito, de leur paysage... C'est leur repère un peu comme, au Québec, le fleuve Saint-Laurent.

Les volcans contribuent d'ailleurs à l'économie de l'Équateur, en général, et de la ville de Quito, en particulier. En effet, les splendides paysages volcaniques attirent les touristes, les alpinistes, les aventuriers, les explorateurs, les photographes et les scientifiques.

3.31

Des randonneurs veulent faire une excursion sur le Cotopaxi. Comment doivent-ils s'y préparer? Séjourneront-ils à Quito?

«Ces dernières années, les visiteurs en quête de sensations fortes comme les simples amoureux de la nature ont découvert en Équateur une nouvelle terre d'aventures [...] Les parcs nationaux de la sierra présentent le triple avantage d'abriter des paysages splendides, d'être d'accès facile et d'être sillonnés de sentiers bien balisés. Toutefois, il faut s'accoutumer à l'altitude avant de partir à la conquête des sommets. La meilleure façon de prévenir le mal des montagnes est de séjourner pendant trois ou quatre jours dans une ville relativement haut perchée et d'y faire de grandes marches quotidiennes. Quito, dominée par le Pichincha, est un site idéal!

La plus belle ascension est sans doute celle du Cotopaxi, avec ses neiges éternelles [...] Le parc national de Cotopaxi n'attire pas que les alpinistes: c'est un terrain de randonnée idéal. Il faut compter quatre jours au moins pour contourner le cône parfait du volcan.»

Adapté du *Grand guide touristique de l'Équateur*, Paris, Gallimard, 1997.

Le mal des montagnes? Eh oui! En très haute altitude, on peut avoir de la difficulté à respirer, souffrir de maux de tête, etc. Pourquoi? Entre autres, parce que l'oxygène se fait plus rare...

4 Le plus risqué : le volcan ou l'eau ?

Bidonville : Quartier urbain défavorisé dont les habitations sont faites de matériaux de récupération.

La vie à Quito ne se limite pas à se protéger du volcan Pichincha ! La capitale de l'Équateur est une métropole qui a bien d'autres sujets de préoccupation, souvent plus importants. La population de la ville est exposée à plusieurs types de risques. Bien sûr, il y a le volcan et les tremblements de terre. Mais au quotidien, la pollution et la mauvaise gestion de l'eau constituent des risques beaucoup plus importants. Les problèmes liés à l'approvisionnement en eau potable et à l'évacuation des eaux usées tuent beaucoup plus que les éruptions volcaniques !

Dans les bidonvilles* agrippés aux flancs des collines, on manque de tout. Les problèmes de logement, de pauvreté et de corruption politique ne sont certainement pas causés par les volcans ! Mais, on le sait, un reportage sur une éruption volcanique attirera toujours plus de lecteurs qu'un texte sur la misère.

Sur 12 millions d'habitants, 1 million ont quitté le pays ces dernières années. Ce n'est pas à cause des volcans ! C'est que la situation économique et politique est très difficile. Les plaques tectoniques bougent en Équateur, mais la société bouge aussi !

Une société qui bouge... Qu'est-ce qu'on veut dire ici ?

3.32 **Quartier défavorisé de Quito.** Examinez cette photo, en partant du bas vers le haut de la colline. À votre avis, le mot « risque » signifie-t-il la même chose pour les habitants des deux quartiers ?

1 Manille, la ville de tous les risques

Manille, capitale des Philippines, est une des villes les plus à risque dans le monde. Cyclones, séismes, volcans, glissements de terrain, inondations, sécheresses, raz de marée*... tous les risques naturels s'y donnent rendez-vous.

Pourquoi ces risques se transforment-ils si souvent en catastrophe ? Peut-on tout expliquer par la nature ?

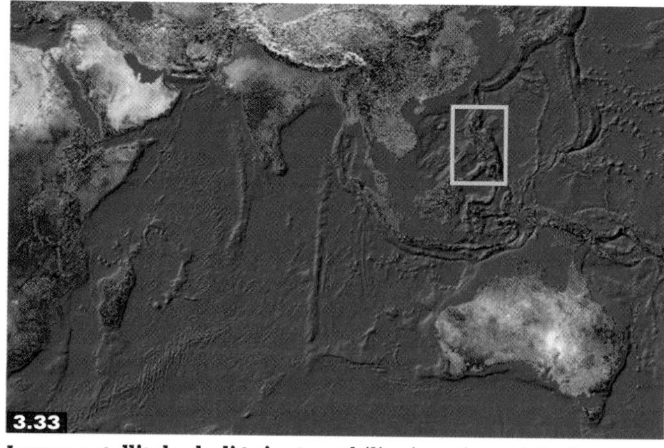

3.33

Image satellitale de l'Asie. Les Philippines (encadrées) sont un pays composé de nombreuses îles. C'est ce qu'on appelle un archipel. Les deux îles les plus importantes sont Luçon, au nord, et Mindanao, au sud. Pouvez-vous situer d'autres pays sur l'image ?

3.34

Qu'est-ce qui caractérise la région métropolitaine de Manille?

Manille, Métro Manille, région métropolitaine de Manille... Vous trouverez aussi Grand-Manille dans certains dictionnaires!

Un nom

Le mot «Manille» vient du terme philippin «maynilad» qui veut dire «il y a des *nilad*», ces fleurs blanches qui poussaient jadis dans les mangroves* le long du fleuve Pasig.

La ville de Manille fait partie d'une très grande région métropolitaine appelée couramment «Métro Manille». Dans ce dossier, on a employé «Manille» pour désigner cette vaste région métropolitaine.

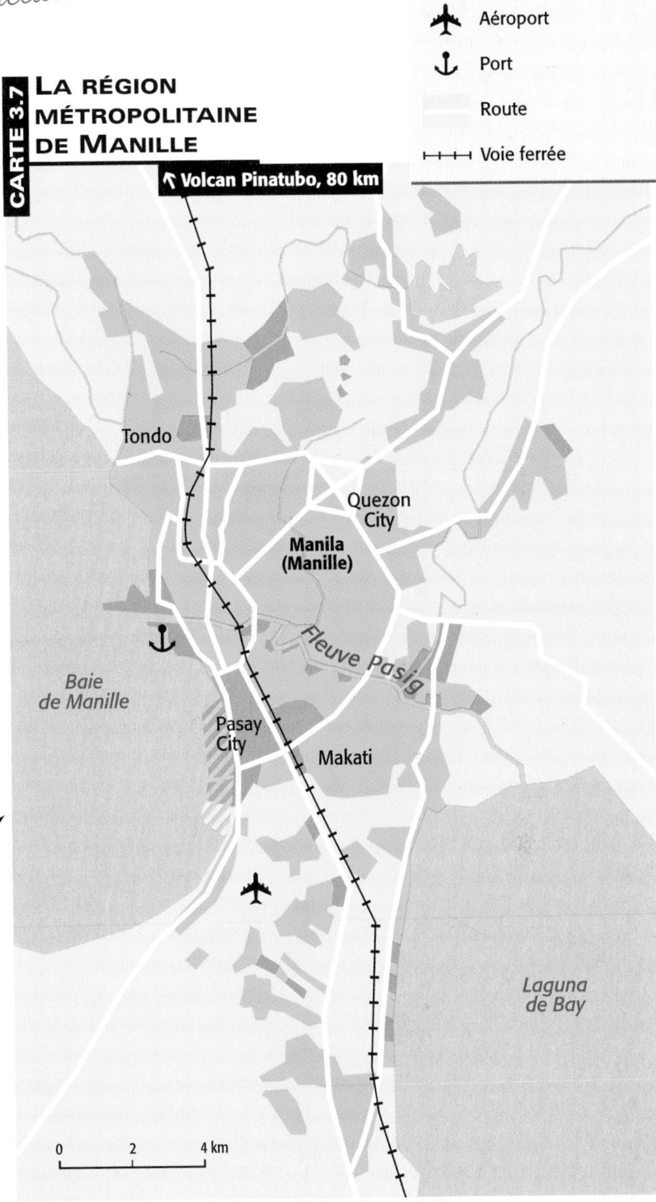

Il y a 12 millions d'habitants sur ce territoire. Il y a 350 ans, Manille se limitait à l'espace qu'occupe le port présentement. Toute une croissance!

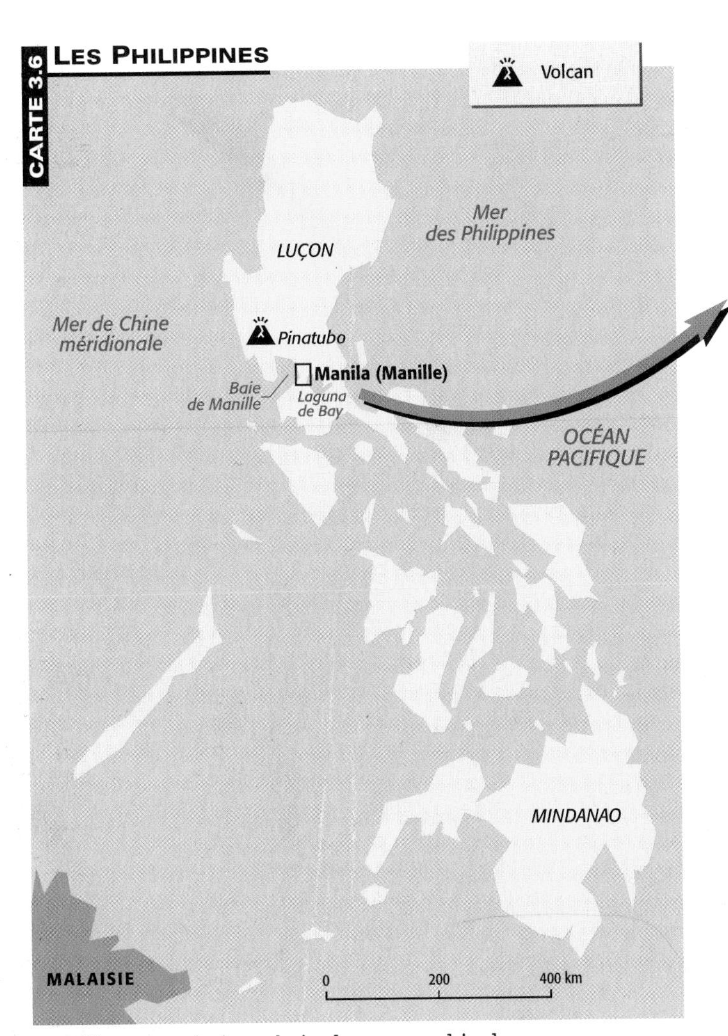

Manille, un territoire urbain dans un archipel.

*

Raz de marée: Gigantesque vague due à un tremblement de terre ou à une éruption volcanique. On parle aussi de «tsunami», mot d'origine japonaise.

Mangrove: Type de forêt tropicale qui «avance» dans la mer.

Un fleuve, le Pasig

Manille a pris naissance à l'embouchure du fleuve Pasig, emplacement propice aux échanges commerciaux. Le fleuve traverse la ville sur 25 km: il réunit le lac d'eau douce Laguna de Bay à la baie de Manille, dans la mer de Chine. Il s'agissait jadis d'une importante voie de commerce. On y pêchait aussi de nombreuses variétés de poissons. Aujourd'hui, le fleuve est extrêmement pollué à cause du développement industriel sur ses berges. De plus, lorsqu'il y a de fortes pluies, il déborde, inondant les zones d'habitations pauvres sur ses rives.

Les habitants de cette agglomération s'appellent des Metro Manileños.

*

Exportations: Produits vendus à l'étranger.

Une croissance incontrôlée de la ville

La région métropolitaine de Manille compte 12 millions d'habitants: c'est presque 2 fois la population du Québec et autant que celle de l'Équateur! Il s'agit du territoire le plus densément peuplé du pays: le tiers de la population des Philippines y vit.

La population s'étend sur 17 villes et municipalités. Manille, Quezon City, Makati et Pasay City forment le cœur économique, politique, culturel et industriel du pays. La région regroupe 60% des usines et 70% des exportations* du pays.

C'est aussi une des métropoles les plus cosmopolites du monde. Il faut dire que les Philippines comptent une centaine de communautés et qu'on y parle 87 langues.

Les autorités ne maîtrisent pas la croissance de la ville. Environ le tiers des gens s'installent dans des terrains vacants où ils se construisent des habitations faites de matériaux récupérés, ou encore ils habitent dans de longues barques étroites appelées «pirogues». Ainsi, le bidonville Tondo, au nord de Manille, compte environ... un million d'habitants!

3.35

Quartier Tondo à Manille. Examinez la photo. Quels problèmes remarquez-vous? Quel sera l'impact d'un cyclone sur ce quartier? Où se trouve-t-il sur la carte 3.7?

Des problèmes de circulation et de pollution

Les routes sont souvent congestionnées. En fait, l'avion s'avère le seul moyen de transport efficace dans l'archipel.

La métropole connaît une importante dégradation de son environnement : pollution urbaine extrême, problèmes de gestion des déchets. Ainsi, 70 % des déchets seulement sont ramassés. Le reste est jeté un peu partout, dans les rues, les égouts, le fleuve ou les terrains vagues. Comme si cela ne suffisait pas, 30 % de la population n'a pas l'eau courante.

3.36 Imaginez des pluies torrentielles... Quelles conséquences peut-on envisager ? La nature est-elle la seule responsable des inondations ?

Curieux

Les terrasses de riz : qu'est-ce que c'est ?

Les terrasses de riz font partie du paysage des Philippines. Elles sont le reflet du génie des Ifugaos, premiers habitants des Philippines. Aujourd'hui classées 8e merveille du monde, elles figurent sur la Liste du patrimoine mondial de l'Unesco.

Les terrasses ont été construites il y a 2000 ans à l'aide d'outils rudimentaires. Audacieux, les Ifugaos ont modelé les montagnes et érigé des murs de pierre pouvant atteindre plusieurs mètres de hauteur. Ils ont aussi imaginé un ingénieux système d'irrigation des plantations en utilisant des bambous qui récupèrent l'eau des montagnes. La connaissance de la nature et des techniques d'irrigation de ce peuple continue d'intriguer les scientifiques.

Malgré le travail exigeant que cela représente, les Ifugaos tentent de préserver leurs terrasses. D'ailleurs, une grande partie du riz consommé à Manille provient de celles-ci ; le reste est cultivé dans les plaines centrales de l'île de Luçon.

3.37 Sur les photos, elles sont tellement belles ! Comment ces terrasses de riz ont-elles été construites ? Par qui ?

2 Pourquoi tous les risques ont-ils rendez-vous aux Philippines ?

La combinaison des aspects physiques et des aspects humains est explosive sur ce territoire. Essayons de comprendre pourquoi.

A La nature...

Les paysages des îles des Philippines sont connus partout dans le monde pour leur beauté et l'impression de paix qu'ils dégagent. Mais la nature ne fait pas toujours la vie facile aux Philippins ! En voici quelques raisons.

- L'archipel des Philippines se situe à la bordure de deux plaques tectoniques, dans une zone appelée « ceinture de feu ». Il y a environ 200 volcans aux Philippines, mais une vingtaine d'entre eux seulement sont actifs. Dans cette région, la plaque pacifique glisse sous la plaque asiatique. En plongeant dans le manteau, sous la croûte terrestre, elle génère des magmas qui sont à l'origine des volcans. (Voir Carrefour science, p. 79.) Cela cause également des secousses sismiques et des séismes parfois majeurs.
- L'archipel des Philippines, en particulier la région nord où se trouve Manille, se situe dans la zone tropicale propice à la formation des cyclones.

3.38 Impact d'un cyclone

Image d'un cyclone au-dessus des Philippines prise en 2003 par le satellite *Terra*. Les autorités utilisent des images comme celle-ci pour évaluer l'impact d'un phénomène sur un territoire.

Quel pourrait être l'impact d'un cyclone sur ces terres cultivées ? Quelles seraient les conséquences pour Manille ?

3.39

B... et la société

La nature n'explique pas tout. Les conditions de vie de la population influencent grandement sa capacité à réduire les risques ou l'impact des catastrophes. Prenons l'exemple des inondations, le risque principal aux Philippines. Celles-ci sont causées par les cyclones (dans plus de 56 % des cas) ou par les pluies torrentielles. Or, les dégâts dus aux inondations sont beaucoup plus importants pour les populations pauvres et dans les cas où les autorités ne contrôlent pas la construction des habitations, la gestion de l'eau et des déchets.

Ainsi, pour expliquer les dégâts dus aux inondations dans l'île de Luçon, il faut relier plusieurs causes.

- Une population pauvre qui n'a d'autre choix que d'occuper les zones inondables.
- Des barrages et des systèmes d'évacuation des eaux usées inefficaces.
- Une déforestation excessive.

Vous voulez en savoir plus sur les causes des inondations? Rendez-vous à la page 89.

3.40 **Inondation à Manille.** Quels facteurs naturels mais aussi humains ont mené à une telle situation?

Peut-on agir?

Que faire devant de tels risques? Deux types d'actions sont possibles. On peut:

- intervenir directement sur ce qui cause le risque. Construire une digue pour contenir le débordement des rivières; planter des arbres pour empêcher l'érosion des berges, etc.;
- réduire la vulnérabilité de la population. Renforcer les constructions pour diminuer l'impact d'un séisme; élever les bâtiments au-dessus du niveau inondable; prévoir la relocalisation des populations, etc.

À Manille, des organisations informent la population, mettent sur pied des réseaux d'entraide, distribuent des matériaux de construction, etc. Par ailleurs, depuis plusieurs années, les autorités tentent de diminuer l'impact des catastrophes. Toutefois, dans une ville où la croissance est hors de contrôle, les mesures adoptées sont loin d'être suffisantes. Les priorités devront aller à la construction de logements, à la gestion des déchets et au reboisement des terres.

3.41 Des travailleurs ramassent les débris laissés par le passage d'un typhon à Manille.

3 Le volcan Pinatubo et Manille

En juin 1991, après environ 500 ans d'inactivité, le volcan Pinatubo a connu une explosion d'une violence exceptionnelle. Environ 900 personnes sont mortes, ce qui est très peu si l'on tient compte de la puissance de l'éruption. C'est la décision d'évacuer la région, jumelée à la collaboration des médias, qui a permis de limiter le nombre de victimes.

Le volcan Pinatubo est situé à 80 km de Manille. À une telle distance, représente-t-il vraiment une menace pour la ville ? Comme il est inactif depuis très longtemps, ce volcan ne constitue pas un très grand risque. Au quotidien, les Philippins font face à des risques beaucoup plus importants. Néanmoins, la vie des habitants de l'île de Luçon et de Manille a été sérieusement perturbée au moment de la catastrophe de 1991 et au cours des années qui ont suivi. Pourquoi ?

- La zone affectée est une des plus peuplées des Philippines.
- Il y a eu des lahars pendant trois ans après l'éruption du volcan.
- Près de deux millions de personnes ont dû être évacuées, puis déplacées à cause des cendres et des lahars. Un grand nombre d'entre elles se sont retrouvées à Manille.
- Le territoire d'environ 300 000 Aetas a été complètement détruit. Ce peuple autochtone vivait sur les pentes du Pinatubo depuis des siècles.
- Quatre-vingts pour cent des rizières de l'île de Luçon ont été détruites. L'approvisionnement en riz de la capitale en a été perturbé.
- Toute l'activité économique de l'île de Luçon a été bouleversée. Pendant des mois, il y a eu inondation de terres agricoles et de zones industrielles à cause des débris qui entravaient l'écoulement des eaux des rivières et des étangs.

3.42
À la suite de l'éruption du volcan Pinatubo, un nuage de cendres et de dioxyde de soufre s'est déplacé tout autour de la Terre. Selon des mesures effectuées par satellite, ce nuage a contribué à refroidir le globe de 0,1 °C à 0,2 °C. Cet été-là, au Québec, le temps a été frais et pluvieux.

CARTE 3.8 LE RISQUE DE LAHARS PROVENANT DU PINATUBO, À PROXIMITÉ DE MANILLE

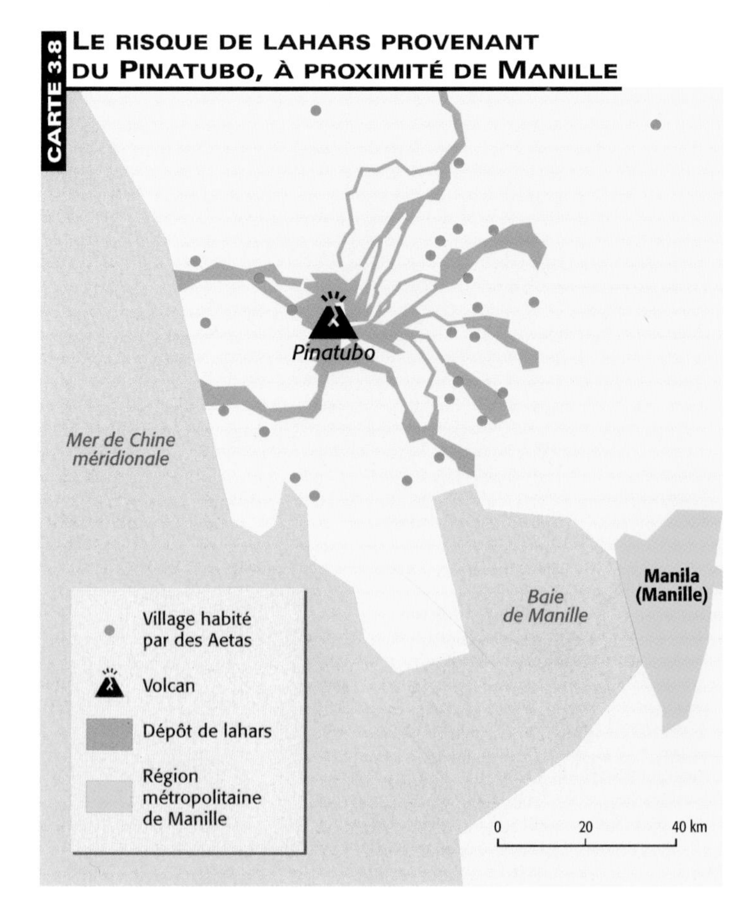

À l'aide du texte ci-contre, pouvez-vous faire des liens entre les quatre éléments de la légende?

4 Cyclones et inondations à Manille

Les cyclones causent de plus en plus d'inondations dévastatrices à Manille. Pourtant, ce phénomène existe depuis des siècles aux Philippines. C'est d'ailleurs grâce aux pluies diluviennes si la région est aussi fertile... Alors, que se passe-t-il au juste ?

La population de la ville a augmenté considérablement depuis 50 ans. Des paysans ont quitté la campagne pour venir s'installer à Manille. Comme ils sont pauvres, ils se sont construit des habitations de fortune sur des terrains vacants le long du fleuve Pasig, à proximité du port, des voies de transport et des dépotoirs. Lorsque des cyclones frappent, ces terrains appelés « bidonvilles » sont les plus vulnérables aux inondations. Comment expliquer ces inondations ? Voici les trois principales raisons.

3.44
Manille inondée. Les autorités pourraient-elles agir pour éviter pareille situation ?

3.43 Augmentation de la population dans la région métropolitaine de Manille de 1940 à 2000

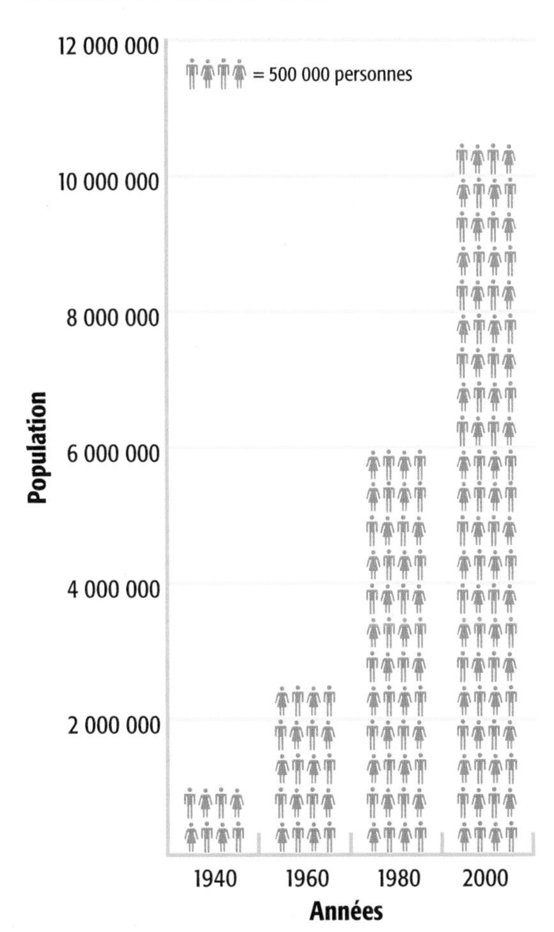

Source : D'après la revue *Disasters*, vol. 27, n° 3, données provenant du Bureau de la défense civile de Quezon City.

- L'augmentation des routes pavées et du nombre de constructions (résidences, industries, immeubles de bureaux) réduit la capacité des sols à absorber l'eau.
- L'exploitation forestière autour de Manille rend les sols plus fragiles parce qu'il n'y a plus d'arbres pour les retenir. Les pluies entraînent les sols fragilisés, ce qui bloque les canaux et les rivières.
- Les eaux entraînent avec elles des sols érodés, de la vase et des déchets venant de la ville. Ces débris bloquent encore davantage les systèmes d'évacuation des eaux, déjà insuffisants en temps normal.

Les conséquences des inondations

À cause des inondations, les communications et le transport se trouvent totalement paralysés. Les gens utilisent des embarcations pour se déplacer dans les quartiers inondés et des centaines de milliers de personnes doivent être évacuées vers des zones de sécurité.

Les inondations sont souvent accompagnées de maladies comme le choléra, parce que l'eau est impropre à la consommation. Les pannes d'électricité paralysent l'industrie et les affaires, ce qui cause des pertes économiques importantes.

3.45 Pertes de vie et dommages matériels causés par les cyclones et les éruptions volcaniques aux Philippines

Année	Pertes de vie		Coût des pertes matérielles	
	dues aux cyclones	dues aux volcans	dues aux cyclones	dues aux volcans
1989	382	0	107 millions $	0
1990	670	0	301 millions $	0
1991	**5199**	**850**	**109 millions $**	**6 millions $**
1992	117	0	120 millions $	0
1993	794	80	472 millions $	0,2 million $
1994	242	0	76 millions $	0
1995	1204	0	362 millions $	0
1996	124	0	67 millions $	0
1997	77	0	14 millions $	0
1998	490	0	404 millions $	0
1999	10	0	5 millions $	0
Total	**9309**	**930**	**2037 millions $**	**6,2 millions $**

Source : D'après des données tirées de la revue *Disasters*, vol. 27, nº 3, données provenant du Bureau de la défense civile de Quezon City.

Quel risque est le plus dommageable si l'on considère :
a) **les pertes de vie ?**
b) **les pertes matérielles ?**

Cyclones, typhons, ouragan : du pareil au même !

Quelle différence y a-t-il entre un cyclone, un typhon et un ouragan ? Aucune ! Dans les trois cas, il s'agit d'immenses tempêtes qui naissent au-dessus des océans tropicaux, près de l'équateur, lorsque la température de l'eau dépasse 26 °C. En Amérique du Nord et dans les Caraïbes, on parle « d'ouragans », en Asie, on préfère « typhons ». Dans la région de l'océan Indien, on utilise plutôt le terme « cyclone ».

Quel que soit le nom choisi, le principe demeure le même. Sous l'action du soleil, l'océan se réchauffe. De l'air chaud et humide s'évapore de la mer et s'élève vers le ciel, formant une colonne ascendante. En gagnant de l'altitude, l'humidité se transforme en un nuage orageux. Au même moment, les vents qui soufflent dans les environs sont attirés et convergent vers la colonne d'air. Lorsqu'ils frappent le mur extérieur, ils se mettent à tourbillonner autour de la colonne. Chargés d'humidité, ces vents alimentent la formation de nuages. Le cyclone est formé.

Les vents qui tournent peuvent atteindre 250 km/h. Au centre du tourbillon, se trouve l'œil du cyclone. Étonnamment, cette zone demeure très calme. On n'y trouve à peu près pas de nuages et les précipitations y sont inexistantes.

Les cyclones peuvent se déplacer vers les côtes à une vitesse moyenne de 25 km/h. Les vents dévastateurs et les pluies diluviennes peuvent arracher les arbres, détruire les maisons et causer des inondations. Chaque année, les cyclones tuent environ 20 000 personnes.

Le phénomène est toutefois utile. Le cyclone libère l'excès de chaleur et d'humidité des Tropiques vers le nord, où il ferait encore plus froid sans cette masse d'air chaud.

3.46 Coupe d'un cyclone

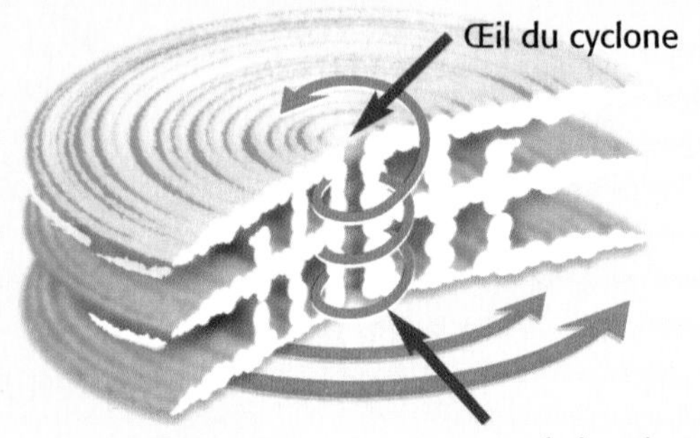

Une nouvelle catastrophe naturelle vient de se produire en Asie. Des Canadiens iront sur place aider la population...

Aider après une catastrophe : mythe ou réalité ?

Après une catastrophe, on se dit que la population a un urgent besoin de secours venant de l'extérieur... Mais nous sommes-nous déjà demandé de quelle forme d'aide les gens ont réellement besoin ? Confrontons quelques « idées préconçues » avec la réalité...

En cas de catastrophe, certains croient que :	En fait...
On a besoin de personnel médical bénévole venant de l'étranger, quelle que soit sa formation.	La population locale est presque toujours en mesure d'apporter les secours immédiats nécessaires. Seul le personnel médical ayant des compétences qui ne sont pas disponibles dans le pays touché peut être utile.
Toute forme d'aide internationale est nécessaire et urgente.	L'aide peut contribuer au désordre si l'on n'a pas bien évalué la situation. Il vaut mieux attendre que les véritables besoins soient établis.
Les épidémies sont inévitables après une catastrophe.	Les épidémies ne se produisent pas toujours, et la présence de cadavres n'entraîne pas automatiquement l'apparition de maladies contagieuses. Tout dépend des conditions sanitaires et de l'éducation de la population.
La population touchée est trop ébranlée et démunie pour pouvoir s'occuper de sa survie.	Au contraire, bien des gens trouvent un regain d'énergie dans les situations d'urgence. Par exemple, des milliers de bénévoles locaux ont aidé spontanément les victimes du séisme de décembre 2003, à Bam, en Iran.
Les catastrophes tuent au hasard.	Les catastrophes ont un impact plus grand sur les pauvres, le groupe le plus vulnérable, et principalement sur les femmes, les enfants et les personnes âgées.
La meilleure solution consiste à placer les personnes délogées dans des camps temporaires.	En dernier recours seulement ! Il faut plutôt privilégier l'achat de matériaux de construction, d'outils et d'autres équipements de construction dans le pays touché.
Les choses reviennent à la normale en quelques semaines.	Les effets d'une catastrophe durent longtemps. Souvent, l'intérêt porté par la communauté internationale diminue à mesure que les besoins du territoire affecté augmentent.

Source : Organisation mondiale de la santé.

CARTO

Comment lire une carte de risque?

En cas d'éruption volcanique, quelles parties de la ville risquent d'être touchées? Peut-on construire dans ces zones? Faut-il évacuer la population? Où doit-on aménager des abris? De plus en plus, les autorités consultent des cartes de risque avant de prendre des décisions.

Pourquoi, selon-vous, le centre historique de Quito est-il à risque?

Qu'est-ce qu'une carte de risque?

C'est l'illustration de l'équation suivante:

Aléa + vulnérabilité = risque

Ainsi, sur une carte du territoire concerné, le cartographe localise l'aléa: le volcan, par exemple. Après avoir étudié des données sur l'aléa et sur la vulnérabilité du territoire, il trace les zones à risque.

À quoi servent les cartes de risque?

1. À comprendre les phénomènes et leur impact sur la population.
2. À sensibiliser la population aux risques encourus.
3. À prendre des décisions appropriées sur l'aménagement d'un territoire.

Pour bien lire une carte de risque, il faut:

1. Utiliser la légende.

   Localiser l'aléa: le Guagua Pichincha, avec ses vallées et ses rivières.

   Localiser l'enjeu: la ville de Quito, plus particulièrement les zones de développement sur les pentes du volcan.

   Localiser le risque: les lahars pénétrant dans Quito par les vallées du côté ouest.

2. Utiliser l'échelle: pour mesurer et localiser les zones les plus touchées de la ville.

Mais attention, cette carte ne dit rien de la vulnérabilité de la ville. On ne sait pas quels quartiers sont défavorisés, lesquels sont les plus densément peuplés. On ne sait pas non plus si les lahars vont détruire des terres agricoles et si l'eau disponible est potable. Y sont également absents les autres risques tels les dépôts de cendres et les glissements de terrain.

CARTE 3.5 LE RISQUE DE LAHARS À QUITO

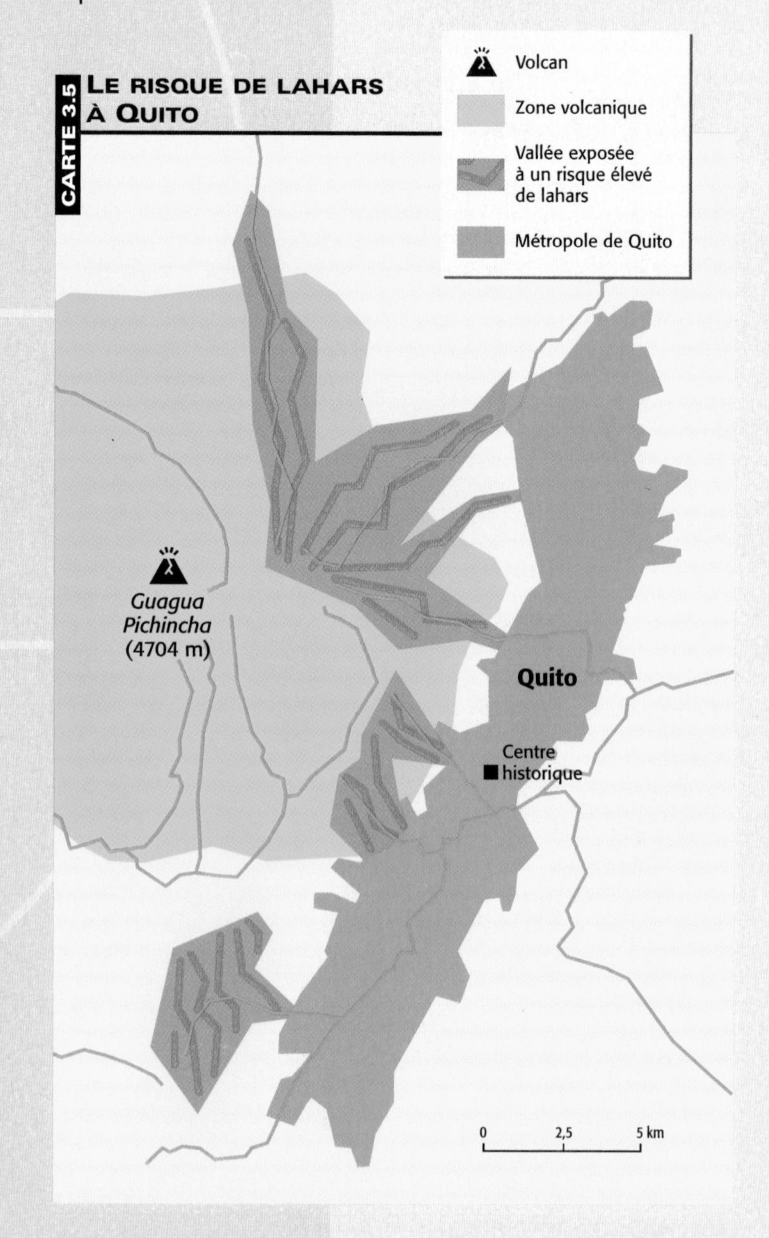

FAIRE DE LA GÉO EN... expliquant

Lorsqu'on veut expliquer un phénomène, on essaie de répondre à la question « pourquoi ? » On cherche de l'information pour trouver des « parce que... » Cela implique généralement de chercher les causes du phénomène ou d'une réalité. Prenons un exemple en géographie.

QU'EST-CE QU'ON CHERCHE À EXPLIQUER?

San Francisco et Manille ont subi un séisme de même magnitude. Pourtant, les pertes de vie sont 10 fois plus élevées à Manille qu'à San Fancisco. Pourquoi?

COMMENT L'EXPLIQUER?

EN POSANT DES QUESTIONS COMME :
- Est-ce que l'information est exacte ?
- Les séismes sont-ils vraiment comparables ?
- En quoi ces deux villes sont-elles différentes ?

EN FORMULANT UNE HYPOTHÈSE :
Peut-être, parce que...

EN RECUEILLANT DES DONNÉES :
- sur les séismes ;
- sur les conditions de vie de la population ;
- sur ce qui caractérise l'organisation des deux territoires, etc.

EN FAISANT DES LIENS ENTRE LES RENSEIGNEMENTS.

EN PROPOSANT UNE EXPLICATION.

À partir du modèle et à l'aide de votre manuel, faites une recherche pour expliquer la différence entre Manille et San Francisco. Proposez une explication.

ÉTUDE DE CAS

L'impact d'un cyclone est-il le même partout?

Les cyclones affectent plusieurs parties du monde. En apparence, ils frappent indifféremment tous les habitants de ces territoires.

Pourtant, peut-on vraiment dire que les habitants de Tōkyō, la capitale du Japon, et ceux de Manille, la capitale des Philippines, sont égaux devant un cyclone de même intensité?

Comparons Manille avec Tōkyō.

Consultez la carte 3.1 (p. 62-63) pour situer les deux villes.

3.47 Tableau comparatif de Manille et de Tōkyō

	Manille	Tōkyō
Population	12 millions	26 millions
Densité (habitants/km²)	733	1857
Climat	Tropical	Tempéré
Importance politique	Capitale du pays. Influence régionale en Asie du Sud-Est	Capitale du pays. Centre régional et mondial
Pauvreté (%)	50 % de la population	10 % de la population
Habitat informel (bidonville)	30 %	2 à 3 %

Source : Wisner, Ben (2002). *Disaster Risk Reduction in Megacities : Making the Most of Human and Social Capital.* Texte PDF Internet.

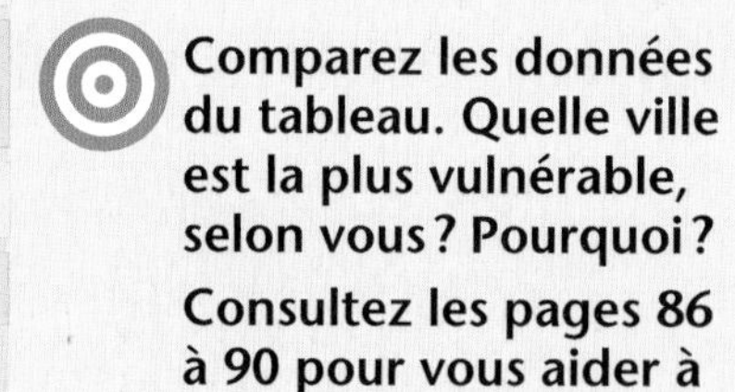

Comparez les données du tableau. Quelle ville est la plus vulnérable, selon vous ? Pourquoi ?

Consultez les pages 86 à 90 pour vous aider à répondre.

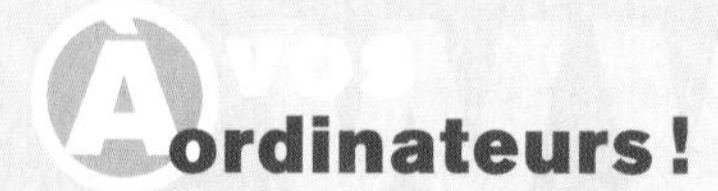

À vos ordinateurs !

Faire une présentation assistée par ordinateur

Votre classe a été sélectionnée pour faire la tournée de dix volcans qui ont fait éruption depuis 1990, et cela en compagnie du célèbre volcanologue Dominique Decobecq. Afin de vous préparer à ce périple, vous devez réaliser une courte présentation assistée par ordinateur.

Votre présentation doit inclure :

- la localisation du volcan ;
- la date de la dernière éruption ;
- la ou les villes situées à proximité ;
- les conséquences de l'éruption : nombre de morts, de blessés, étendue des dégâts, etc. ;
- les facteurs humains qui ont aggravé la situation.

Ce travail, effectué en équipe de deux ou trois, sera présenté devant l'ensemble de la classe afin que tous les élèves profitent du résultat de vos recherches.

Voici la liste des volcans que vous visiterez au cours de votre stage avec M. Decobecq :

Etna (Italie)

Karymsky (Russie)

Kilauea (Hawaii aux États-Unis)

Krafla (Islande)

Krakatau (Indonésie)

Mayon (Philippines)

Mont Saint Helens (États-Unis)

Piton de la Fournaise (île de la Réunion)

Popocatépetl (Mexique)

Santa Maria (Guatemala)

À propos des photos d'ouverture

Regardez ce montage photographique comme s'il s'agissait d'une seule image. On a voulu illustrer le thème du dossier, soit le risque d'origine naturelle en territoire urbain. Comme il est difficile de photographier un risque… c'est la catastrophe qui ressort ! Il s'agissait justement du propos du dossier : comment s'organiser pour vivre sur un territoire à risque naturel et éviter les catastrophes ou, du moins, en diminuer l'impact.

Questionnez les photos. C'est pour cette raison qu'elles ont été choisies. « Qu'est-ce qui se passe ? Où est-ce ? Pourquoi les gens vivent-ils dans ces villes ? Comment s'organisent-ils ? Les causes de tels risques sont-elles physiques ou sociales ? Y a-t-il des villes à risque ici, au Québec et au Canada ? »

1. **Choisissez une des photos et commentez-la oralement en répondant aux questions ci-dessus.**
2. **Pouvez-vous associer une des photos à un événement d'actualité récent ?**

a- Paysage montréalais, après la tempête de verglas de 1998.
b- Éruption volcanique du Pichincha, vue de Quito, en 1999.
c- Dommages matériels à San Francisco après le séisme de 1989.
d- Quartier inondé à Manille, en 2002.

POUR EN savoir plus…

Des livres et des périodiques

Général

BARDINTZEFF, Jean-Marie. *L'ABCdaire des volcans*, Paris, Flammarion, 2001.

BERNARD, Pascal. *Qu'est-ce qui fait trembler la Terre ?*, EDP Sciences, 2003.

NEWSON, Lesley. *Atlas des catastrophes naturelles. La planète en colère*. Sélection du Reader's Digest, 1999.

TANGUY, Jean-Claude, et Dominique DECOBECQ. *Les volcans, la Terre en colère*, Hachette jeunesse, 2002.

San Francisco

BELLONE, Roger. « San Francisco sauvée par le béton parasismique », *Science et Vie*, n° 867, 1989, p. 101-104.

MOREAU, Étienne. « La Californie attend le "Big One" », *Science et Avenir*, n° 514, 1989, p. 68-73.

Quito

Le grand guide de l'Équateur, Paris, Gallimard, 1996.

ZEITUNG, Süddeutsche. « Sur la route des volcans », *Courrier international*, n° 591, 28 février 2002, p. 51-53.

Manille

DURIEUX, Jacques. *Géo*, n° 151, septembre 1991, p. 42-50.

GRABY, Capucine. « Chances et risques du Monde. Aux Philippines, le désastre écologique handicape l'économie », *Le Figaro*, n° 18488, 15 janvier 2004, p. 11.

CHRIS Newhall, et Ray PUNONGBAYAN. « Pinatubo : Chronique d'un cataclysme annoncé », *La Recherche*, vol. 26, n° 274, mars 1995, p. 210-213.

Des sites Internet

Ministère des Ressources naturelles du Canada.

Prévention 2000. Consulter le portail éducatif francophone sur les risques naturels « Catastrophes naturelles ».

Site du volcanologue Dominique Decobecq.

Institut de recherche pour le développement (IRD), onglet « Les colosses de l'Équateur ».

Musée de San Francisco.

Dossier 4

TERRITOIRE URBAIN – PATRIMOINE

HÉRITER D'UNE VILLE : POUR EN FAIRE QUOI ?

Les villes existent depuis au moins 5000 ans. Imaginez tous les changements subis au cours des siècles ! Lorsque la ville prend de l'expansion, que faut-il faire de ses vieux quartiers ou de ses anciens édifices? Comment savoir s'il faut **conserver**, **démolir**, **rénover** ou **reconstruire** à neuf ? Se pose alors la question du patrimoine.

sommaire

4.1

1 Qu'est-ce qu'une «ville patrimoniale» ?

«Explorer les quartiers d'une ville, leur architecture et leurs paysages est une source constante d'enrichissement. Le quartier que nous habitons, celui où nous travaillons ou l'endroit où l'on se promène de temps en temps, tout cela foisonne de détails architecturaux, de témoins de l'histoire, de perspectives étonnantes, de sites naturels ou de beaux paysages à découvrir. Les connaître mieux, c'est mieux apprécier le sens que le patrimoine apporte à ces lieux que nous fréquentons parfois tous les jours.»

Gérard Beaudet, Héritage Montréal, 1998.

«Patrimoine», «ville patrimoniale»: ça veut dire quoi ? En quoi ça nous concerne ?

4.2
Vous êtes sur le petit pont et admirez Montréal. À quoi tient la valeur patrimoniale de cette ville?

Arrêtons-nous d'abord sur le mot «patrimoine». Dans son sens courant, il désigne l'ensemble des biens laissés par des ancêtres. Le patrimoine d'une famille, par exemple, ce peut être la maison ou les meubles qu'ont laissés les arrière-grands-parents. Il s'agit alors de patrimoine individuel (ou personnel). Entre aussi dans cette catégorie tout bien qui, aux yeux d'une personne, mérite d'être conservé et transmis. Cependant, le patrimoine peut aussi être collectif: le patrimoine d'une ville, par exemple, peut comprendre les édifices ou les parcs aménagés par les générations précédentes. Il peut aussi comprendre des paysages de la ville ou des vestiges enfouis.

Un groupe d'experts présidé par Roland Arpin, un des fondateurs du Musée de la civilisation de Québec, définit ainsi le patrimoine : un objet, un site* ou un paysage qui est reconnu par la société comme le témoin d'une époque et qui mérite d'être conservé* et mis en valeur.

Poursuivons. Une ville patrimoniale est une ville qui, à l'échelle régionale ou mondiale, est reconnue pour son patrimoine. Ce patrimoine influence l'ensemble des activités de la ville, car même s'il vient du passé, c'est au présent qu'il faut vivre avec le patrimoine. En tant que citoyens, nous sommes tous appelés à décider de ce que nous voulons faire de notre patrimoine collectif.

Votre ville a-t-elle une valeur patrimoniale ? En fait, toutes les villes du monde ont une histoire et accordent une valeur patrimoniale à certains objets, sites ou paysages, ou encore à certaines traditions. Ensemble, ceux-ci constituent alors un « bien commun » : chaque personne les utilise pour s'orienter, en apprécier la beauté, se souvenir du passé ou se reconnaître comme membre d'une collectivité[1].

*

Site : Emplacement défini en fonction de son usage (par exemple, site industriel) ou recherché pour ses qualités exploitables (par exemple, site patrimonial).

Conservation : Action de conserver un bien, de le préserver de l'altération, de la destruction.

Pouvez-vous nommer des lieux de votre localité qui ont une valeur patrimoniale reconnue ?

4.3 Interrogez les lieux de votre ville. Peut-être en découvrirez-vous un peu plus sur son histoire...

1. Plusieurs passages de cette section sont inspirés de *Notre patrimoine, un présent du passé*, Rapport du Groupe-conseil sur la politique du patrimoine culturel du Québec, présidé par Roland Arpin, novembre 2000.

2 Qu'est-ce qui est patrimonial ?

Qui a raison ?

Guillaume dit que seul ce qui est ancien a une valeur patrimoniale. Carla pense qu'un édifice ou un site moderne peut aussi être considéré comme patrimonial.

Critère : Élément qui permet de prendre une décision.

Unesco : Organisation des Nations unies pour l'éducation, la science et la culture.

Pour savoir qui a raison, il faut en débattre. Mais comment ? Retournons au sens donné au mot « patrimoine » (voir p. 98). Examinons aussi les critères* que l'Unesco* et d'autres organismes officiels utilisent pour décider si un bien (objet, site ou paysage) est patrimonial.

Critères

Le bien est reconnu comme étant exemplaire et significatif par la collectivité.

4.4 Construit à Vienne (Autriche) durant les années 1980, l'édifice conçu par l'artiste Hundertwasser est un exemple d'architecture alternative réputée dans le monde.

Le bien illustre une période importante de l'histoire humaine.

4.5 La Citadelle de Québec est la plus importante fortification construite au Canada sous le Régime anglais.

Le bien témoigne d'un échange d'influences considérable entre les peuples.

4.6 La forme circulaire comme un soleil de la nouvelle bibliothèque d'Alexandrie (Égypte) symbolise le rayonnement et l'ouverture. Sur la façade de granit de la bibliothèque, on a gravé des lettres des alphabets du monde entier.

Catégories

Les biens patrimoniaux appartiennent à l'une ou l'autre des catégories* suivantes :

- un monument (par exemple, une œuvre architecturale, une sculpture, un vestige archéologique ou une grotte) ;
- un ensemble de constructions qui présente une unité (par exemple, une rue ou un quartier) ;
- un site historique (par exemple, un site archéologique ou un site de défense) ou un site naturel (par exemple, un parc national) ;
- un paysage urbain, c'est-à-dire une vue organisée de la ville ou d'une partie de la ville que l'œil peut percevoir d'un point donné.

Catégorie : Classe dans laquelle on range des éléments de même nature.

Le bien représente un chef-d'œuvre du génie créateur humain.

4.7

Venise (Italie) : il en fallait du génie pour construire une ville dans une lagune ! Ce véritable musée d'architecture est aujourd'hui menacé. Pourquoi ? (Voir le **dossier 6**.)

Selon vous, à quelles catégories de biens patrimoniaux pourraient correspondre les photos qui illustrent chacun des critères ?

Le bien apporte un témoignage exceptionnel d'une tradition culturelle ou d'une civilisation vivante ou disparue.

4.8

Au bord du lac Opémisca, près de Chibougamau au Québec, le village cri d'Oujé-Bougoumou a été bâti en 1992. L'Organisation des Nations unies (ONU) a décerné un prix à la communauté pour avoir su combiner modernisme et tradition.

À l'échelle mondiale, c'est le Comité du patrimoine mondial de l'Unesco qui reconnaît officiellement la valeur universelle exceptionnelle des biens patrimoniaux et qui les inscrit sur la Liste du patrimoine mondial.

Par ailleurs, à l'échelle nationale ou locale, d'autres instances ou organisations s'occupent de reconnaître officiellement la valeur patrimoniale de tel ou tel bâtiment, site ou ensemble. Au Québec, c'est le ministre de la Culture, parfois le Conseil des ministres ou encore les municipalités qui ont cette responsabilité légale et font ce choix en prenant l'avis de la Commission des biens culturels du Québec. Toutefois, il est possible que des associations de citoyens ou d'universitaires, par exemple, décident, sans que cela ait d'effet légal, de souligner la valeur de certains biens qu'ils jugent patrimoniaux. Le Conseil des monuments et sites du Québec est un de ces organismes. Voici d'ailleurs ce qu'il dit du patrimoine :

> « Le patrimoine n'est pas seulement constitué de monuments historiques reconnus ou protégés. Le patrimoine, c'est aussi l'architecture résidentielle, industrielle, religieuse, militaire ou publique, l'archéologie, les monuments commémoratifs ou artistiques, les ouvrages de génie civil (ponts, barrages), les éléments et sites naturels, les paysages, les villes, les villages, etc. [...] Le patrimoine est le reflet de l'évolution sociale et culturelle de notre société : il témoigne de nos traditions, de nos institutions, de nos valeurs, de l'appropriation du territoire [...][1]. »

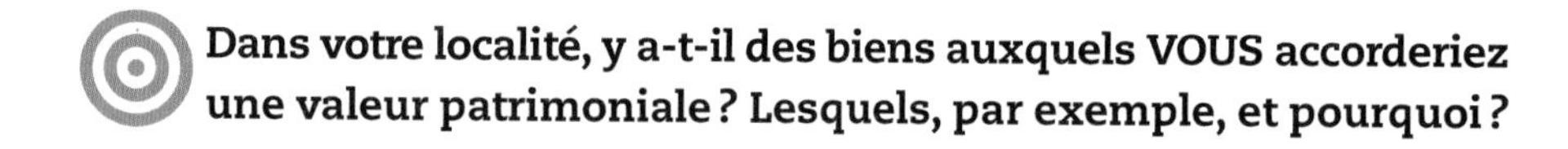
Dans votre localité, y a-t-il des biens auxquels VOUS accorderiez une valeur patrimoniale ? Lesquels, par exemple, et pourquoi ?

4.9
Le patrimoine, est-ce seulement cela ?

Curieux ? Quand le cinéma défie la géographie !

Les cinéastes états-uniens tournent souvent des films à Montréal. Où croyez-vous que se déroulent les histoires de ces films ? À Paris, à New York, à Saint-Pétersbourg, à Londres, à Boston ou à Vienne ! Il suffit qu'un bout de rue ou un édifice ait une forme ou une architecture qui rappelle d'autres lieux. Le territoire urbain montréalais est recherché pour ses parcs, son fleuve, sa montagne, ses vieux quais désaffectés, ses maisons historiques ou ses anciens quartiers industriels. Bref, pour son patrimoine ! Alors, la prochaine fois que vous verrez un film qui se passe à New York ou à Paris, regardez attentivement...

« À la place d'Youville, on a recréé en 2002 le mur de Berlin pour simuler le Berlin Est des années 1960 [...]. À quelques centaines de mètres de là, on a recréé Helsinki sous la neige en croquant des patineurs sur le bassin Bonsecours. "L'histoire nous menait à Berlin, Helsinki, Philadelphie et New York, et tout ça a été fait à quelques coins de rue de distance", soutient Céline Daignault, une régisseuse d'extérieurs qui connaît Montréal comme le fond de sa poche. »

Source : D'après Isabelle PARÉ, « Silence, on tourne ! », *Le Devoir*, 5 et 6 juillet 2003, p. 8.

---

1. Conseil des monuments et sites du Québec, Expérience photographique du patrimoine, Les normes du concours 2004, p. 10.

3 Depuis quand s'intéresse-t-on au patrimoine ?

Qui a eu l'idée de conserver le patrimoine ? Personne en particulier ! Depuis le 19e siècle, mais surtout durant la seconde moitié du 20e siècle, des personnes et des groupes sont intervenus pour conserver des « témoins » d'autres époques. Pourquoi ? Parce que les sociétés vivaient des changements importants qui entraînaient la destruction irréparable de ce qui existait depuis longtemps et témoignait du travail ou de l'imagination des gens des sociétés passées. Un intérêt grandissant s'est alors développé dans la population pour la conservation du patrimoine.

*

Reconstitution : Un quartier « reconstitué » a subi une « reconstitution ». L'opération consiste à reconstruire un édifice ou un ensemble d'édifices disparus ou très endommagés. Il ne faut pas confondre « reconstitution » et « restauration » (voir ce terme à la page 115).

De grands changements au 20e siècle

- La destruction massive des villes en Europe et en Asie à cause des guerres mondiales de 1914-1918 et de 1939-1945 : les vieux quartiers sont complètement détruits, puis reconstitués*.

4.10 Londres (Royaume-Uni) en 1942.

4.11 Londres aujourd'hui.

- La rapidité du développement économique des années 1950 et 1960 : on détruit des quartiers anciens pour construire en hauteur des édifices.

4.12
Montréal au début du 20e siècle.

4.13
Montréal aujourd'hui.

- Le développement du tourisme de masse à l'échelle mondiale : des hôtels, des routes, des aéroports et des aménagements apparaissent dans toutes les villes, et les bords de mer s'urbanisent. Ces changements se font souvent au détriment des sites anciens ou des paysages.

4.14
Monte-Carlo (Monaco). Exemple type de transformation de paysage liée au tourisme de masse. Qu'y avait-il, selon vous, sur ce littoral il y a plusieurs années ?

Certains de ces changements ont-ils touché votre localité au cours du 20e siècle ?

Et au Québec ?

Au Québec, la Loi sur les biens culturels, qui protège les biens patrimoniaux, date de 1922. Or, la notion de patrimoine a beaucoup évolué et s'est élargie au cours de la seconde moitié du 20e siècle. Avant 1952, par exemple, seuls les monuments étaient classés patrimoniaux. Depuis ce temps, peu à peu, se sont ajoutés les sites historiques, les ensembles de constructions, les sites naturels et, plus récemment, les paysages urbains.

Les paysages urbains sont des paysages habités. Ils sont le résultat des interactions entre les populations, leurs activités et les lieux qui les accueillent. Pourquoi ont-ils acquis une valeur patrimoniale ? Le souci récent pour la qualité de l'environnement a joué un rôle. Aussi, les citoyens ont pris conscience de la valeur des lieux qu'ils ont contribué à bâtir.

4.15 Évolution de la notion de patrimoine

Source : D'après *Notre patrimoine, un présent du passé*, Rapport du Groupe-conseil sur la politique du patrimoine culturel du Québec, présidé par Roland Arpin, novembre 2000.

4.16

Sherbrooke. À quoi tient la valeur patrimoniale de ce territoire urbain ?

4 Conserver le patrimoine : des défis pour la ville d'aujourd'hui

Une ville patrimoniale offre aux visiteurs des paysages à admirer. Ces paysages urbains sont bien différents de ceux qu'offrent la campagne ou les espaces naturels. Se promener dans un quartier ancien, par exemple le Vieux-Québec, est une expérience riche et agréable. Cependant, le patrimoine urbain pose de grands défis d'organisation aux citadins. Comment concilier les visions différentes des groupes qui prennent part aux décisions sur le développement de la ville ? Les citoyens ont donc besoin de lieux pour débattre de ces questions et prendre des décisions (conseil municipal, comités de citoyens, médias, etc.) dans l'intérêt commun.

Des défis pour les villes patrimoniales

1. Assurer la tranquillité des résidants tout en attirant les touristes.
2. Accommoder un grand nombre de touristes.
3. Aménager des stationnements souterrains.
4. Protéger les monuments anciens de la pollution.
5. Restaurer des édifices anciens.
6. Reconstituer des sites qui ont été détruits dans le passé.
7. Prolonger une ligne de métro.
8. Faciliter la circulation à proximité des sites historiques.

4.17

Trouvez un exemple dans l'actualité qui illustre le défi de développer une ville tout en conservant son patrimoine. Réalisez un croquis qui présente ce défi.

5 Où y a-t-il des villes patrimoniales ?

La planète compte de nombreuses villes patrimoniales, c'est-à-dire des villes qui ont une valeur patrimoniale mondialement reconnue. Ces villes sont considérées comme ayant une valeur universelle exceptionnelle. Chacune possède un ou des sites inscrits sur la Liste du patrimoine mondial de l'Unesco.

Trinidad, Dubrovnik : c'est où ?

Vieille ville de Dubrovnik, Croatie. Il s'agit d'une ville médiévale (c'est-à-dire du Moyen Âge) où des monuments construits par de grands architectes côtoient des maisons pour former un paysage urbain remarquable.

4.20

4.21

Trinidad, Cuba. Les habitants de Trinidad ont voulu sauvegarder les maisons centenaires menacées de démolition.

4.22

Lunenburg, Nouvelle-Écosse. La ville conserve sa structure d'origine (18e siècle). La rue qui mène au port est la plus large de toutes.

Les villes patrimoniales attirent des dizaine de millions de visiteurs chaque année. Cela suppose des aménagements importants ! Par ailleurs, ces villes doivent aussi satisfaire les besoins de leurs habitants : un transport efficace, des logements pour tous, un environnement sain ainsi qu'une gestion efficace de l'eau et des déchets. Elles doivent donc trouver des solutions pour conserver leur patrimoine tout en continuant de se développer.

Dans certaines villes, le site patrimonial reconnu par l'Unesco est habité. Afin de relever les défis qui leur sont communs, ces villes se sont regroupées et ont formé l'Organisation des villes du patrimoine mondial (OVPM*). En Amérique du Nord, seules les villes de Québec et de Lunenburg (Nouvelle-Écosse) en font partie.

Ce dossier vous invite à Québec, à Paris, à Rome, à Athènes et à Beijing (voir les tableaux aux pages suivantes [doc. 4.23 et 4.24]). Les trois premières villes font partie de l'OVPM, car leur site patrimonial est habité. Les deux dernières, Athènes et Beijing, n'en font pas partie : leur site patrimonial n'est pas habité.

* **OVPM :** Organisation internationale créée en 1993 et dont le siège social est à Québec. Elle fait la promotion de la Convention concernant la protection du patrimoine mondial, culturel et naturel. L'OVPM aide les villes ayant signé ce document à partager leurs expériences et à collaborer pour assurer une meilleure gestion de leur patrimoine.

CARTE 4.1 **QUÉBEC, PARIS, ROME, ATHÈNES ET BEIJING DANS LE MONDE**

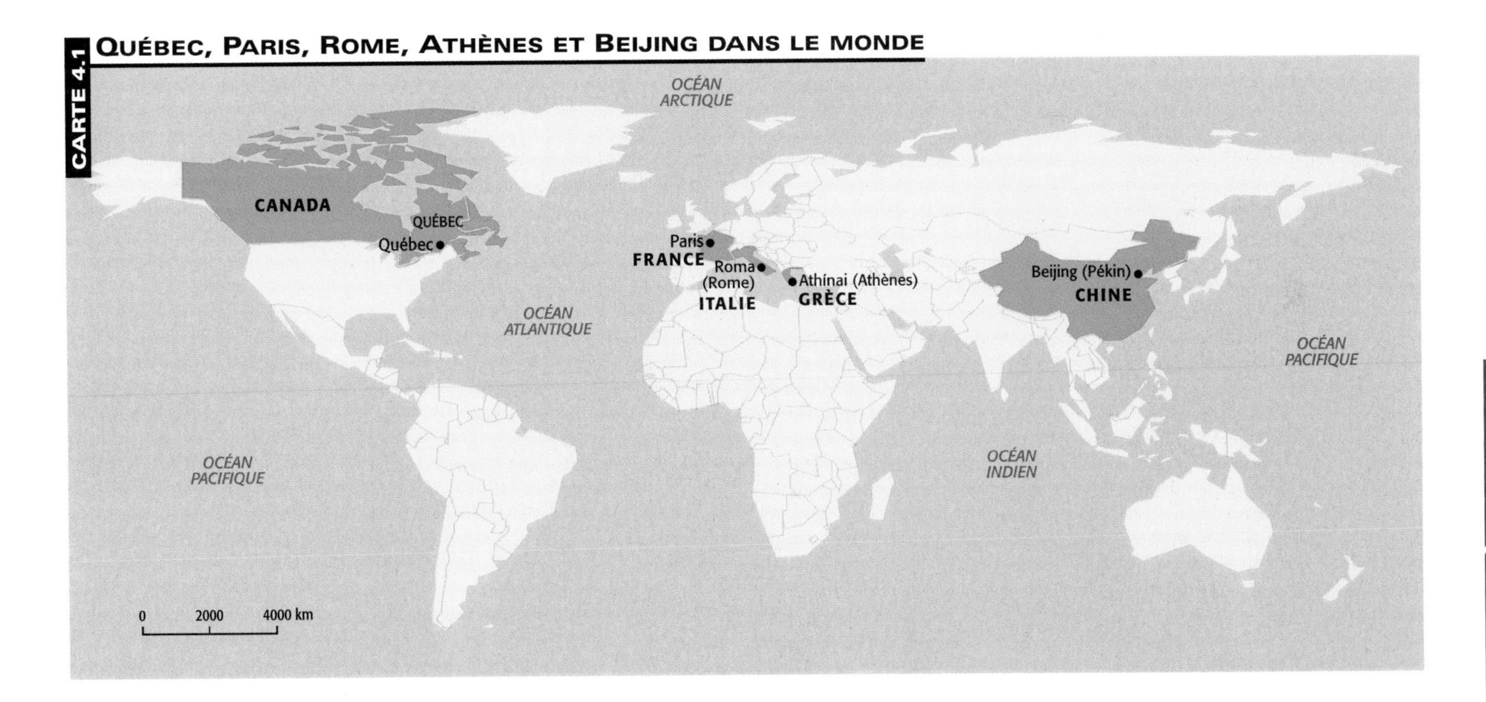

1. **Le patrimoine de votre localité a-t-il quelque chose en commun avec celui des villes inscrites sur la Liste du patrimoine mondial de l'Unesco ?**
2. **Pourquoi les collectivités souhaitent-elles conserver le patrimoine de leur ville ?**
3. **Quels défis la conservation du patrimoine pose-t-elle aux villes d'aujourd'hui ? Est-ce partout pareil ?**

4.23 Québec, Paris et Rome : des sites patrimoniaux habités

	Québec	Paris	Rome
À quel moment les historiens datent-ils les débuts de la ville ?	1608	212	753 av. J.-C.
Combien d'habitants vivent dans cette ville actuellement ?	500 000 (ville) 700 000 (agglomération)	2 700 000 (ville) 11 200 000 (agglomération)	3 000 000 (ville) 3 600 000 (agglomération)
Quel est le site patrimonial et où se trouve-t-il ?	Le district historique. Il correspond à la Haute-Ville *intra-muros*, c'est-à-dire la partie située à l'intérieur des fortifications, et à une partie de la Basse-Ville.	Les rives de la Seine. Le site comprend les quartiers bordant les rives de la Seine, du pont Sully au pont d'Iéna, au pied de la tour Eiffel. Il comprend aussi l'île de la Cité, où se trouve la cathédrale Notre-Dame de Paris.	Le centre historique. Il comprend le Forum romain et le Panthéon, ainsi que plusieurs autres bâtiments et sites archéologiques datant de l'Antiquité.
Quelle est l'année de son inscription sur la Liste du patrimoine mondial de l'Unesco ?	1985	1991	1980
À quoi tient sa valeur culturelle universelle ?	• Québec est la seule ville en Amérique du Nord à avoir conservé ses remparts. • Le site constitue un ensemble urbain qui est l'un des meilleurs exemples de ville coloniale fortifiée.	• Le site constitue le noyau fondateur de la ville. L'évolution de Paris et son histoire sont visibles de la Seine. • La cathédrale Notre-Dame de Paris et la Sainte-Chapelle du Palais, situées sur l'île de la Cité, sont des chefs-d'œuvre d'architecture. • Les larges avenues et places des rives de la Seine ont servi de modèles à de grandes villes du monde.	• Rome a été constamment associée à l'histoire de l'humanité. • Les monuments et les vestiges de la Rome antique sont intégrés au tissu urbain contemporain. • Le site comprend de nombreux monuments de l'Antiquité, œuvres qui ont fortement influencé le développement de l'architecture et des arts.

4.24 Athènes et Beijing : des sites patrimoniaux non habités

	Athènes	Beijing
À quel moment les historiens datent-ils les débuts de la ville ?	900 av. J.-C.	L'occupation date de près de 1000 av. J.-C., mais le nom actuel de la ville date de 1421.
Combien d'habitants vivent dans cette ville actuellement ?	800 000 (ville) 3 500 000 (agglomération)	8 500 000 (ville) 15 000 000 (agglomération)
Quel est le site patrimonial et où se trouve-t-il ?	L'Acropole. Elle est située sur une colline dominant le cœur de la ville d'Athènes. Le Parthénon (5e siècle av. J.-C.) est le monument le plus prestigieux de l'Acropole et de la ville.	Il y a trois principaux sites patrimoniaux : la Cité interdite et le temple du Ciel (situés dans l'axe central nord-sud de la ville), et le Palais d'été (situé à l'extérieur de la ville).
Quelle est l'année de son inscription sur la Liste du patrimoine mondial de l'Unesco ?	1987	1987 (Cité interdite) 1998 (temple du Ciel, Palais d'été)
À quoi tient sa valeur culturelle universelle ?	• L'Acropole illustre les civilisations qui se sont épanouies en Grèce pendant plus de 1000 ans. • Elle comprend de grands chefs-d'œuvre de l'art grec classique, qui ont inspiré des générations d'architectes à plusieurs époques. 	• La Cité interdite renferme des meubles et des œuvres d'art qui constituent des témoignages inestimables de la civilisation chinoise au temps des dynasties Ming et Qing (de 1421 à 1911). Elle a été le siège suprême du pouvoir pendant plus de cinq siècles et le centre de l'Empire chinois. • Le temple du Ciel constitue un ensemble majestueux dédié au culte. Son agencement global symbolise la relation entre le ciel et la terre. • Le Palais d'été est un agencement savant de pavillons, de lacs et de rochers qui en fait un chef-d'œuvre de l'architecture chinoise des jardins. 

Quelle différence y a-t-il entre une ville et une agglomération ?

L'information des tableaux est tirée des sites Internet de l'OVPM et de l'Unesco.

Québec : une ville ancienne ou moderne ?

Porte Saint-Jean
4.25

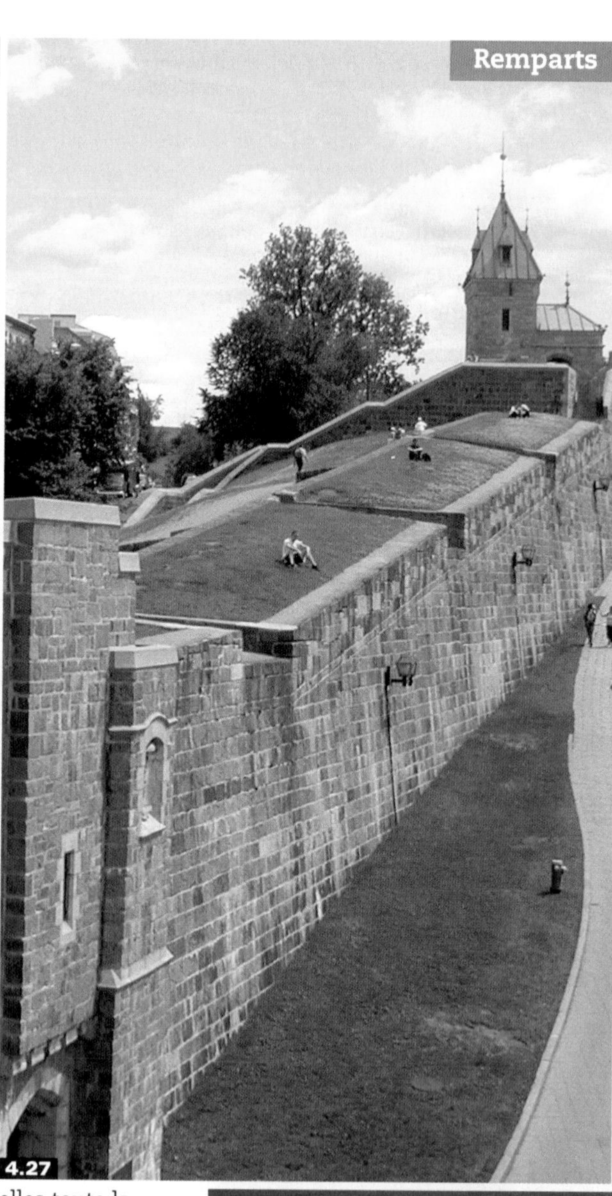
Remparts
4.27

Place d'Armes
4.26

Le Vieux-Québec, c'est évident que c'est ancien ! Mais ces photos disent-elles toute la vérité sur la ville de Québec et son patrimoine ?

Demandons-nous d'abord ce que signifient au juste les mots « ancien » et « moderne ».

Dans le langage de tous les jours, chacun utilise les mots « ancien » et « moderne » par rapport à soi-même. « Avant moi, c'est ancien ; aujourd'hui, c'est moderne ! » Mais ce qui est ancien aujourd'hui a déjà été moderne. Et ce qui est considéré comme moderne aujourd'hui deviendra à son tour ancien plus tard.

Dans ce dossier, pour simplifier un peu, nous allons appeler « ancien » ce qui existe depuis longtemps ou ce qui date d'une époque antérieure à la nôtre. Nous allons appeler « moderne » ce qui date d'une époque relativement récente.

Dans les pages qui suivent, on présente cinq édifices ou sites caractéristiques de la ville de Québec : sont-ils aussi anciens, ou modernes, qu'ils en ont l'air ?

4.28

A Le Château Frontenac : ancien ou moderne ?

Le Château Frontenac est-il un « vrai » château ? A-t-il été bâti au Moyen Âge, à l'époque où les châteaux servaient surtout à se défendre ? Ou à la Renaissance (15e et 16e siècles), à l'époque où les châteaux, en Europe, étaient les résidences des grandes familles royales ? Non, il n'a été bâti à aucune de ces deux époques. En effet, bien que la ville de Québec ait été fondée en 1608, le Château Frontenac, lui, date de 1892 ! Le Château Frontenac est donc ancien, oui, mais il est beaucoup plus moderne que les châteaux construits au Moyen Âge ou à la Renaissance en Europe.

Le Château Frontenac est un hôtel de prestige. Il a été construit par le Canadien Pacifique, une importante compagnie de chemin de fer canadienne. Son nom rappelle le comte de Frontenac, gouverneur de la Nouvelle-France de 1672 à 1698. Le New-Yorkais Bruce Price en est le premier architecte. Il a adopté le même style architectural pour la gare Viger à Montréal et pour l'hôtel Banff Springs en Alberta. Et c'est ainsi qu'un édifice de « style château » est devenu le symbole le plus connu de la ville de Québec.

4.29
Pourquoi le Château Frontenac est-il un des hôtels les plus photographiés du monde, selon vous ?

Le cap Diamant, où se trouvent le Château Frontenac et la Citadelle de Québec, est à l'extrémité est du promontoire sur lequel a été construite la ville haute de Québec au 17e siècle. D'où vient son nom ? À leur arrivée en bateau, Jacques Cartier et plus tard Samuel de Champlain croient que les pierres scintillantes de la falaise du cap sont des diamants. Ce qui se révèle plus tard être du quartz laisse ainsi son nom au cap.

Et d'où vient le nom de la terrasse Dufferin ? Il vient du nom d'un gouverneur général du Canada de la fin du 19e siècle. Vers 1875, Lord Dufferin présente un projet d'amélioration urbaine ; il veut préserver la ville fortifiée entourée de ses murailles historiques tout en l'adaptant aux besoins d'une ville moderne.

Source : D'après la Commission de toponymie, *Noms et lieux du Québec*, Québec, Publications du Québec, 1996.

B Place-Royale : ancien ou moderne ?

Le quartier Place-Royale rappelle le Régime français des 17e et 18e siècles. On l'appelle d'ailleurs le « berceau de l'Amérique française ». Pourtant, il a été en bonne partie reconstitué dans les années 1970 ! On a alors démoli les édifices ou les ajouts du site qui dataient surtout du Régime anglais (19e siècle) pour mettre en valeur les vestiges et recréer l'architecture du Régime français. Lorsqu'une société reconstitue un site, elle choisit l'image qu'elle veut donner de sa culture aux visiteurs. Le quartier Place-Royale reconstitué est à la fois ancien et moderne.

Bon nombre de monuments et de sites historiques dans le monde ne sont pas authentiques : certains ont été largement restaurés* et même entièrement reconstitués, c'est-à-dire reconstruits. Divers événements ont pu causer la dégradation ou la destruction des « originaux » : incendie, guerre, usure du temps. Des raisons politiques ou économiques influencent par ailleurs les autorités dans leur décision de conserver ou de démolir.

*

Restauration : Un édifice « restauré » a subi une « restauration ». L'opération consiste à redonner sa forme première à une œuvre d'art, à un édifice ou à un ensemble d'édifices, à l'aide de connaissances et de moyens techniques appropriés. Il ne faut pas confondre « restauration » et « reconstitution » (voir ce terme à la page 103).

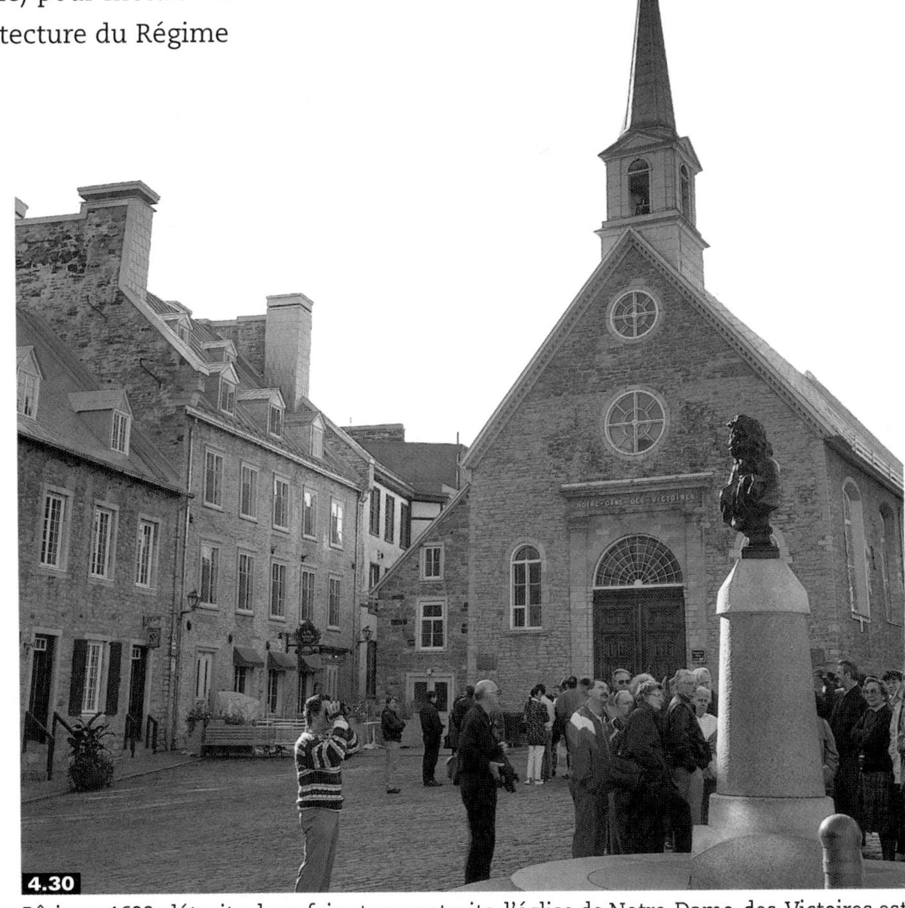

4.30 Bâtie en 1688, détruite deux fois et reconstruite, l'église de Notre-Dame-des-Victoires est un des joyaux de Place-Royale.

C Le port de Québec : ancien ou moderne ?

La photo du port de Québec montre un site moderne, organisé pour répondre aux besoins économiques actuels de transport. Pourtant, les activités du port de Québec datent de fort longtemps. Avant même l'arrivée des Européens, les Amérindiens utilisaient ce site pour leurs échanges. Sous le Régime français, c'est-à-dire avant 1760, le commerce des fourrures représentait la majeure partie des exportations vers la France. C'est au 19e siècle que le port de Québec a connu son apogée : le bois transporté sur le fleuve depuis l'Ontario, l'Outaouais et la Mauricie partait alors de Québec à destination de l'Angleterre. À la même époque, des milliers d'immigrants arrivaient à Québec par bateau.

Aujourd'hui, comme dans plusieurs autres villes portuaires du monde, la partie désuète (Vieux-Port) a été réaménagée pour des activités récréatives. La partie active, quant à elle, a une vocation commerciale et industrielle qui fait du port de Québec un site moderne... ayant une longue histoire !

4.31
Port de Québec. Pouvez-vous distinguer la partie ancienne (réaménagée) et la partie active du port ?

D L'édifice Price : ancien ou moderne ?

Un gratte-ciel est certainement un édifice moderne par son architecture, ses matériaux et les activités qui s'y déroulent. Pourtant, l'édifice Price a aussi une valeur historique. Construit en 1930, c'est le premier gratte-ciel de la ville de Québec. Pourquoi trouve-t-on cet édifice de 16 étages à l'intérieur des murs du Vieux-Québec ? Même à l'époque, sa construction a divisé l'opinion publique : certains étaient séduits par le prestige de cet édifice d'allure nord-américaine, d'autres craignaient qu'il n'altère le paysage du Vieux-Québec. Avec le temps, les habitants de la ville de Québec ont adopté ce gratte-ciel. Aujourd'hui, c'est le lieu de résidence officielle du premier ministre du Québec. Une loi interdisant les constructions en hauteur dans ce secteur a été adoptée en 1937.

4.32
Édifice Price. L'édifice tire son nom de la compagnie papetière Price Brothers qui l'a fait construire pour y établir son siège social. La Price Brothers, un empire financier fondé sur l'industrie des pâtes et papiers, a marqué l'économie du Québec dans la première moitié du 20e siècle.

E Le Centre des congrès de Québec : ancien ou moderne ?

Le Centre des congrès de Québec n'a rien d'ancien, il est tout à fait moderne ! Son architecture, ses équipements technologiques et ses activités en témoignent. Le contraste avec le Québec patrimonial, juste à côté, est frappant. L'édifice est en effet situé au cœur de la ville, face au parlement de Québec, à quelques pas des fortifications. Il est relié par des passages souterrains à d'autres édifices modernes environnants.

Le Centre des congrès a été construit en plusieurs étapes de 1974 à 1996, année de son inauguration officielle. Trois groupes d'architectes de la région de Québec ont participé à sa conception. Comme son nom l'indique, l'édifice sert principalement à recevoir des... congrès ! Ces événements rassemblent un grand nombre de personnes, du Québec ou de diverses régions du monde, pour échanger des idées ou communiquer leurs recherches. Il y a maintenant des édifices de ce type dans toutes les grandes villes du monde.

Curieux

Des plans, encore des plans !

Devinez combien de plans les architectes ont dû produire pour réaliser le Centre des congrès de Québec. Ils ont dessiné 280 plans « progressifs », c'est-à-dire des plans effectués à mesure que la construction avançait et que la conception de l'espace se précisait. Pas moins de 510 autres plans de structure, de génie civil, de mécanique, d'électricité et de services alimentaires ont été réalisés. Alors, si votre professeur vous demande de refaire votre premier plan de recherche...

Centre des congrès de Québec. Cet édifice est situé dans un ancien quartier qui a subi de nombreuses transformations au cours du 20e siècle pour répondre aux besoins d'une ville en développement.

ÉTUDE DE CAS

Les autobus touristiques doivent-ils continuer à circuler dans un centre historique ?

Dans le centre historique d'une ville patrimoniale, la circulation des autobus touristiques crée bien des problèmes. Les rues étant étroites et non rectilignes, le passage des autobus nuit aux autres usagers. Les édifices étant plutôt bas, les autobus cachent la vue du paysage urbain aux résidants et aux touristes. Plusieurs centres historiques dans le monde ont d'ailleurs interdit la circulation des autobus touristiques.

Mais alors, l'accès à ces centres est plus difficile pour les personnes handicapées et autres personnes ayant de la difficulté à se déplacer. De plus, par cette interdiction, ne décourage-t-on pas un mode de transport en commun moins dommageable pour l'environnement que l'automobile ?

La question est débattue à Québec. Faut-il transformer le Vieux-Québec en zone piétonnière ? Et, si oui, cela nuira-t-il à la fréquentation touristique du site ? Qu'en pensez-vous ?

Paris : vivre aujourd'hui avec l'ancien

Autour de l'île de la Cité, Paris (France).

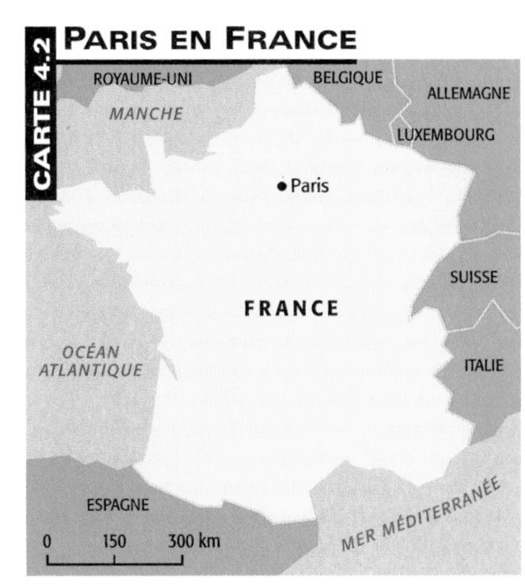

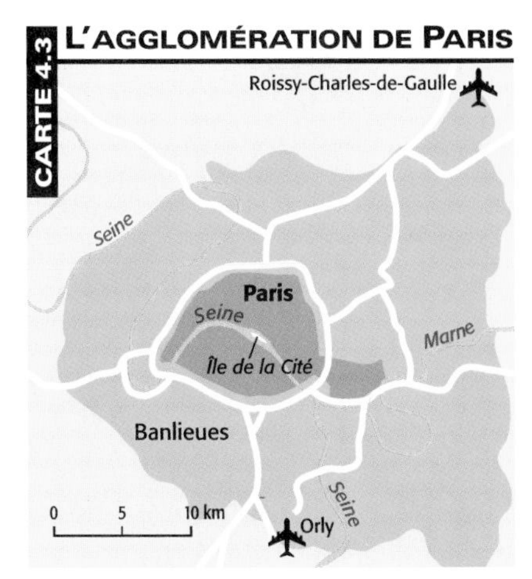

Paris, capitale de la France, est réputée dans le monde entier pour la qualité de l'intégration de la ville ancienne à la ville moderne. Ses habitants et les visiteurs connaissent bien sa richesse patrimoniale. Mais c'est aussi une ville qui bouge, une ville qui évolue ! Les autorités doivent se poser bien des questions avant de transformer un site, un monument ou un paysage de leur ville.

Les rives de la Seine

L'île de la Cité est une petite île dans la Seine. C'est sur cette île que les premiers Parisiens se sont établis. Peu à peu, la population est sortie de l'île pour s'installer sur les rives de la Seine. Paris a poursuivi sa croissance au-delà de l'île au fil des siècles. Elle conserve de nombreuses traces de sa longue histoire. La cathédrale Notre-Dame de Paris (1163) est, par exemple, un exceptionnel témoignage de l'art médiéval. Autres traces plus récentes, soit du 19e siècle : les grands boulevards conçus par Georges Eugène Haussmann ou l'Arc de triomphe érigé pour célébrer les victoires militaires de la France.

Les rives de la Seine ont eu une fonction portuaire, puis industrielle. Depuis 1960, ces fonctions ont disparu au profit d'activités culturelles et patrimoniales. Les ensembles d'édifices et les monuments que l'on trouve près des rives et dans les quartiers avoisinants sont d'une très grande richesse architecturale. La Seine accentue la mise en valeur de ce paysage exceptionnel, sans parler de la vingtaine de ponts qui relient les deux rives ou l'île de la Cité à ces rives !

Aujourd'hui, pour protéger le patrimoine, le sous-sol de toute la ville est protégé par une loi qui contrôle étroitement toute construction.

carrefour 

La biotechnologie à la rescousse des monuments historiques

Depuis 1795, à Paris, d'immenses chevaux ailés surveillent l'entrée de l'avenue des Champs-Élysées qui mène à l'Arc de triomphe. Ces magnifiques *Chevaux de Marly* sont abondamment photographiés par les touristes année après année. Pourtant, il s'agit de copies ! En effet, en 1984, les sculptures originales ont été transférées au musée du Louvre afin de les protéger de la pluie et de la pollution.

Malheureusement, on ne peut pas mettre tous les monuments historiques à l'abri. Alors que faire des églises, des palais et des ponts qui subissent eux aussi les ravages de la pollution ? Les scientifiques du Laboratoire de recherche des monuments historiques, situé près de Paris, ont trouvé la solution : des bactéries !

Bien sûr, les bactéries utilisées sont parfaitement inoffensives pour la santé. Elles ont toutefois une particularité : elles produisent du calcaire lorsqu'on leur donne les éléments nutritifs appropriés. Voici comment cela fonctionne.

Les bactéries sont d'abord cultivées dans un liquide nutritif. Celui-ci est ensuite vaporisé sur les murs des bâtiments historiques. Quand il n'y a plus d'éléments nutritifs dans le liquide, les bactéries meurent en laissant derrière elles une fine couche de calcaire invisible qui protège les surfaces contre les intempéries.

Ce procédé a servi à protéger certaines magnifiques demeures du 19e siècle ainsi que la cathédrale Notre-Dame de Paris.

4.35
Avenue des Champs-Élysées.

B Le musée du Louvre

4.36

Musée du Louvre. Des millions de visiteurs viennent au Louvre chaque année pour admirer des chefs-d'œuvre artistiques. Pendant ce temps, plusieurs des nombreux autres musées de Paris restent presque vides…

Situé au cœur de Paris, le Louvre a autrefois été le palais des rois de France. Il est devenu un musée en 1793 et a été rénové au 20e siècle (de 1981 à 1999), après une période de fouilles archéologiques. C'est au cours de ces grands travaux de rénovation que la grande pyramide de verre a été construite ; elle sert d'entrée au musée.

C'est l'architecte américain d'origine chinoise Ieoh Ming Pei qui a fait coexister l'ancien palais du Louvre et la nouvelle pyramide de verre. Cette initiative a suscité un grand débat entre les partisans de l'« ancien » et ceux du « moderne ». Était-il possible d'apporter de tels changements à un monument historique sans le dénaturer ? Aujourd'hui, la pyramide est bien intégrée au paysage et admirée de tous.

Pei : architecte du monde

Architecte de renommée internationale, Ieoh Ming Pei a réalisé plusieurs œuvres aux États-Unis (par exemple, un musée du rock-and-roll à Cleveland), en France et en Chine. Il est également l'un des architectes responsables de la création de la Place-Ville-Marie à Montréal, inaugurée en 1962.

Il a dit : « Lorsque les gens ne sont pas heureux dans un bâtiment, ils le manifestent parfois par des graffitis. Et je suis très heureux qu'il n'y ait pas de graffitis au Louvre. »

4.37

Ieoh Ming Pei est né en Chine en 1917 et a immigré aux États-Unis en 1935.

C Le quartier de la Défense

Pourquoi le rond-point de la Défense est-il devenu le quartier des affaires à Paris ?

Le quartier de la Défense*, avec ses 80 hectares* de gratte-ciel (bureaux, logements, jardins, commerces), reflète le Paris moderne. Son histoire commence dans les années 1950, au moment où la création d'un quartier des affaires était nécessaire à Paris. La ville ancienne, située aux abords des rives de la Seine, semblait incapable de fournir les espaces et l'infrastructure* nécessaires à un tel développement. Fallait-il alors détruire l'ancien au cœur de la ville ou plutôt construire à l'écart du centre de Paris ? La ville a choisi de démolir des quartiers délabrés des banlieues ouest de Paris pour construire son quartier des affaires, caractérisé par des édifices modernes et des tours à bureaux.

D Le Centre Pompidou

Le Centre national d'art et de culture Georges-Pompidou est un bâtiment situé en plein cœur de Paris, dans le quartier populaire de Beaubourg. Couramment appelé le Centre Pompidou, il rassemble notamment un musée d'art moderne et contemporain, une bibliothèque, des salles de cinéma et de spectacles, un centre de recherche musicale et des espaces d'activités éducatives.

C'est en 1969 que Georges Pompidou, alors président de la République française, a l'idée de créer cet espace culturel, à la fois musée et centre de création artistique. Un concours international est lancé, et ce sont les architectes Richard Rogers et Renzo Piano qui l'emportent.

*

Quartier de la Défense : Quartier des affaires de Paris qui doit son nom à une statue (la Défense de Paris), érigée à la gloire des soldats qui ont défendu Paris pendant la guerre franco-allemande de 1870-1871.

Hectare : Unité de mesure de superficie équivalant à 10 000 m^2. Ainsi, dans 1 km^2, il y a 100 ha (ha : symbole de l'hectare).

Infrastructure : Ensemble d'équipements collectifs de base (routes, aqueducs, réseau d'électricité, etc.).

Leur projet provoque d'abord tout un choc ! L'édifice, un mastodonte transparent de cinq étages, est composé de verre, de poutrelles métalliques et de tuyaux peints de couleurs vives selon leur fonction : vert pour l'eau, bleu pour l'air, jaune pour l'électricité et rouge pour les ascenseurs. Certains l'ont qualifié de « hangar de l'art », de « raffinerie » ou de « verrue d'avant-garde » ! Avec humour, l'architecte Piano dira lui-même : « C'est un bâtiment qui fait semblant, c'est une parodie de la technologie ! » Aujourd'hui, tous l'ont adopté. Avec plus de cinq millions de visiteurs par année, c'est un des lieux les plus fréquentés de Paris.

Le Centre Pompidou a été construit entre 1972 et 1977, et rénové entre 1997 et 2000.

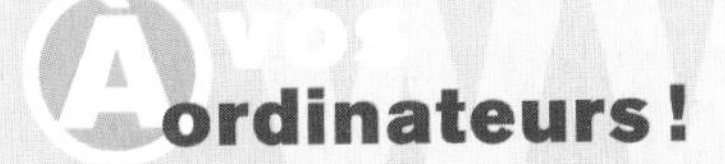

La tour Eiffel est-elle patrimoniale ?

À quelle occasion la tour Eiffel a-t-elle été construite ? Où est-elle située ? D'où vient son nom ? La tour est-elle le monument le plus visité de Paris ? Peut-on dire que la tour est un monument patrimonial ? Pourquoi ? Faites une petite recherche dans Internet pour trouver des réponses à ces questions.

Des défis pour la ville de Rome

Plusieurs villes sont ensevelies sous Rome, la capitale de l'Italie. À Rome, celui qui creuse trouve toujours un trésor! Le sous-sol de la ville est rempli de vestiges des différentes époques, de l'Antiquité à nos jours: des morceaux de vases, de colonnes, de mosaïques, de socles de marbre, de murs, de rues, etc. « Mais peut-on sauver toutes les villes qui se sont superposées ici pendant plus de trois mille ans? Et comment trois millions de Romains peuvent-ils aujourd'hui continuer à vivre dans leur ville musée[1]? »

A Vivre dans le centre historique de Rome

Le centre historique de Rome est très animé. Les touristes y viennent pour visiter les vestiges archéologiques. Ils y circulent aussi pour le charme des anciennes rues, des places où l'on flâne en buvant un *espresso* (café) ou en mangeant un *gelato* (glace italienne)! De nombreuses personnes y vivent également et y travaillent. Mais Rome comprend aussi des quartiers modernes. La ville compte plus de trois millions d'habitants.

Deux paysages, deux époques d'une même ville patrimoniale, Rome.

4.42

4.43

1. Marcelle PADOVANI, « Dans le ventre de Rome », *Le Nouvel Observateur*, n° 1857, 8 juin 2000, p. 60-62.

CARTE 4.5 Le centre historique de Rome

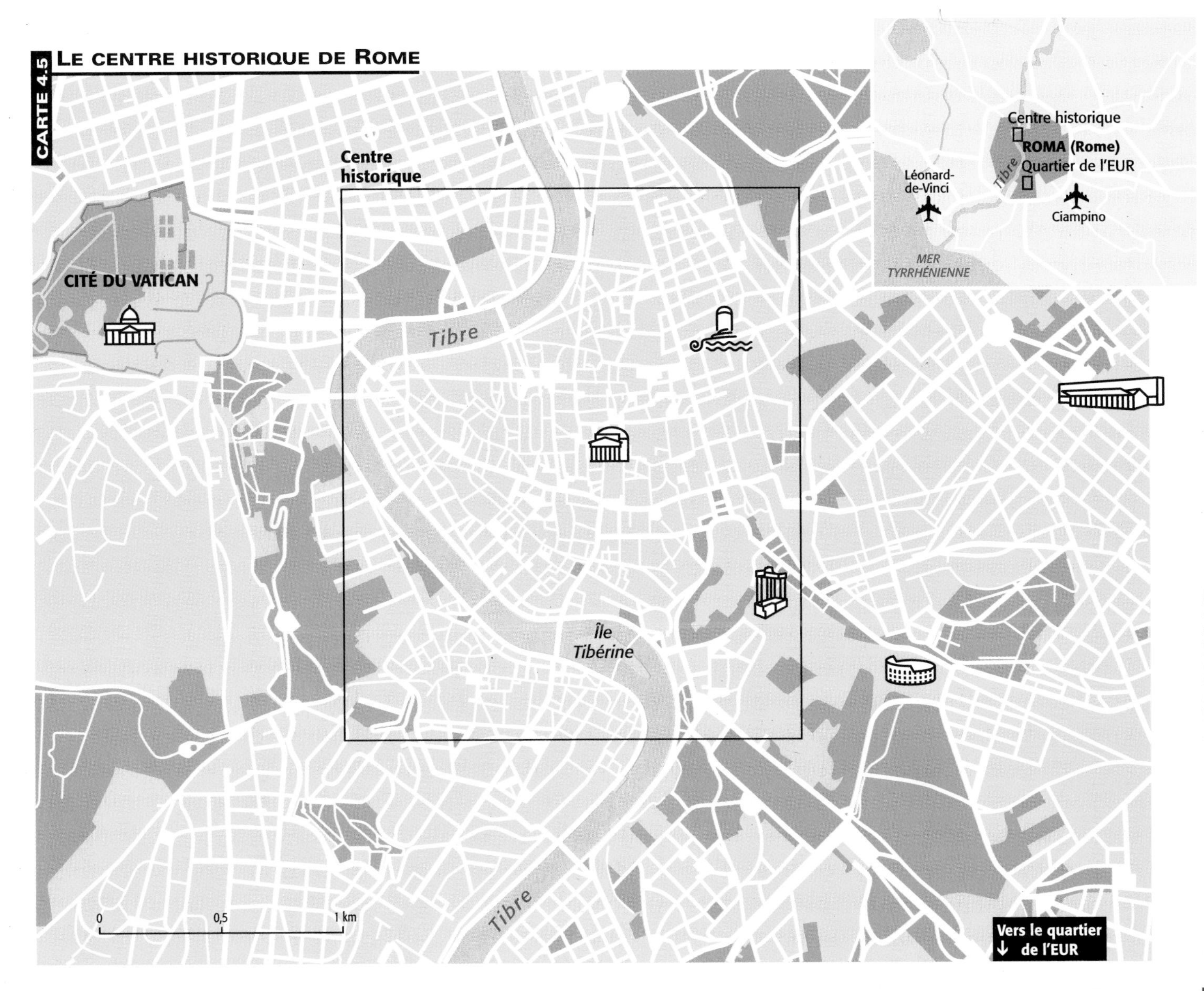

4.44 Vestiges enfouis.

4.45 Basilique Saint-Pierre.

4.46 Fontaine de Trévi.

4.47 Gare centrale (Stazione Termini).

4.48 Forum romain.

4.49 Colisée.

4.50 Panthéon.

Vivre à Rome, au cœur de toute une richesse patrimoniale, pose le défi de conserver l'ancien dans une ville moderne. C'est à partir du 19e siècle que les autorités ont commencé à tenir compte des édifices anciens, à ne pas tout raser pour reconstruire. En effet, peu à peu, les nouvelles constructions de la ville ont été érigées autour des ruines patrimoniales. La ville s'est alors développée avec continuité* à partir des anciens quartiers : des aqueducs vieux de plusieurs siècles alimentent toujours des fontaines romaines. Les sites de la Rome antique sont ainsi intégrés* à la ville moderne.

Cependant, conserver l'ancien pose parfois des problèmes. Les projets de modernisation sont souvent retardés ou même abandonnés (par exemple, le prolongement du métro ou la construction de stationnements pour les autobus de touristes), car le moindre coup de pioche met à jour des vestiges de civilisations passées. C'est pourquoi Rome fait l'objet d'un important programme de conservation du patrimoine.

*

Continuité : Caractère de ce qui est continu dans le temps et dans l'espace, de ce qui est perçu comme un tout.

Intégré : Un site intégré est un site en harmonie avec la rue, le quartier (hauteur des édifices, choix des matériaux, etc.).

B Conserver le Colisée

En face du Colisée, il y a une station de métro et un restaurant-minute. Un grand boulevard moderne le contourne. Que faire d'un édifice antique comme le Colisée en plein centre d'une métropole ?

Le Colisée est un témoin important de l'ancienne Rome. À l'époque, c'est là que les cirques romains se déroulaient. Terminé en l'an 80 de notre ère, il a été utilisé pendant près de 400 ans, jusqu'à la fin de l'Empire romain. De l'Antiquité à aujourd'hui, il a été restauré à plusieurs reprises. Pourquoi manque-t-il une partie au Colisée ? Diverses raisons expliquent qu'il soit en partie démoli. Durant presque 2000 ans, il a connu des incendies, des pillages, des tremblements de terre. Durant le 15e siècle, les

4.51
Le Colisée, un témoin du passé qui attire à Rome les touristes d'aujourd'hui.

matériaux originaux (en particulier les grands blocs de pierre) ont été pillés par des architectes ou des entrepreneurs pour construire ou décorer des églises ou d'autres édifices alors en chantier.

De nos jours, des millions de touristes visitent le Colisée chaque année. C'est un témoin du passé, mais c'est aussi une importante source de revenus pour l'État italien et pour la ville de Rome.

carrefour  Histoire

Au cœur de Rome : le Colisée

Lorsque l'empereur Titus inaugure le Colisée en 80, Rome existe depuis plus de 800 ans. La ville se développe d'abord sur le site défensif constitué par ses sept collines. Au fil des siècles, elle conquiert de plus en plus de territoires pour finalement devenir un empire. Celuici s'étend de l'Angleterre jusqu'au nord de l'Afrique et à l'Inde.

La ville de Rome est le cœur de l'Empire romain. Elle abrite un million de personnes, dont 400 000 esclaves et de nombreux paysans qui, faute de travail, ont quitté les provinces romaines. Pour éviter que la population inactive se révolte, les autorités de la ville distribuent gratuitement de la nourriture et offrent des divertissements. Les habitants peuvent donc se prélasser dans les bains publics, participer à des courses de chevaux au Circus Maximus, fréquenter des théâtres ou encore assister à des jeux au Colisée. Les édifices où ont lieu ces activités sont parmi les plus beaux jamais construits. Ils deviennent des symboles de la culture romaine et leurs vestiges dominent encore la ville actuelle.

Le Colisée, entre autres monuments, constitue un véritable chef-d'œuvre de l'architecture romaine. Il compte 3 étages garnis de gradins, mesure 180 m de long sur 150 m de large et peut accueillir 50 000 spectateurs. C'est à peu près la capacité d'accueil du stade olympique de Montréal !

Dans l'arène de l'amphithéâtre, on chasse des animaux sauvages le matin, tandis que des gladiateurs, prisonniers ou esclaves, s'affrontent l'après-midi. Les Romains ont aussi parfois droit à un spectacle bien particulier : le martyre de chrétiens, considérés comme des menaces à l'autorité de l'empereur.

Le Colisée est réputé pour son acoustique exceptionnelle. On y présente de nos jours de nombreux événements d'envergure : spectacles de musique rock, pièces de théâtre, etc. Réussira-t-on à préserver ce symbole d'une civilisation vieille de près de 2000 ans dans la ville moderne ?

4.52

C Gérer l'affluence touristique de la Cité du Vatican

Créée en 1929 sur un site ancien, la Cité du Vatican est le plus petit État souverain au monde : seulement 0,44 km² et 1000 habitants ! C'est là que réside le pape, chef de l'Église catholique. La Cité du Vatican est enclavée dans la ville de Rome ; cela signifie que ce territoire indépendant est entouré par la ville de Rome.

Dans ce minuscule État reconnu comme faisant partie presque en totalité du patrimoine mondial, on peut admirer une concentration unique de chefs-d'œuvre. L'édifice le plus prestigieux est la basilique Saint-Pierre de Rome, qui attire des millions de visiteurs chaque année. Compte tenu de sa petite taille, la Cité du Vatican ne peut gérer cette affluence touristique. C'est donc la ville de Rome qui a dû s'adapter pour offrir le nécessaire (logement, transport, stationnement, visites, approvisionnement en eau et en nourriture, etc.) et qui bénéficie ainsi des retombées économiques de la présence du Vatican.

Pourquoi la basilique Saint-Pierre attire-t-elle autant les foules ?

4.53
Basilique Saint-Pierre de Rome (ou Basilique vaticane).

Protéger Rome de la pollution

4.54 Une rue achalandée du centre de Rome.

4.55 La même rue un jour où la circulation automobile est interdite. Mais pourquoi est-elle interdite ?

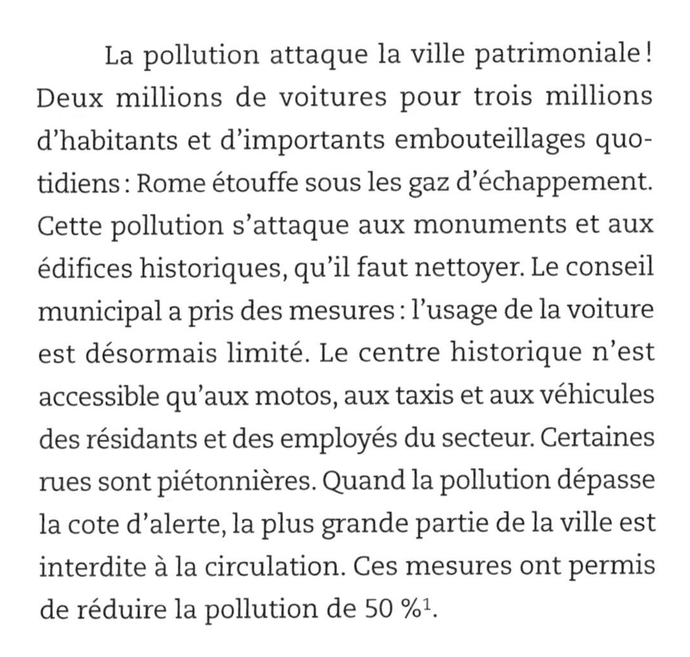

La pollution attaque la ville patrimoniale ! Deux millions de voitures pour trois millions d'habitants et d'importants embouteillages quotidiens : Rome étouffe sous les gaz d'échappement. Cette pollution s'attaque aux monuments et aux édifices historiques, qu'il faut nettoyer. Le conseil municipal a pris des mesures : l'usage de la voiture est désormais limité. Le centre historique n'est accessible qu'aux motos, aux taxis et aux véhicules des résidants et des employés du secteur. Certaines rues sont piétonnières. Quand la pollution dépasse la cote d'alerte, la plus grande partie de la ville est interdite à la circulation. Ces mesures ont permis de réduire la pollution de 50 %[1].

4.56 Statue datant du 2e siècle, descendue de son piédestal pour être nettoyée et préservée de la pollution. Aujourd'hui, elle se trouve dans un musée romain et une copie a pris sa place devant l'hôtel de ville.

1. D'après « Rome, ville spectacle », *Géo*, n° 206, avril 1996, p. 119.

Athènes : que faut-il conserver ?

À Athènes, l'héritage de la ville est un sujet toujours actuel.

A De l'Acropole...

Dans la Grèce antique, les acropoles étaient des citadelles, c'est-à-dire de petites cités fortifiées situées en hauteur. Elles abritaient des sanctuaires et des temples. Plusieurs villes antiques ont eu une acropole. L'Acropole* d'Athènes* a été construite au 5e siècle av. J.-C. Aujourd'hui, elle domine toujours la ville. On y trouve les ruines du Parthénon, un temple dédié à la déesse Athéna. Construit entre 439 et 424 av. J.-C., c'est sans doute le monument le plus prestigieux, non seulement de l'Acropole, mais d'Athènes et de toute la Grèce. D'ailleurs, on ne cesse de le restaurer, de le protéger et de le mettre en valeur.

*

Acropole : Du grec *acros*, qui signifie « élevé », et *polis*, qui signifie « cité ».

Athènes : Du nom de la déesse Athéna, protectrice de la cité, souvent représentée avec une chouette sur l'épaule. Athènes est la capitale de la Grèce.

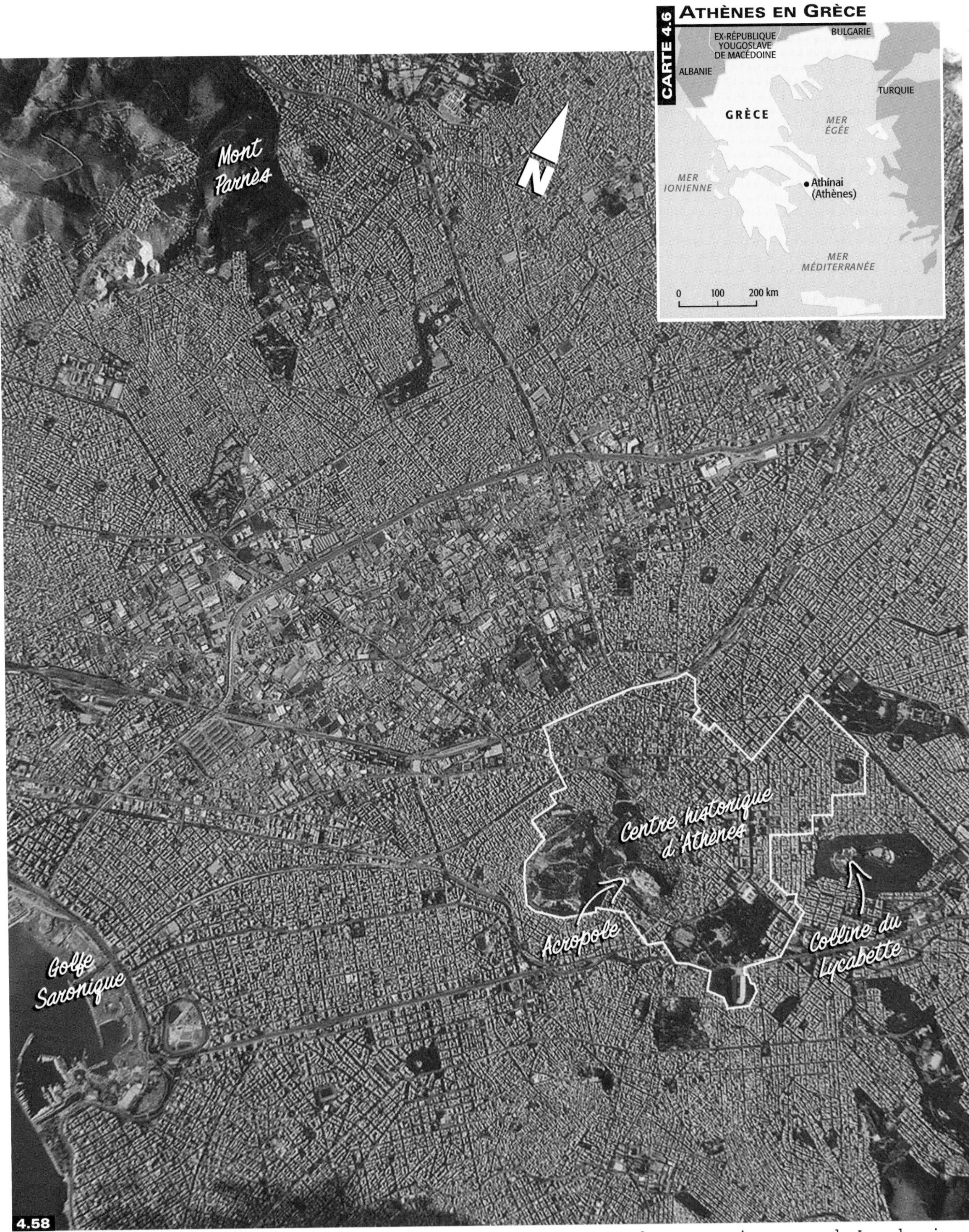

Athènes photographiée par les astronautes de la *Station spatiale internationale* le 7 octobre 2002. Les images de la Terre prises de l'espace peuvent être utilisées pour mieux planifier l'organisation d'une ville lorsque des travaux majeurs, comme les Jeux olympiques, l'exigent. Où s'installer ? Comment circuler ? Quoi protéger ?

L'Acropole a eu une vie mouvementée ! Elle a été conquise, occupée, incendiée, saccagée par des hordes d'envahisseurs et secouée par de nombreux tremblements de terre. Elle a aussi suscité l'intérêt des collectionneurs et des marchands. C'est ainsi qu'au début du 19e siècle, Lord Elgin, un diplomate britannique, est allé chercher des éléments décoratifs du Parthénon et les a apportés en Angleterre.

4.59

Ces éléments décoratifs du Parthénon, exposés au British Museum à Londres, retourneront-ils un jour à Athènes comme l'exige le gouvernement grec ?

Curieux

Lord Elgin : protecteur ou voleur ?

En 1802, ce diplomate britannique a fait transporter en Angleterre des éléments décoratifs du Parthénon. On peut les admirer au British Museum, à Londres. Certains l'ont sévèrement jugé pour cette action. D'autres reconnaissent que l'œuvre, abandonnée, était alors sérieusement menacée dans son site athénien. Aujourd'hui, des lois interdisent de transporter les objets d'art à l'extérieur d'un pays, à moins d'une autorisation officielle.

carrefour Histoire

La colline de la Pnyx : la démocratie au sommet

Vers l'an 500 av. J.-C., la ville d'Athènes est considérée comme le centre de la Grèce. Cette cité, la plus belle mais aussi la plus puissante de la mer Égée, se dote d'un mode de gouvernement inédit : la démocratie. Dans ce système politique, les citoyens jouent un rôle décisionnel.

C'est sur la colline de la Pnyx que se réunit, trois ou quatre fois par mois, en plein air, l'assemblée des citoyens (*ecclésia*). Là, les membres de l'*ecclésia* peuvent prendre la parole et voter sur toutes les décisions politiques importantes. Mais, attention, la démocratie athénienne a des limites ! Pour être considéré comme un citoyen, il faut être un homme âgé d'au moins 20 ans, né d'un père citoyen et d'une mère fille de citoyen. Les femmes, les Grecs venus des autres villes et les esclaves n'ont aucun droit. Dans les faits, à peine 15 % des habitants d'Athènes sont citoyens et peuvent occuper des postes dans l'État.

CARTE 4.7 **ATHÈNES, 5e SIÈCLE AV. J.-C.**

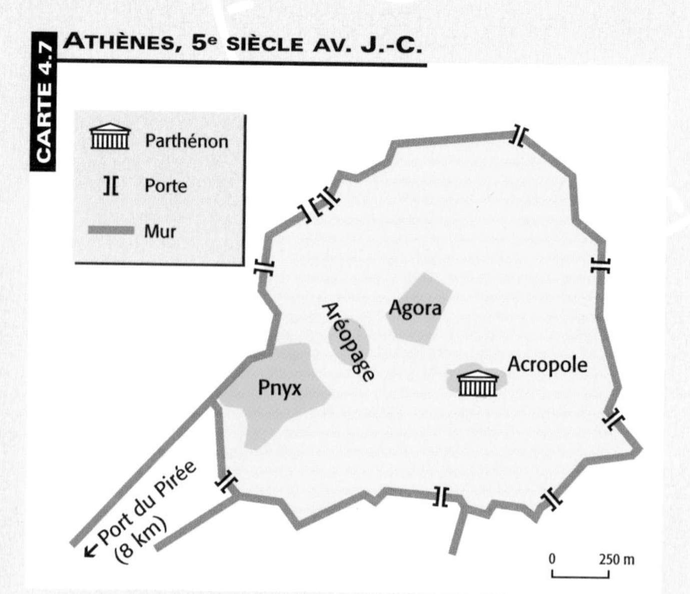

Agora : Place publique où se tient le marché.

Aréopage : Colline où on juge les criminels.

B... aux Jeux olympiques

Les touristes connaissent Athènes, capitale de la Grèce, pour ses sites antiques. Mais la ville ne se limite pas à son centre historique. C'est aussi une ville moderne en expansion. L'accueil des Jeux olympiques de 2004 a d'ailleurs eu pour effet d'accélérer la modernisation de la ville et de sa zone métropolitaine.

Comment a-t-on pu réaliser ces travaux dans une ville et même un pays qui a une si grande valeur patrimoniale aux yeux du monde? Voici deux regards sur cette question.

DÉVELOPPER

En 1896, Athènes organisait les Jeux olympiques, les premiers de l'ère moderne. Un peu plus d'un siècle plus tard, en 2004, elle les a de nouveau organisés; ce fut pour cette ville grecque une façon de s'ancrer fermement dans le 21e siècle.

Les Olympiques de 2004 ont, en effet, été une occasion pour Athènes de donner un nouvel élan à ses travaux de modernisation. La ville s'est alors transformée en véritable chantier. En plus des infrastructures sportives, la ville a modernisé ses voies de communication: extension du métro, construction d'un aéroport ultramoderne, ajout de voies rapides autour de la ville, etc. Ces améliorations ont permis de diminuer la circulation au centre-ville et, du même coup, la pollution de l'air.

Source: D'après *Grèce: Guide pratique de voyage*, Paris, Dakota, 1998, p. 80.

PROTÉGER

Sous les pressions des archéologues, le gouvernement grec a modifié plusieurs fois le tracé des nouvelles lignes du métro d'Athènes, construites pour les Jeux olympiques de 2004. Ces modifications ont retardé les travaux, mais elles ont permis de protéger le patrimoine. C'est ainsi qu'on a pu, par exemple, sauvegarder un cimetière antique qui était menacé. Ce cimetière, situé non loin de l'agora antique, fut le site d'inhumation de citoyens et de non-citoyens athéniens à partir du 6e siècle av. J.-C.

Source: D'après *Archéologia*, nº 342, 1998, p. 9.

4.60
Ce dessin illustre-t-il l'idée de «développement» ou l'idée de «protection»? Pourquoi?

Le chantier olympique d'Athènes ou les travaux d'Hercule

À Athènes, des observateurs ont comparé les travaux du chantier olympique des Jeux de 2004 aux douze travaux d'Hercule. Pourquoi ? Pour comprendre, il faut connaître le mythe* d'Hercule.

*

Mythe : Histoire qui met en scène des personnages divins, inventée pour répondre aux questions que l'être humain se pose sur ses origines et sur celles du monde.

Le mythe d'Hercule

Le demi-dieu Hercule, ou Héraclès chez les Grecs, fut l'un des plus grands héros de l'Antiquité. Un jour, il perdit la raison et tua, sous l'impulsion du moment, ses trois fils et sa femme. Puis, la raison lui revint sans qu'il puisse se rappeler ce qui s'était passé. Désespéré, il voulut expier sa faute. C'est alors que son cousin, roi de la ville de Mycènes, lui imposa une série d'épreuves, appelées les « travaux d'Hercule ». On en compte douze et aucune ne paraît réalisable. Mais l'histoire dit qu'Hercule les a toutes réussies.

Les douze travaux d'Hercule

1. Tuer le lion de Némée, une bête qu'aucune arme ne pouvait blesser. Il l'étrangla de ses mains.
2. Se rendre à Lerne pour y tuer l'hydre, un monstre à neuf têtes qui vivait dans une mare des alentours.
3. Ramener vivante une biche aux cornes d'or, rapide à la course, qui vivait dans les forêts.
4. Capturer un gigantesque sanglier qui se trouvait sur une montagne.
5. Nettoyer en un jour les écuries d'Augias, des étables qui abritaient des milliers de bœufs et qui n'avaient pas été nettoyées depuis 30 ans. Hercule détourna deux fleuves et les fit passer à travers les étables.
6. Exterminer de ses flèches les oiseaux installés autour d'un lac et qui étaient devenus, par leur nombre, un fléau pour les habitants de la région.
7. Dompter et rapporter de Crète un superbe taureau sauvage.
8. Enlever les chevaux mangeurs d'hommes appartenant au roi Diomède.
9. Aller chercher la ceinture de la reine des Amazones qui, croyant qu'Hercule voulait l'enlever, lui causa bien des difficultés !
10. S'emparer d'un troupeau de bœufs appartenant à un monstre à trois têtes. Pour y arriver, il dut séparer deux montagnes, appelées depuis les colonnes d'Hercule (Gibraltar et Ceuta).
11. Enlever les pommes d'or d'un jardin que gardaient trois nymphes. Atlas, qui portait le monde sur ses épaules, était le père de ces nymphes. Hercule lui proposa de porter lui-même le monde, pendant qu'Atlas irait cueillir les pommes pour lui.
12. Capturer Cerbère, un chien à trois têtes, en ne se servant d'aucune arme.

4.61

Ici, Hercule remplace Atlas au travail. Pourriez-vous maintenant expliquer pourquoi le livre qui rassemble les cartes géographiques s'appelle un « atlas » ?

Un chantier olympique dans une ville moderne

1er TRAVAIL : LOGER LES ATHLÈTES

Au pied du mont Parnès, à une vingtaine de kilomètres au nord d'Athènes, on a construit le village olympique. Une ville nouvelle est sortie de terre ! Environ 16 000 personnes (athlètes et officiels) y ont séjourné pendant les Jeux. Ce complexe de 366 immeubles à logements comprenait 2 zones sécurisées : la zone résidentielle (appartements, restaurants, centres de loisirs, etc.) et la zone internationale (centres commerciaux, musées, amphithéâtre, etc.). Cela a été le plus grand chantier des Jeux olympiques.

Des mesures de protection ont été prises lors de la construction du village olympique, car la région est située dans une zone à fort risque de tremblement de terre. Richesse du patrimoine archéologique athénien oblige ; le village a mis en valeur une partie d'un aqueduc romain datant de l'an 150.

4.63 Village olympique des Jeux de 2004, en chantier.

2e TRAVAIL : MODERNISER LE STADE OLYMPIQUE

Le stade olympique, cœur des Jeux d'Athènes, est situé à Maroussi, à environ 10 km au nord-est de la capitale. Il est le noyau du complexe sportif olympique d'Athènes. Un vaste projet de rénovation architecturale visait à faire du complexe olympique la « mémoire matérielle » de l'Athènes moderne. Le concept par lequel on a cherché à lui donner une identité tient en trois mots : acier, verre et verdure. Une promenade abritée offre une ombre appréciée en été. Une petite colline a été transformée en place centrale, façon amphithéâtre. Partout, des arbres ont été plantés : pins, cyprès, oliviers, ormes et peupliers. Les athlètes de plusieurs disciplines olympiques se sont mesurés au complexe sportif, par exemple, en athlétisme, en natation, en plongeon, en gymnastique, en basket-ball et en tennis.

4.62 Complexe sportif olympique d'Athènes, en chantier.

3e TRAVAIL : DIFFUSER DANS LE MONDE

Le centre de presse principal a été installé à environ 10 km au nord-est de la capitale (à côté du complexe sportif olympique). Constitué de 3 bâtiments disposant d'une technologie de communication de pointe, il a pu accueillir plus de 5500 journalistes pendant les Jeux olympiques. Autre construction imposante près du centre de presse : la tour abritant le centre de retransmission radiophonique et télévisuelle. Près de 10 000 personnes y ont travaillé. L'opérateur de retransmission était un consortium formé de la télévision publique grecque et d'une société privée.

4e TRAVAIL : RÉNOVER LE STADE DE MARBRE ET AMÉNAGER LE PARCOURS DU MARATHON

Le stade Panathinaïko, appelé « stade de marbre » (situé dans le centre historique d'Athènes), et la ville de Marathon (à environ 40 km au nord-est d'Athènes) sont des sites historiques mondialement connus. Le stade de marbre avait été construit pour accueillir les premiers Jeux olympiques modernes de 1896 ; il a été rénové pour le retour des Jeux en Grèce.

Traditionnellement, ce stade est le lieu de la remise de la flamme olympique et le point de départ de son parcours à travers le monde. Pour les Jeux de 2004, il a accueilli les athlètes de la discipline du tir à l'arc. Il a aussi été le point d'arrivée des concurrents de l'épreuve de course d'endurance, partis de Marathon (d'où le nom de l'épreuve, « marathon »). La route entre Marathon et le stade de marbre a dû être élargie et aménagée pour améliorer l'écoulement des eaux en cas de forte pluie.

5e TRAVAIL : RESTAURER DES MONUMENTS POUR LES JEUX

Selon les autorités, les Jeux olympiques ont été une excellente occasion de remettre en valeur certains monuments du centre historique d'Athènes. On a restauré le Parthénon, entrepris la construction d'un nouveau musée (musée de l'Acropole) et aménagé une promenade archéologique piétonnière. De plus, de nombreux chantiers ont permis de restaurer des bâtiments néo-classiques (ambassades, grands hôtels, résidence présidentielle, parlement) ou de rénover des places et des lieux publics jusqu'alors négligés. Pendant les Jeux de 2004, l'épreuve de cyclisme sur route a traversé le centre historique de la ville.

Pour réduire la pollution atmosphérique, responsable en partie de la détérioration des monuments, on avait promis de planter 100 millions d'arbustes et d'arbres. Bien que beaucoup moins d'arbres aient été plantés, de grands efforts ont été faits en ce sens.

6e TRAVAIL : FAIRE FLOTTER DES HÔTELS DANS LE PORT

Principal port du pays, Le Pirée est situé sur le golfe Saronique, à une dizaine de kilomètres au sud-ouest d'Athènes. Une première dans l'histoire des Jeux, une dizaine de bateaux de croisière y ont été ancrés pour loger environ 10 000 personnes. Un nouveau quai a dû y être aménagé. Le défi que constituait l'hébergement à Athènes pendant les Jeux olympiques était bien réel.

7e TRAVAIL : AMÉNAGER LE BORD DE MER

Deux nouveaux complexes multisports ont été aménagés sur le bord de la mer, dans les banlieues sud-ouest de la capitale. Situé près du port, le complexe olympique de la zone côtière de Faliro comprend le Stade de la paix et de l'amitié, rénové, un joyau de l'architecture moderne. Plus au sud, les nouvelles constructions du complexe olympique d'Helliniko ont été réalisées sur le site de l'ancien aéroport fermé en 2001. Ces complexes ont accueilli les compétitions de nombreux sports, notamment le volleyball, le base-ball, le softball, le taekwondo et le hockey sur gazon. Tout près du complexe d'Helliniko, sur le bord du golfe Saronique, une marina a été construite pour les épreuves de voile.

8e TRAVAIL : CONSTRUIRE DES INSTALLATIONS DANS LA BANLIEUE

Des installations permanentes pour un usage post-olympique ont été prévues dans les proches banlieues d'Athènes. Par exemple, on a construit des gymnases à Nikaia (dans la banlieue ouest d'Athènes) pour l'haltérophilie et à Galatsi (dans la banlieue nord) pour le tennis de table et la gymnastique rythmique.

Par ailleurs, pour éviter le problème de construire des structures permanentes au centre-ville, les installations de pentathlon moderne à Goudi, un quartier de la proche banlieue est, étaient démontables.

Des hôtels flottants pour les Jeux. Pourquoi avoir choisi des bateaux de croisière plutôt que des appartements pour loger les visiteurs ?

9e TRAVAIL : AMÉLIORER LES DÉPLACEMENTS DANS ATHÈNES

Dans la capitale, les déplacements sont un souci constant. Tous les chantiers liés au transport ont vraiment constitué des travaux herculéens (autoroutes, échangeurs, élargissement des voies existantes) ! L'autoroute Attiki Odos est un bel exemple de ces immenses chantiers liés au transport : partant de l'aéroport international d'Athènes, elle traverse au nord l'agglomération d'Athènes pour se diriger ensuite vers l'ouest. Ces chantiers liés au transport ont rendu la circulation extrêmement difficile. Cependant, aujourd'hui, le nouveau réseau améliore le quotidien des Athéniens.

ornithologique unique, une zone de marais recevant 176 espèces d'oiseaux. Ici, les autorités ont fait un compromis : un parc national de 1500 hectares a été créé et le plan d'eau a été construit.

12e TRAVAIL : AMÉNAGER LE SITE DU CENTRE ÉQUESTRE

Le centre équestre est l'un des plus grands travaux des Jeux. Il se situe à Markopoulo, un petit village typique à environ 20 km au sud-est d'Athènes. Les autorités en ont profité pour y transférer l'hippodrome d'Athènes. Les travaux ont été retardés par les contestations des habitants concernant les dédommagements pour expropriation. Là aussi, des fouilles ont exhumé des tombes anciennes qui ont été rendues accessibles au public[1].

4.65
Gymnase olympique de Galatsi, en chantier.

10e TRAVAIL : RELIER LES SITES PAR LE TRANSPORT EN COMMUN

Le transport en commun a aussi été amélioré. De nouvelles stations de métro ont été inaugurées pour les Jeux de 2004. Un nouveau train de banlieue relie le port du Pirée (au sud-ouest d'Athènes) à l'aéroport international d'Athènes.

Autre nouveau système de transport, le tramway desservait, lors des Jeux de 2004, tous les sites de compétitions du bord de mer (au sud-ouest d'Athènes) et les reliait au centre de la capitale.

11e TRAVAIL : CONSTRUIRE UN PLAN D'EAU POUR LES JEUX

La région d'Athènes ne disposait d'aucun plan d'eau digne des Jeux. Les autorités ont donc construit des installations à Schinias, à environ 40 km au nord-est d'Athènes, au bord de la mer Égée. Une ancienne base militaire américaine a été remplacée par un bassin de 2222 m. La découverte de vestiges archéologiques a retardé les travaux. De plus, des écologistes ont critiqué le choix de ce site : ils soutenaient que le projet menaçait un site

4.66
De nouvelles autoroutes pour faciliter les déplacements.

Et vous, voyez-vous un lien entre le mythe d'Hercule et le défi bien réel que représente un chantier olympique dans une ville ancienne ?

1. D'après une idée d'Hélène COLLIOPOULOU et de Frédéric SCAMPS, tirée du site Internet du Comité national olympique et sportif français.

Beijing : de la Cité interdite à la cité moderne

Si vous prenez l'avion à Montréal, il vous faudra plus de 20 heures pour vous rendre à Beijing*, la capitale de la Chine ! C'est très loin, mais est-ce bien différent du Québec ? Les Jeux olympiques de 2008 font connaître la ville de Beijing au monde entier : une ville en pleine réorganisation, dont le paysage change radicalement. Mais qu'est-ce qui change et pourquoi ? Commençons notre enquête à la Cité interdite, le lieu le plus célèbre de Beijing.

*

Beijing : Le mot « Beijing » signifie « capitale du Nord ». La ville est officiellement établie comme capitale de la Chine depuis 1421. « Beijing » est le nom de la ville en chinois ; en français, on dit aussi « Pékin ».

A Au cœur de la ville, la Cité interdite

Au cœur de la ville de Beijing depuis près de 600 ans, la Cité interdite abrite certains des édifices les plus importants et les mieux conservés de Chine. C'est un immense complexe de salles et de pavillons, protégé par des murs hauts de 10 m. Pourquoi l'appelle-t-on « Cité interdite » ? Parce qu'elle était auparavant réservée à l'empereur, qui y vivait « isolé » du reste de la ville. En effet, à l'intérieur des murs de la Cité, 24 empereurs entourés de leurs ministres, de leur famille et de leurs domestiques ont, chacun à leur tour, gouverné l'Empire chinois (dynasties Ming et Qing, de 1421 à 1911). La Cité était d'ailleurs considérée, par les Chinois, comme le centre de la Terre.

4.67

Cité interdite et ville moderne. Avec plus de 9000 pièces réparties sur plus de 72 hectares, la Cité interdite est une véritable ville dans la ville.

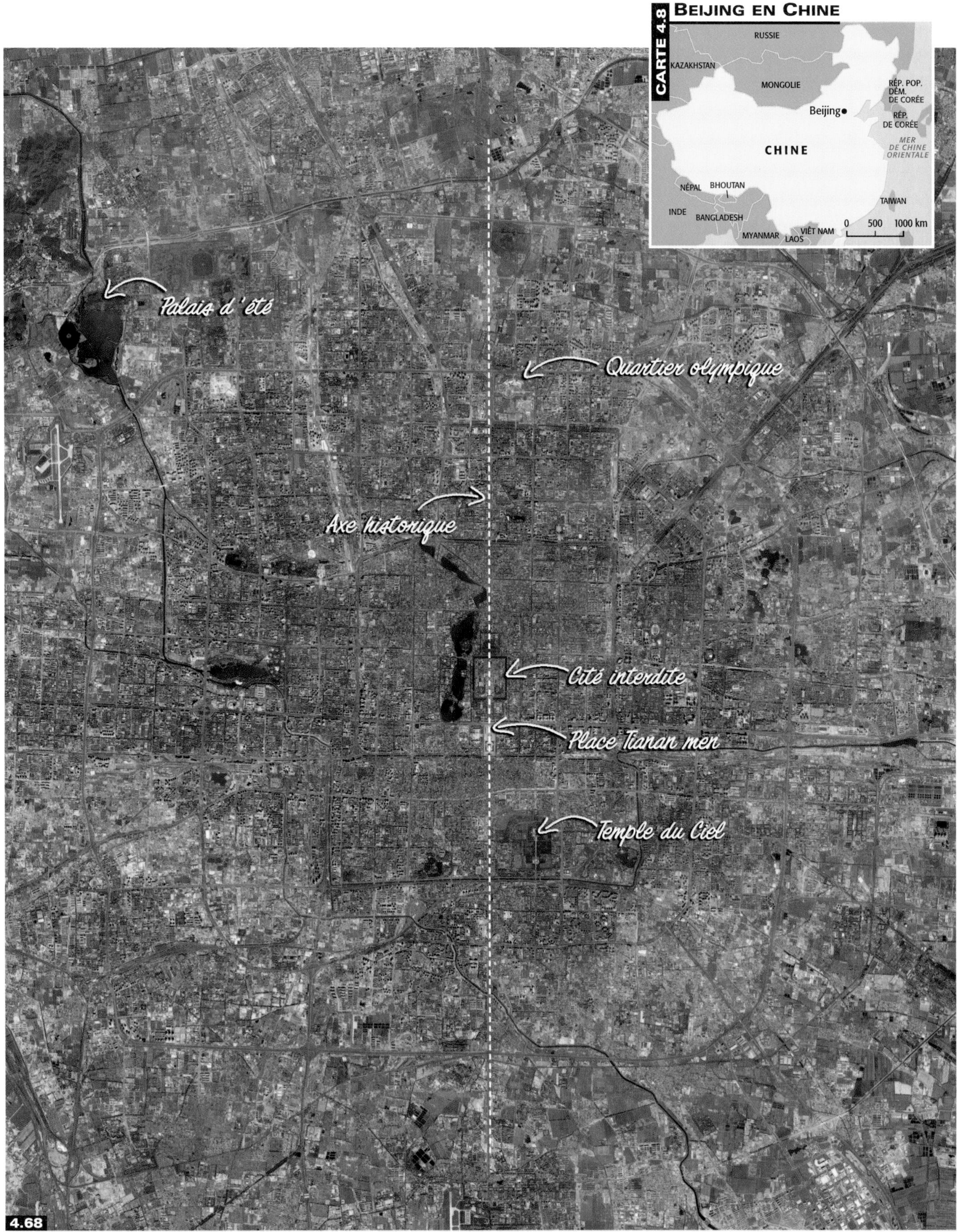

Sur cette image satellitale de Beijing, l'organisation de la ville en carrés apparaît clairement (image prise du satellite *Spot* 5 le 6 septembre 2002). Pourquoi la forme carrée est-elle si importante à Beijing ?

CARTE 4.9 CARTE SCHÉMATIQUE DE BEIJING

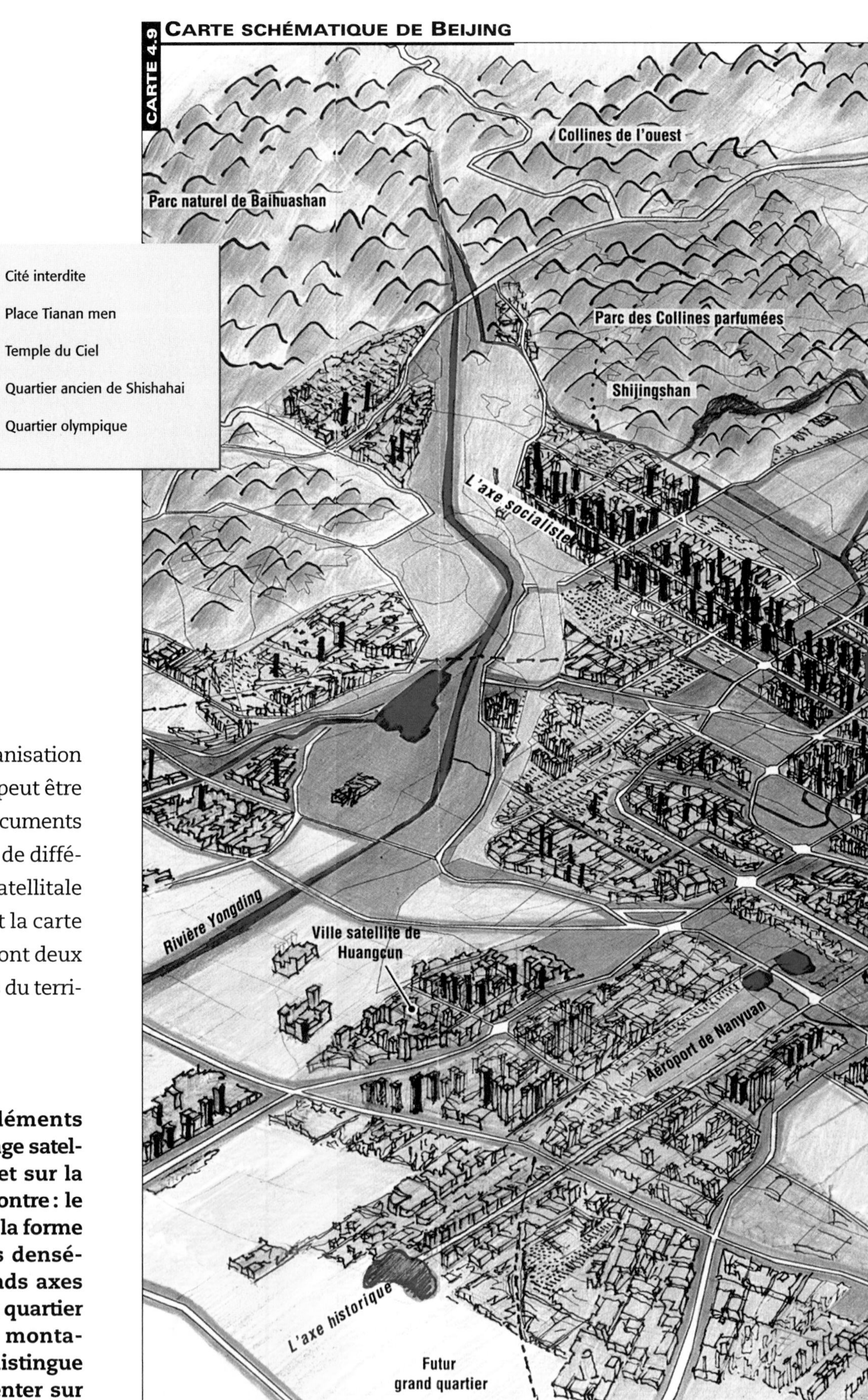

Source : Philippe Jonathan, architecte.

Pour bien lire l'organisation d'un territoire urbain, il peut être utile de comparer des documents qui représentent la ville de différentes façons. L'image satellitale de la page précédente et la carte schématique ci-contre sont deux types de représentations du territoire de Beijing.

Comparez les éléments suivants sur l'image satellitale (doc. 4.68) et sur la carte schématique ci-contre : le site de la Cité interdite, la forme de la ville, les espaces densément peuplés, les grands axes de circulation, le site du quartier olympique, la zone montagneuse. Qu'est-ce qui distingue la façon de les représenter sur chacun des documents ?

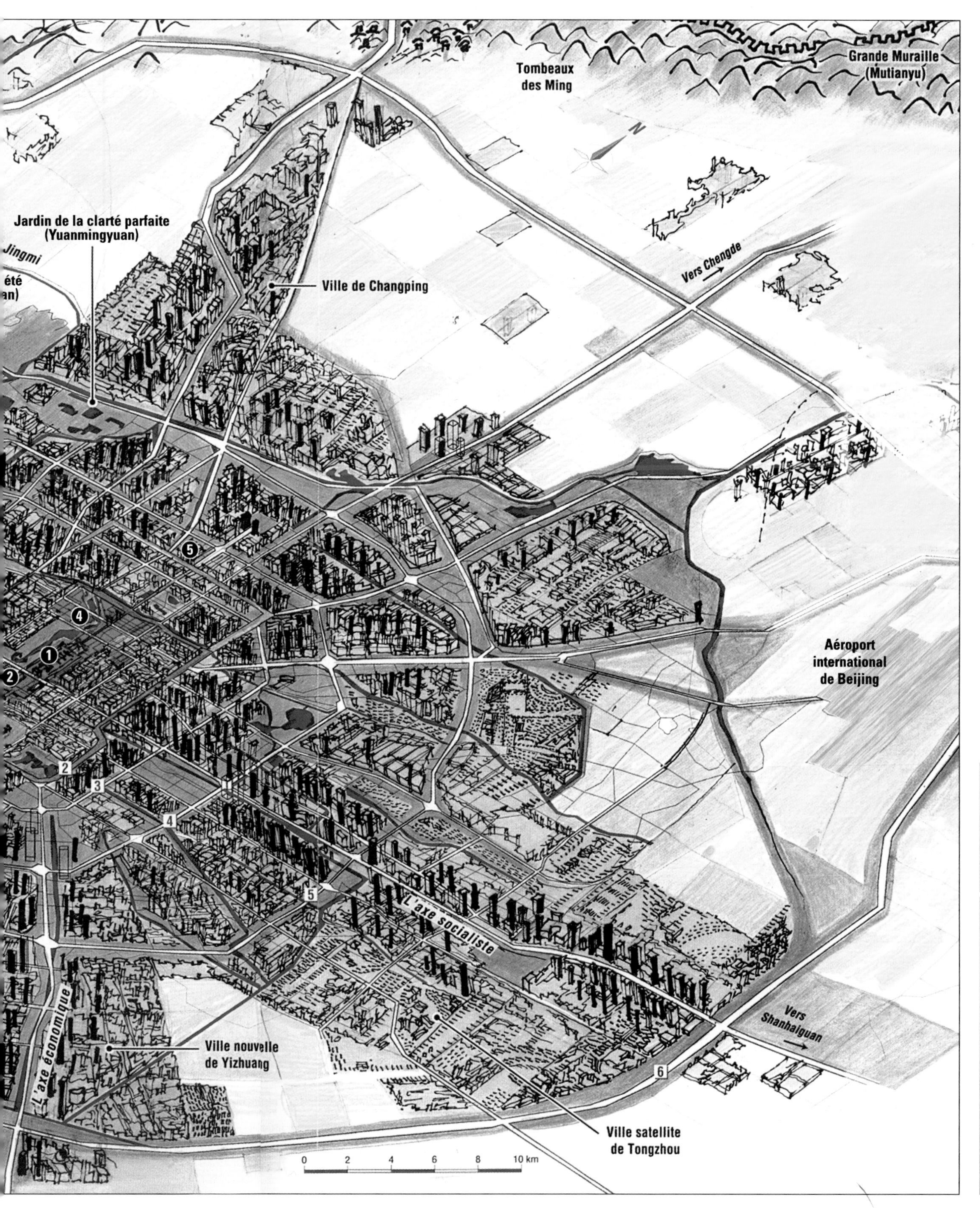
Tombeaux
des Ming
Grande Muraille
(Mutianyu)
Jardin de la clarté parfaite
(Yuanmingyuan)
Jingmi
été
an)
Ville de Changping
Vers Chengde
Aéroport
international
de Beijing
L'axe socialiste
L'axe économique
Ville nouvelle
de Yizhuang
Vers
Shanhaiguan
Ville satellite
de Tongzhou
0 2 4 6 8 10 km

La Cité interdite est un chef-d'œuvre architectural qui a été inscrit en 1987 sur la Liste du patrimoine mondial. Elle fut pratiquement détruite par un incendie en 1644. Reconstruite et rénovée à plusieurs reprises, elle n'en a pas moins gardé son plan d'origine. Le site comprend aussi de magnifiques jardins impériaux. L'équilibre entre les bâtiments et les espaces qui les entourent est harmonieux. Les édifices s'ordonnent parfaitement selon un axe nord-sud.

B Durant les années 1950

Jusqu'aux années 1950, la ville de Beijing était aménagée selon un modèle horizontal, caractérisé par des maisons basses, carrées, sans étages, à cour centrale. Puis, durant les années 1950, les urbanistes ont commencé à transformer la ville ancienne pour en faire une ville plus productive à leurs yeux. Les remparts qui entouraient la ville depuis des siècles ont été démolis. Des logements ont été construits. Un axe est-ouest de 40 km a été ouvert avec, à chaque extrémité, une zone industrielle. En 1959, le président chinois, Mao Zedong, a fait construire la place Tianan men (porte de la Paix céleste). Capable d'accueillir un million de personnes, c'est la plus grande place au monde.

En 20 ans, Beijing est devenue une ville verticale, où les constructions en hauteur surgissent dans tous les quartiers, sauf dans le centre historique. Cependant, le tracé ancien d'un paysage urbain en carrés emboîtés subsistera encore longtemps.

Curieux ?

L'origine de la forme du carré, si importante à Beijing

Observez bien l'image satellitale, à la p. 139. Le carré est une forme importante qui structure l'organisation de la ville. Maisons carrées à cour centrale, tracé des autoroutes, traces des anciens remparts : pourquoi donc tous ces carrés ? Cela provient, à l'origine, de la forme carrée laissée sur le sol par les deux pieds réunis de l'empereur à la base de son trône. C'est à partir de cette trace symbolique que la Cité interdite a été érigée, puis que la ville s'est développée selon un axe nord-sud. Les quatre points cardinaux forment aussi un carré virtuel ; pour les Chinois, il symbolise la force cosmique de l'orientation.

Source : D'après Pierre GENTELLE, *Chine et « Chinois » outre-mer à l'orée du XXIe siècle*, Paris, Éditions SEDES, 1999, p. 190.

La place Tianan men vue de la porte Tianan men. D'importants événements contemporains s'y sont déroulés. En 1989, des manifestations populaires contre le gouvernement ont été réprimées par l'armée.

Au temps des Jeux olympiques

Au cours des dernières années, la ville de Beijing est devenue une véritable région. Elle s'étend jusqu'à la Grande Muraille, au nord. À l'exception de quelques monuments qui ont été conservés et bien restaurés, on ne trouve dans le centre historique que de rares vestiges du patrimoine (comme la Cité interdite ou le temple du Ciel). Des quartiers entiers du vieux Beijing datant des 13e et 14e siècles ont été rasés. Le rythme de la reconstruction a été très rapide. Les édifices modernes se sont multipliés. Des quartiers d'affaires et des centres commerciaux ont fait leur apparition. Au tournant du siècle, les lignes de métro et les autoroutes urbaines ne suffisaient plus pour décongestionner le centre-ville. L'annonce de l'accueil des Jeux olympiques de 2008 a ainsi permis d'accélérer l'amélioration nécessaire du transport en commun et du réseau routier (élargissement des rues, construction de nouvelles lignes de métro, etc.), mais cela au prix de nombreuses démolitions supplémentaires[1].

4.70

Qu'est-ce que la Cité interdite fait à côté d'autoroutes et de gratte-ciel ? La ville de Beijing cherche à transmettre un message : lequel, selon vous ?

1. D'après Caroline PUEL, « Chine, le nouveau sac de Pékin », *Le Point*, n° 1477, 5 janvier 2001, p. 50.

Où se trouve le quartier olympique à Beijing ?

Observez bien, sur l'image satellitale de la page 139, où se situe le quartier olympique des Jeux de 2008. Pourquoi là et pas ailleurs ?

- Le quartier olympique se trouve à 4 km au nord de la Cité interdite. Il se situe dans le prolongement de l'axe historique nord-sud de la ville. Ce choix symbolise, dit-on, l'intégration culturelle de l'ancien et du moderne à Beijing.
- Ce choix permet de réutiliser des aménagements des 11e Jeux asiatiques de 1990.
- Le quartier olympique se trouve dans un périmètre bien desservi par le transport en commun, ce qui facilite les déplacements des visiteurs. De plus, l'aéroport international de Beijing est près, soit à environ 28 km au nord-est.

On a décidé de mettre le site en vente après les Jeux en ne conservant que certaines installations. L'objectif est d'en faire un espace commercial afin de promouvoir le développement des quartiers au nord de la ville.

Une ville verte ?

Comme conséquence du fort développement des dernières années, Beijing connaît de sérieux problèmes de pollution. En 1998, la ville a été classée par l'Organisation mondiale de la santé (OMS) au troisième rang des villes les plus polluées du monde. La circulation automobile et le charbon sont les principaux responsables de la pollution de l'air. Industries, centrales thermiques, chauffage, tout fonctionne au charbon. Et puis, Beijing subit également des tempêtes de sable, causées par la désertification des terres avoisinantes.

Des mesures environnementales sont prises pour améliorer la situation. Peu à peu, le charbon est remplacé par le gaz naturel, combustible plus propre. De plus, des sites industriels sont fermés ou déplacés à l'extérieur de la ville. Des parcs sont aménagés. Un gigantesque programme de reboisement, appelé la « grande muraille verte », tente de corriger le problème de la désertification.

Les dirigeants de la ville s'inquiètent pourtant. En 2008, pour des « Jeux verts », la qualité de l'air doit être conforme aux standards de l'OMS.

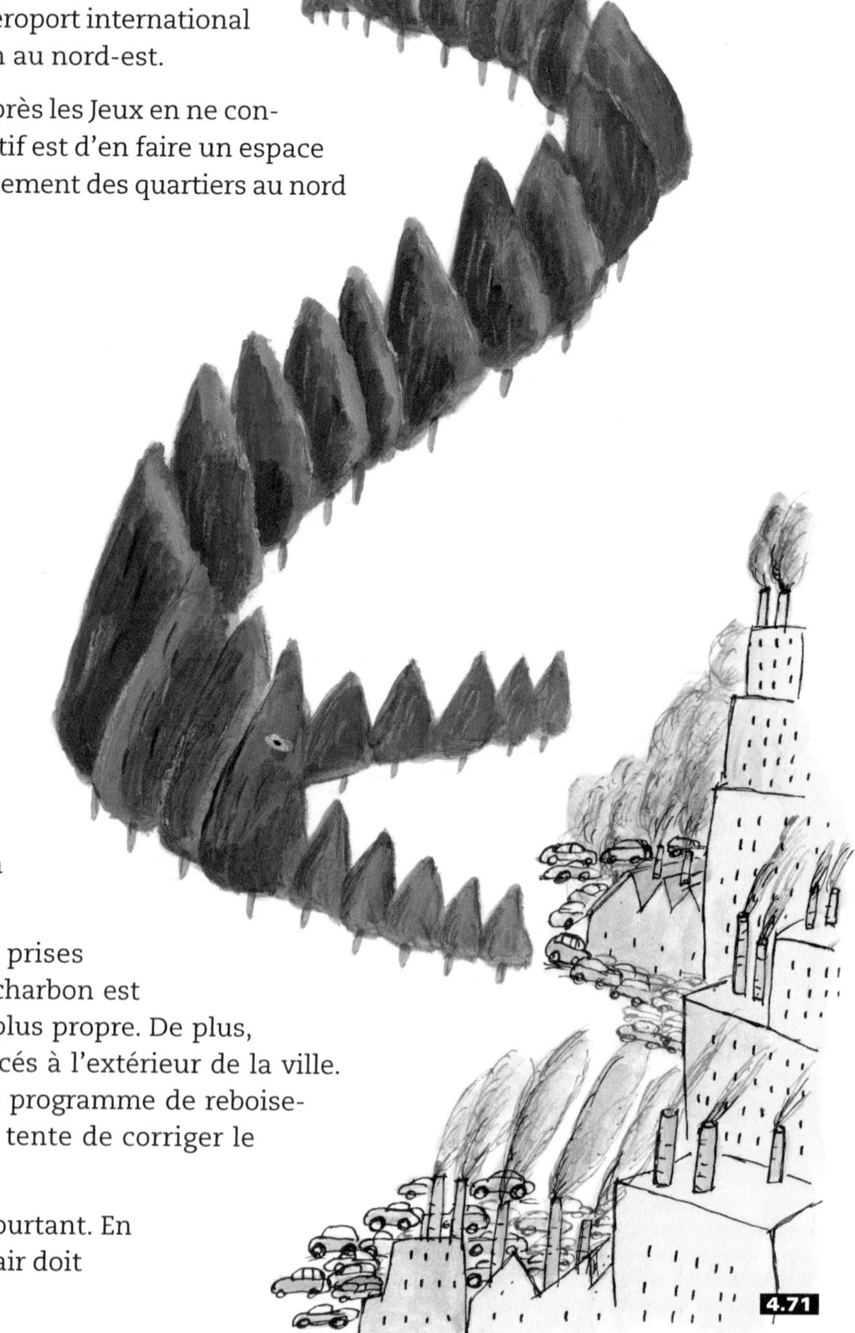

4.71

L'ancien Beijing a-t-il un futur ?

DE L'ANCIEN...	... AU MODERNE
La conservation du patrimoine culturel de Beijing a commencé dans les années 1980. À la demande de la Chine, la Cité interdite et le temple du Ciel ont été inscrits sur la Liste du patrimoine mondial de l'Unesco respectivement en 1987 et en 1998.	La modernisation de la ville est une priorité de la Chine depuis les années 1970. L'annonce, en 2001, de la tenue des Jeux olympiques à Beijing en 2008 a accéléré le mouvement.
Pendant longtemps, les habitants ont circulé à bicyclette dans la ville. En 2000, 90 % des transports urbains se faisaient encore à bicyclette et en autobus. Certains voient le vélo comme le mode de transport le plus efficace dans une ville et un pays aussi peuplés.	Ces dernières années, la ville a construit de grandes artères. Pour les Jeux de 2008, 733 km de nouvelles voies auront été ajoutées afin de faciliter la circulation des véhicules. Cinq nouvelles lignes de métro ont été ajoutées au réseau. Certains considèrent le transport en commun comme le moyen le plus efficace pour répondre aux besoins modernes.
Les quartiers anciens sont caractérisés par des petites maisons basses avec une cour carrée et des *hutongs*, petites ruelles tortueuses traditionnelles. Des urbanistes considèrent ces vieux quartiers comme la richesse patrimoniale et touristique de la ville.	Les vieux quartiers ont été largement détruits depuis les années 1990 pour faire place à des commerces, à des bureaux et à des hôtels modernes. Des urbanistes voient ces vieux quartiers comme des obstacles au développement moderne de la ville.
À 70 km au nord de Beijing, la Grande Muraille est sans doute le monument le plus célèbre de Chine. Ouvrage défensif de 6000 km et vieux de plus de 2500 ans, la Muraille est partiellement en ruine. Un tiers du monument a déjà disparu à cause de l'usure du temps, du développement économique et du tourisme de masse. L'Association des amis internationaux de la Grande Muraille tente d'en protéger et d'en réparer certaines parties.	De pauvres villageois ont utilisé des pans de la Grande Muraille pour se bâtir des maisons. Ils y ont aussi creusé des greniers à céréales. Une administration locale a même rasé une partie de la Muraille pour faciliter l'accès à une route importante.

4.72
Quelles menaces pèsent sur ce quartier ancien ?

Hériter d'une ville : qu'en pense **Dinu Bumbaru** ?

Territoires a rencontré Dinu Bumbaru, directeur des politiques à Héritage Montréal. Cet organisme œuvre pour la protection du patrimoine de la ville.

Monsieur Bumbaru, pouvez-vous nous dire en quelques mots qui vous êtes ?

Bien sûr ! Je suis né à Vancouver, d'une mère québécoise et d'un père roumain, mais j'ai presque toujours habité Montréal. J'ai étudié les sciences au collège, puis l'architecture à l'Université de Montréal. C'est grâce à mon père, un ingénieur imaginatif et un voyageur, et à ma mère, qui m'a fait aimer le dessin, que j'ai voulu devenir architecte. Depuis 1982, je travaille à Héritage Montréal.

Héritage Montréal, qu'est-ce que c'est ?

Il s'agit d'un organisme privé, c'est-à-dire indépendant des gouvernements et de la ville de Montréal, mais ouvert à tous. Le bureau est situé dans un bâtiment historique – le monastère du Bon-Pasteur. L'organisme vise à faire découvrir la diversité du patrimoine (historique, architectural, naturel et culturel) aux gens et à les encourager à le protéger. Il veut aussi inciter les citoyens à surveiller les actions de leurs élus afin que le patrimoine des différents quartiers soit préservé.

Lorsque cela est nécessaire, il fait valoir son opinion auprès des autorités et des médias pour sensibiliser les décideurs aux enjeux du patrimoine dont ils ne tiennent pas toujours compte autant qu'ils le devraient.

4.73

Dinu Bumbaru.

Pourquoi vous intéressez-vous au patrimoine urbain de Montréal ?

J'ai toujours vécu en ville, dans un quartier où les ruelles étaient vivantes, les familles nombreuses et les accents multiples ! Quand on prend le temps de regarder la ville et son architecture, au lieu de ne voir que le trottoir, on fait des découvertes. À Montréal, je me suis toujours passionné pour les escaliers et le quartier chinois.

Vous êtes aussi secrétaire général du Conseil international des monuments et des sites (ICOMOS). Quel y est votre rôle exactement ?

Mon travail principal est à Héritage Montréal mais je suis, en effet, bénévole à l'ICOMOS. À titre de secrétaire général de l'ICOMOS, je vois entre autres tâches au bon fonctionnement du réseau du Conseil. L'ICOMOS regroupe plus de 140 comités répartis dans le monde et des milliers de personnes ! Je suis aussi responsable d'organiser les assemblées générales : celle de 2005 à Beijing et celle de 2008 à Québec. Enfin, je représente l'ICOMOS dans de nombreuses rencontres et auprès d'autres organismes.

De quoi parle-t-on dans ces rencontres ?

De beaucoup de choses ! L'ICOMOS s'intéresse aux églises et aux usines, aux fontaines et aux jardins, aux villes et aux paysages... Nous discutons des vestiges de civilisations disparues, mais aussi des premiers gratte-ciel construits à Manhattan ou encore de la reconnaissance des villages traditionnels de certaines cultures. De plus en plus, nous abordons la question des mesures d'urgence à adopter lorsque le patrimoine est en danger, comme en Irak après l'intervention américaine en 2003, ou après une catastrophe naturelle comme les inondations du Saguenay en 1996.

Vous êtes allé à Bam, en Iran, après le séisme de 2003. Qu'avez-vous constaté ?

La ville était dévastée. Des tentes remplaçaient les maisons détruites, et il y avait des autos abandonnées partout dans les rues... Il y avait aussi énormément de poussière dans l'air à cause des briques et du mortier qui avaient été pulvérisés.

De loin, l'oasis où se trouve la ville ancienne (Arg-e Bam) semblait intacte, car on voyait les dattiers encore debout. De près, c'était bien différent. Les tours de la majestueuse muraille entourant la cité historique ont éclaté sous la force du séisme. La grande porte s'est effondrée et le château fort s'est fissuré. Partout, le site était jonché de débris, de tas de briques en argile crue qui avaient résisté à plusieurs siècles d'histoire faisant d'Arg-e Bam l'une des plus vastes constructions de terre du monde !

J'ai aussi pu constater que les personnes responsables du patrimoine à Bam étaient déterminées et qualifiées. Elles ont fait état de ce dont elles avaient besoin. À partir de là, des organismes comme le nôtre ont évalué la façon dont l'aide pouvait être apportée.

4.74

Bam (Iran) après le séisme de 2003.

Comment peut-on penser restaurer des sites patrimoniaux alors qu'il y a tant de sans-abri ?

En m'intéressant au patrimoine, j'ai appris une chose : les personnes disparues depuis des siècles restent « vivantes » à travers l'héritage qu'elles laissent. Bien sûr, dans une situation d'urgence comme celle de Bam, la vie des gens prime ! Cependant, il ne faut pas oublier que le patrimoine devient un repère culturel et un symbole d'identité aux yeux des survivants.

Que peuvent faire les villes des pays moins riches pour protéger leur patrimoine et leur environnement tout en développant leur économie ?

Une bonne manière de protéger son patrimoine, c'est de s'en servir de façon intelligente plutôt que de le détruire ou de le laisser à l'abandon ! Prenons l'exemple d'une ville en pleine croissance qui veut agrandir sa mairie : pourquoi détruire et construire du neuf si on peut rénover un ancien édifice plus grand ? Les gens sont aussi parfois très sensibles à la protection de leur patrimoine. C'est intéressant d'utiliser leur savoir-faire, transmis de génération en génération.

Il arrive aussi que des villes décident de se jumeler pour s'entraider. C'est le cas d'Hanoi (Viêt Nam) et de Toulouse (France), par exemple.

Puis, quoi faire si une ville ne peut pas investir dans la conservation du patrimoine parce qu'elle doit en priorité assainir son eau ? Certains gouvernements peuvent aider en envoyant des spécialistes, de l'argent ou encore de l'équipement. C'est ce que fait le gouvernement japonais ; il aide plusieurs villes du Népal à mettre en valeur leur patrimoine.

Les villes les plus riches protègent-elles suffisamment leur patrimoine ?

Non, malheureusement. Certaines villes privilégient la richesse industrielle et les profits à court terme au détriment du patrimoine. D'autres donnent la priorité à des restaurations spectaculaires, mais négligent l'entretien régulier de certains édifices ou quartiers ! Alors, quand on parle de « développement durable », n'est-il pas un peu illogique qu'on veuille recycler de vieux journaux ou des canettes et qu'on laisse démolir des bâtiments encore utilisables, ou qu'on remplace de beaux escaliers ou des fenêtres en bois qui n'ont besoin que d'un peu de réparations et d'entretien ?

Mais on ne peut pas tout conserver pour les générations futures !

C'est vrai. L'important, c'est de faire des recherches sur le passé et l'identité d'une ville mais, aussi, de bien comprendre ce qu'elle représente pour ses citoyens. En fait, cela revient à se demander : « Qu'est-ce qui fait la personnalité de ma ville et quels sont les édifices ou les lieux qui l'expriment ? »

Plusieurs personnes aident à prendre des décisions sur le patrimoine : celles qui le connaissent, comme les historiens et les archéologues, celles qui le font connaître, comme les gens des musées et les journalistes, celles qui œuvrent à sa reconnaissance, comme les organismes publics et privés, et celles qui en prennent soin, comme les propriétaires, les artisans et les scientifiques. Chacune de ces personnes peut aider à déterminer si un bâtiment ou un site a une valeur qui nous amène à vouloir le conserver, et parfois à l'enrichir, pour le transmettre.

Quels défis les grandes villes du monde devront-elles relever en matière de conservation du patrimoine ?

Les défis sont nombreux ! Prenons l'exemple de l'eau, source de vie. Imaginons un fleuve ou un canal de navigation qui traverse une ville. Imaginons qu'il est au cœur de l'histoire et de l'activité économique de la ville. Il y a un port, ancien mais en développement depuis des siècles, qui a amené la construction de différents bâtiments devenus patrimoniaux. Il faudra peut-être assainir l'eau, construire un nouveau pont, aménager les rives pour les loisirs, préserver certains écosystèmes, restaurer le système d'aqueduc et mettre en valeur les fontaines de la ville que le fleuve ou le canal alimente... Tout est lié.

Le patrimoine, que d'enjeux pour les territoires vivants que sont les villes !

FAIRE DE LA GÉO EN... interprétant des photos

Vous avez sûrement déjà admiré un jour les splendides photos d'une revue de géographie. Mais vous êtes-vous déjà demandé si ces images montraient la réalité, toute la réalité ? Se peut-il que vous ayez parfois été bernés ?

Géographes en herbe, à vos lunettes ! Voici quelques questions à vous poser pour bien « lire » une photo.

- Qui a pris cette photo ? Où ?
- Dans quel but cette photo a-t-elle été prise ? Par exemple, est-ce un souvenir de voyage, est-ce pour un reportage sur l'environnement, une publicité touristique, une promotion gouvernementale, un article à sensation, une revue scientifique ?
- Qu'est-ce qui retient votre attention sur la photo ? L'effet de « séduction » cache-t-il quelque chose ? Par exemple, vous admirez la photo d'un magnifique coucher de soleil sur le fleuve mais... en réalité une odeur nauséabonde de pollution se dégage à l'endroit où la photo a été prise.
- Pourriez-vous trouver des photos qui montrent une autre facette de la réalité photographiée ? Par exemple, une photo montre la misère d'un bidonville au Brésil mais... une autre pourrait montrer la richesse extrême d'un quartier à proximité. Ou une photo donne l'impression que toute une ville est moderne (doc. 4.75) alors qu'en réalité il ne s'agit que d'une petite partie d'une ville qui existe depuis longtemps (doc. 4.76).
- Qu'y a-t-il à l'extérieur du cadre de la photo ? Le cadrage d'une photo reflète le choix du ou de la photographe. Essayez d'imaginer ce que vous ne voyez pas mais qui peut influencer le sens de l'image. Par exemple, vous admirez une photo d'animaux sauvages mais... vous ne voyez pas qu'ils sont dans un zoo ! Ou une autre sur laquelle on montre un enfant autochtone en costume traditionnel (doc. 4.77) mais... vous ne voyez pas qu'il s'est déguisé pour un spectacle (doc. 4.78).
- La photo a-t-elle été transformée techniquement (montage avec un logiciel spécialisé, recadrage, etc.) ? Par exemple, a-t-on effacé une partie de la photo ? Ou, comme nous l'avons vu au dossier 2 (doc. 2.53), est-elle le résultat d'une juxtaposition de deux photos ?

Et maintenant, faites l'exercice ! Choisissez une photo dans une revue de géographie, dans un site Internet ou dans ce manuel. Observez-la en vous posant ces questions...

4.75

4.76

4.77

4.78

CARTO

Réaliser une carte schématique

Un étudiant de Trois-Rivières se rend à Québec en automobile pour photographier cinq sites : le Château Frontenac, Place-Royale, le Vieux-Port, l'édifice Price et le Centre des congrès. Il a en main un plan touristique de la ville.

Un plan touristique regroupe de l'information qui attire les touristes et répond à leurs besoins. Dans ce type de plan, toutes les rues ou tous les sites ne sont pas représentés. Par exemple, sur le plan ci-dessous, on met l'accent sur certains sites du Vieux-Québec ; on aurait tout aussi bien pu attirer l'attention sur certains quartiers de la Basse-Ville riches en information sur l'évolution de Québec et la vie de ses habitants.

CARTE 4.10 PLAN TOURISTIQUE DE QUÉBEC

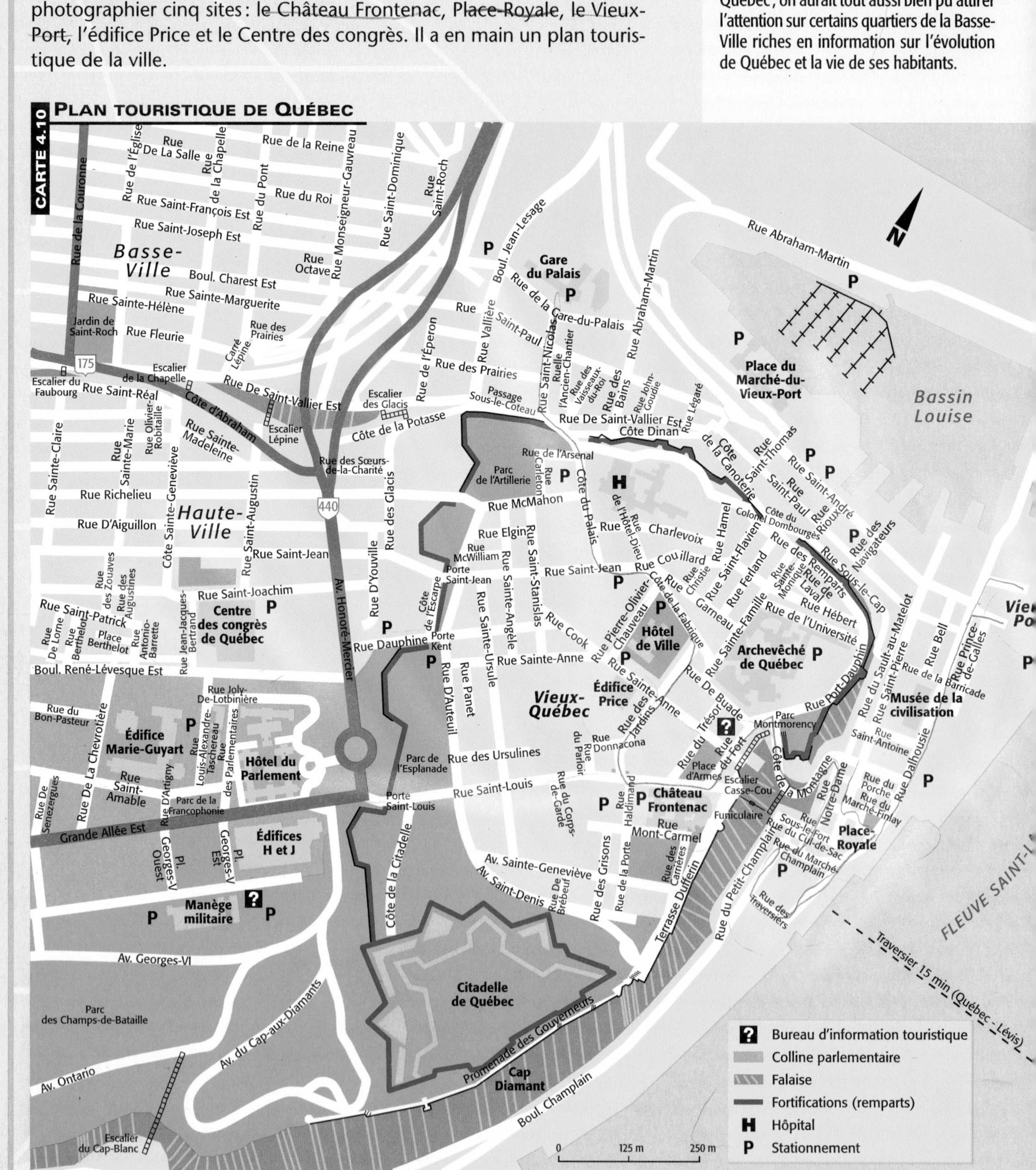

Pour mieux s'y retrouver, il trace une **carte schématique** de son itinéraire à partir de ce plan. Sur cette carte :

- il localise les cinq sites ;
- il établit dans quel ordre il fera sa visite ;
- il décide des rues et des routes qu'il empruntera.

Son tracé tient compte de deux contraintes :

- il arrive par la Grande Allée Est ;
- il n'utilisera pas sa voiture pour se rendre aux sites qui se trouvent à l'intérieur des remparts.

Voici à quoi ressemble sa carte schématique.

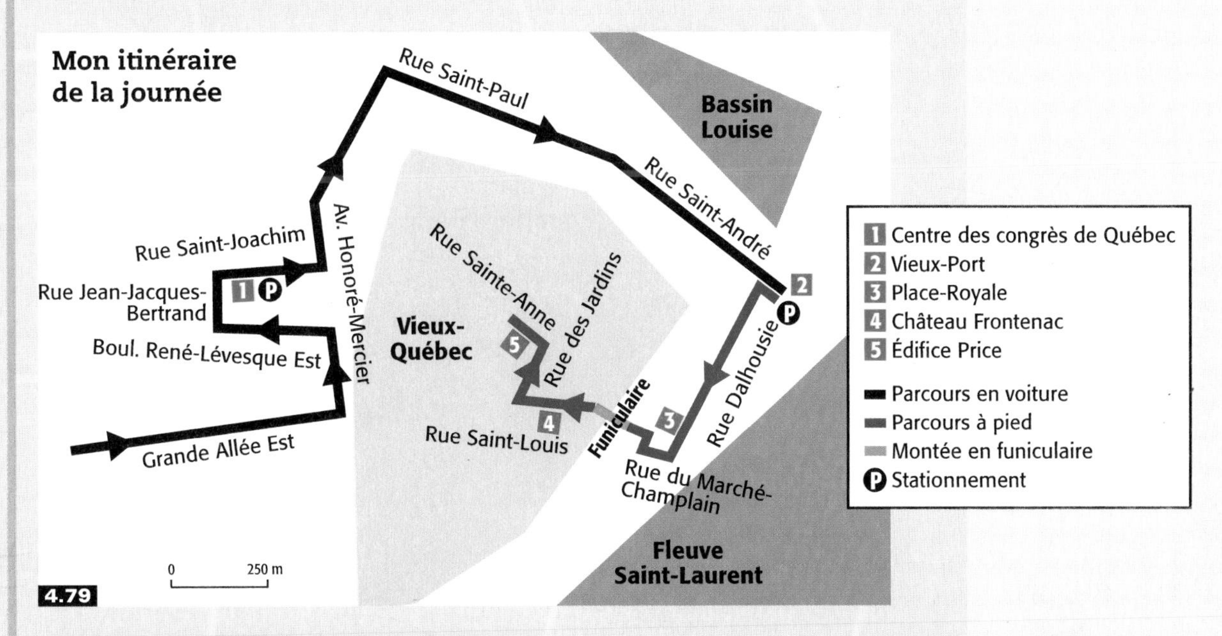

Que faut-il retenir de cet exemple ?

Pour réaliser une carte schématique, il faut :

- bien déterminer son intention, c'est-à-dire le but dans lequel on réalise la carte ;
- se documenter pour obtenir des renseignements justes ;
- selon son intention, dégager les éléments essentiels à représenter ;
- tracer la carte : lui donner un titre ; indiquer l'échelle si possible ; représenter les éléments essentiels à l'aide de signes et de symboles et concevoir une légende.

Imaginons maintenant que notre Trifluvien arrive en autobus à Québec et qu'il descend à la gare du Palais. Comme il se déplace à pied, il a décidé d'éliminer de son parcours l'arrêt au Centre des congrès. Il se rendra donc seulement aux quatre autres sites. Toutefois, il fera un aller-retour à Lévis sur le traversier, pour tenter de photographier la ville vue de l'autre côté du fleuve Saint-Laurent ! Aidez-le à tracer son itinéraire en réalisant une carte schématique.

À vos ordinateurs !

Faire une recherche dans Internet

À partir d'une recherche dans Internet, choisissez trois sites inscrits comme biens du patrimoine mondial.

Créez un tableau à l'aide d'un logiciel de traitement de texte, dans lequel vous noterez les renseignements suivants :

- le nom du site patrimonial ;
- le nom du pays ;
- les critères (voir p. 100-101) ayant permis d'inscrire ce site comme patrimoine mondial ;
- les raisons pour lesquelles vous avez choisi ce site patrimonial.

Ajoutez à votre document trois photos ou images illustrant le cachet unique des sites choisis.

ASTUCE Pour trouver de l'information dans Internet, utilisez un moteur de recherche et entrez des mots clés comme OVPM, Unesco, ville patrimoniale, patrimoine et tourisme, sites culturels, etc. Il n'est pas nécessaire de connaître les adresses Internet pour se lancer dans la recherche.

Si vous copiez des photos d'un site Internet, vérifiez sur ce site si on vous donne la permission d'utiliser ces photos. Et n'oubliez pas d'indiquer la source de ces photos sur votre document !

ÉTUDE DE CAS ÉTUDE DE CAS • ÉTUDE DE CAS • ÉTUDE DE CAS

Et ça, c'est patrimonial ?

Dans votre localité, un comité est formé pour établir la valeur patrimoniale d'un ancien édifice industriel. Les membres du comité doivent d'abord trouver des réponses aux questions suivantes : quelle est la date exacte de la construction de l'édifice ? Quelle était exactement sa fonction ? Y avait-il auparavant d'autres édifices à proximité qui sont aujourd'hui disparus ? Pourquoi cet édifice a-t-il une plus grande valeur qu'un autre ? Si l'édifice est reconnu comme ayant une valeur patrimoniale, quelle influence cela aura-t-il sur l'aménagement de la ville ?

Pour connaître les réponses à ces questions, les membres du comité doivent faire des recherches. Ils ont accès à de nombreux documents et illustrations, dont des archives. Parmi ces différents documents, lesquels seraient les plus utiles au comité, selon vous ? Pourquoi ?

- Des documents écrits, comme des témoignages, des textes de loi, des procès-verbaux (écriture officielle de ce qui a été dit ou fait dans une réunion), des journaux.
- Des illustrations, comme des plans de ville, des cartes postales, des peintures, des plans d'aménagement, des photos, des images satellitales.
- Des entrevues ou enquêtes auprès de personnes qui ont travaillé dans le bâtiment ou l'ont connu autrement à différentes époques.

À propos de la photo d'ouverture

Cette photo prise sur la rue Sainte-Catherine à Montréal, en plein centre-ville, montre la tour de verre de la Maison des Coopérants et la cathédrale Christ Church. Quels liens peut-on établir entre cette photo et le thème de ce dossier (patrimoine urbain) ?

- La photo présente un contraste évident entre deux édifices : un contraste architectural (matériaux et formes), un contraste des fonctions (édifice religieux et tour à bureaux) et un contraste des valeurs (le clocher tend vers Dieu, tandis que la hauteur du gratte-ciel symbolise le pouvoir et la maîtrise technologique).
- Elle témoigne aussi de l'évolution d'un territoire urbain dans le temps, d'hier à aujourd'hui. C'est clair : des choix ont été faits ! Des édifices ont été détruits pour construire le gratte-ciel et l'église anglicane ancienne a été conservée. Peu importe la ville où l'on se trouve dans le monde : des choix doivent être faits.
- Elle illustre enfin une question bien actuelle au Québec : comment gérer le patrimoine religieux dans des villes en développement et... dans une société où la population pratique moins la religion ?

1. **Quel titre donneriez-vous à cette photo ?**
2. **Faites une recherche pour trouver une autre photo qui aurait pu servir d'ouverture à ce dossier. Justifiez votre choix.**
3. **À proximité de l'église illustrée sur la photo, il y a un grand centre commercial souterrain appelé les Promenades de la Cathédrale. Voyez-vous un lien ?**
4. **Quelle photo prendriez-vous pour illustrer le contraste entre l'ancien et le moderne dans votre localité ?**

POUR EN savoir plus...

Des livres et des périodiques

Général

RAGON, Michel. *C'est quoi l'architecture ?*, Paris, Éditions du Seuil (coll. Petit Point), 1991, 91 p.

Québec

LAMBERT, Serge, et Jean-Claude DUPONT. *Québec, une histoire capitale*, Sainte-Foy, Éditions GID (coll. 100 ans noir sur blanc), 1998, 215 p.

LAPOINTE, Camille. « Les multiples visages de la place Royale », *Cap-aux-Diamants*, nº 50, été 1997, p. 42-44.

STANTON, Danielle. « La résurrection de la Basse-Ville », *L'actualité*, vol. 23, nº 12, août 1998, p. 56-59.

Paris

ARTHUS-BERTRAND, Yann. *Paris vu du ciel*, Paris, Éditions du Chêne, 2002, 180 p.

CHAUDUN, Nicolas. *L'ABCdaire de Paris*, Paris, Éditions Flammarion (coll. L'ABCdaire-Patrimoine), 1998, 119 p.

Rome

BONAFOUX, Pascal. *L'ABCdaire de Rome*, Paris, Éditions Flammarion (coll. L'ABCdaire-Patrimoine), 2000, 119 p.

MOATTI, Claudia. *À la recherche de la Rome antique*, Paris, Éditions Gallimard (coll. Découvertes – Archéologie), 2003, 192 p.

Athènes

AUBIN, Benoît. « Athènes sera-t-elle prête ? », *L'actualité*, vol. 27, nº 14, 15 septembre 2002, p. 64-70.

Beijing

COATALEM, Jean-Luc (directeur). « Pékin, Porte de la Chine », *Géo*, nº 289, mars 2003, p. 50-104.

Des sites Internet

Conseil international des monuments et des sites (ICOMOS).

Organisation des villes du patrimoine mondial (OVPM).

Site officiel des Jeux olympiques d'Athènes.

Site officiel des Jeux olympiques de Beijing.

Unesco.

Ville de Paris.

Ville de Québec.

Ville de Rome.

Des films et des vidéos

La bicyclette de Pékin, du réalisateur Xiaoshuai WANG.

Le dernier empereur, du réalisateur Bernardo BERTOLUCCI [Beijing].

TERRITOIRE AGRICOLE – ESPACE NATIONAL

PEUT-ON CULTIVER SANS DÉTRUIRE ?

Les **territoires agricoles** doivent nourrir les six milliards d'habitants de la planète et leurs descendants. Peut-on cultiver sans détruire... les ressources naturelles, la santé, le paysage et la qualité de vie des populations?

5.1a

5.1b

sommaire

1 Au Québec, la ville et la campagne peuvent-elles vivre ensemble ?

Près de 80 % de la population du Québec habite les régions de la plaine du Saint-Laurent*. Or, c'est là aussi que se trouve la plus grande partie du territoire agricole. Ainsi, villes et campagnes se côtoient : de nombreuses fermes sont situées à proximité des centres urbains. Et cela soulève des questions : les villes empiètent-elles sur les terres agricoles ? Les activités agricoles nuisent-elles à l'environnement ? Comment gérer les problèmes d'odeur et de pollution ? Comment développer ces territoires ?

*

Plaine du Saint-Laurent : Étendue située entre le Bouclier canadien et les Appalaches ; c'est un terrain généralement plat et peu élevé par rapport à la mer, situé de part et d'autre du fleuve Saint-Laurent au sud du Québec. Correspond à la partie sud de la région physiographique des basses-terres du Saint-Laurent.

« Exploiter une ferme près d'une grande ville comporte certains avantages pour un producteur agricole, telle la proximité des lieux de distribution. Mais cela peut aussi comporter son lot d'inconvénients : relations tendues avec les autorités municipales, accusations de pollution par l'odeur, le bruit ou la poussière. Sur le territoire du Grand Montréal, il n'est pas rare d'assister à des situations conflictuelles entre municipalités et agriculteurs[1]. »

1. Source : Nathalie Paquin, « Rat des villes, rat des champs », *Recto Verso*, sept.-oct. 1999, p. 22-24.

La région métropolitaine de Montréal est au centre d'une partie importante du territoire agricole du Québec. Quel est le principal enjeu lié à cette situation ?

5.2

Qu'est-ce qui caractérise le territoire agricole québécois ?

Des exploitations agricoles* à proximité des villes

Au Québec, villes et campagnes se partagent le même espace depuis longtemps. C'est dans la vallée du Saint-Laurent que les premières villes ont été créées et que les premiers agriculteurs se sont installés. Ces terres offraient le meilleur potentiel agricole : climat plus favorable, sols plus fertiles, proximité du fleuve pour le transport des gens et des marchandises.

Les villes ont progressivement occupé de plus en plus d'espace dans cette partie du sud du Québec, empiétant sur les terres agricoles. Face à cette situation, on peut se demander pourquoi, aujourd'hui, les agriculteurs ne s'installent pas plus loin...

- Là où il y a encore des terres cultivables au Québec, le climat et la qualité des sols ne sont pas nécessairement propices aux productions actuellement les plus rentables sur le marché (lait, porc, fourrage*).
- Certains types de productions mieux adaptées pourraient se développer sur des terres moins fertiles. Cependant, la rentabilité des opérations et l'éloignement des services compliquent la tâche des agriculteurs. Où se procurer les biens et les services nécessaires au bon fonctionnement de l'entreprise ? Combien coûtera le transport des produits vers les grands centres ? Comment développer des liens avec les consommateurs de ces produits ?

*

Exploitation agricole : Entreprise agricole, ferme.

Fourrage : Plantes servant à l'alimentation du bétail.

5.3
Une exploitation agricole ne se déménage pas facilement ! La plupart du temps, les activités agricoles sont étroitement liées au sol.

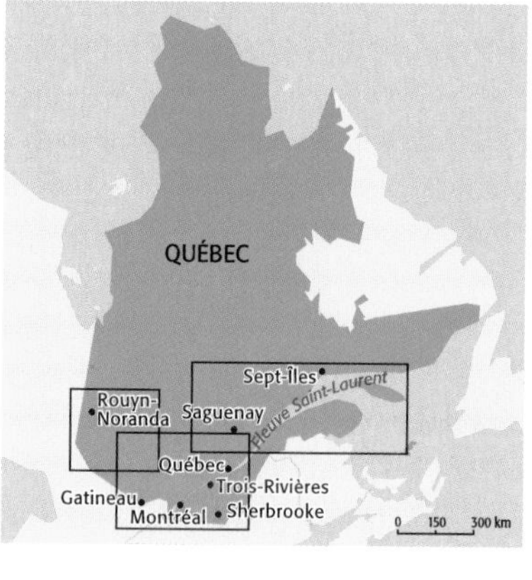

1. Où les superficies cultivées sont-elles surtout concentrées au Québec?
2. Quelles autres activités humaines pratique-t-on sur les territoires nommés en 1?

CARTE 5.1 LA SUPERFICIE CULTIVÉE SUR LE TERRITOIRE DU QUÉBEC

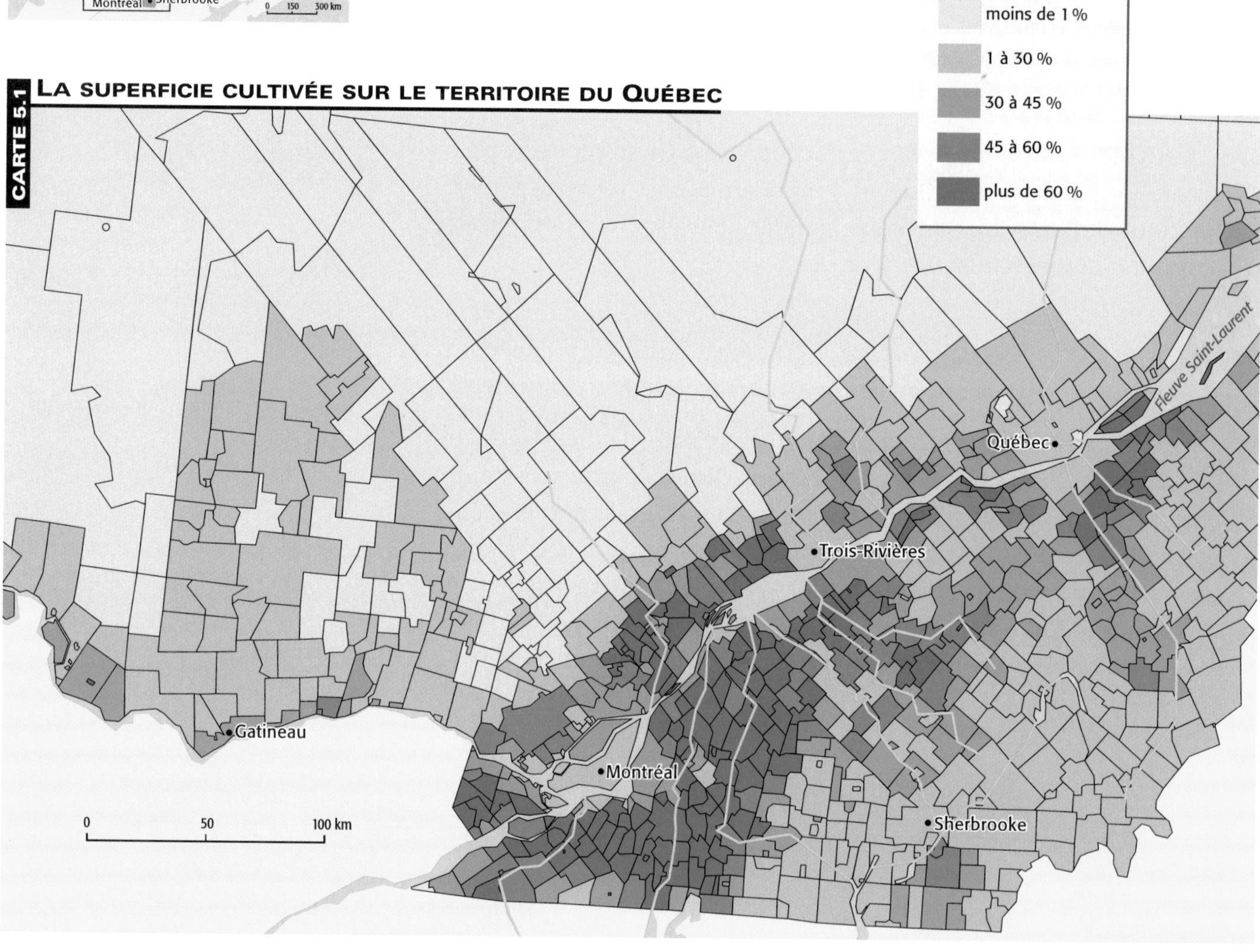

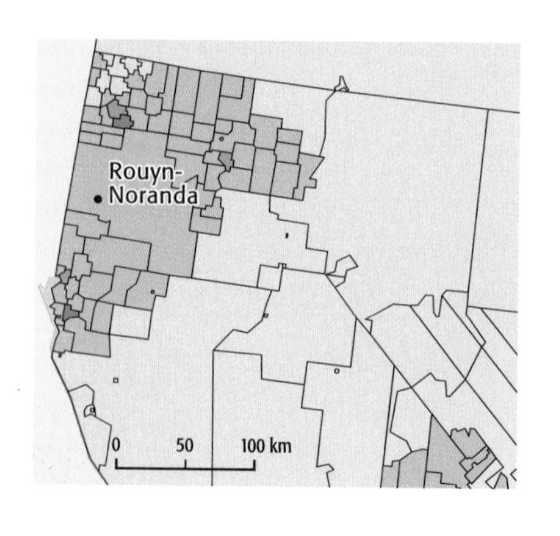

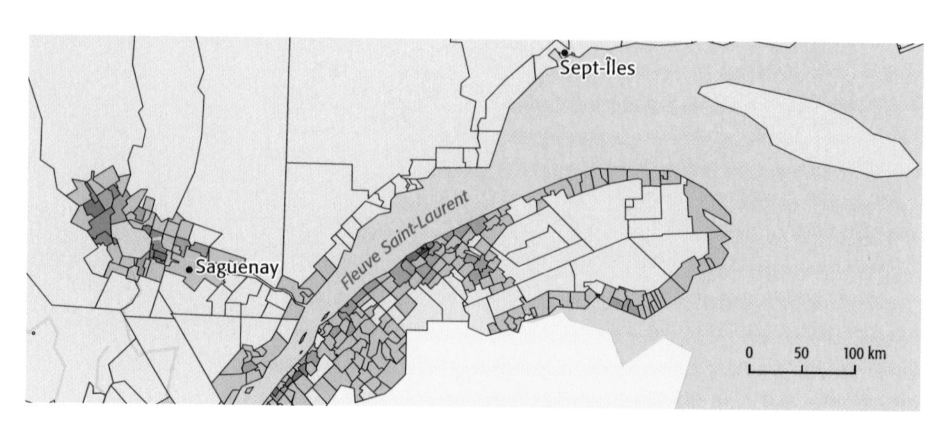

1. Que veut-on dire par « densité de population » ?
2. À l'aide d'un atlas, localisez sur la carte 5.2 quelques municipalités (autres que celles nommées sur la carte) qui ont une forte densité humaine.

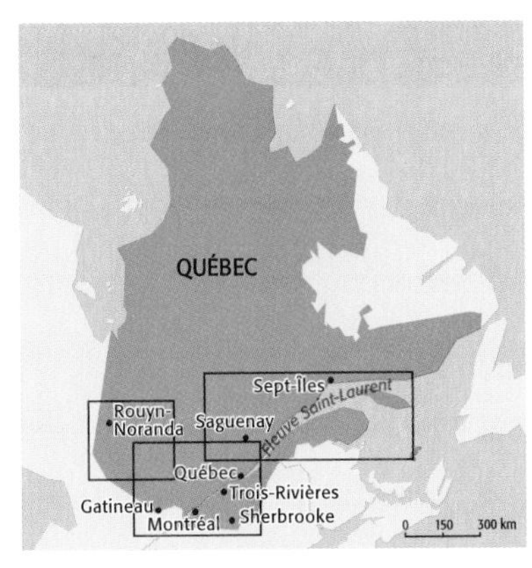

CARTE 5.2 La densité de la population sur le territoire du Québec

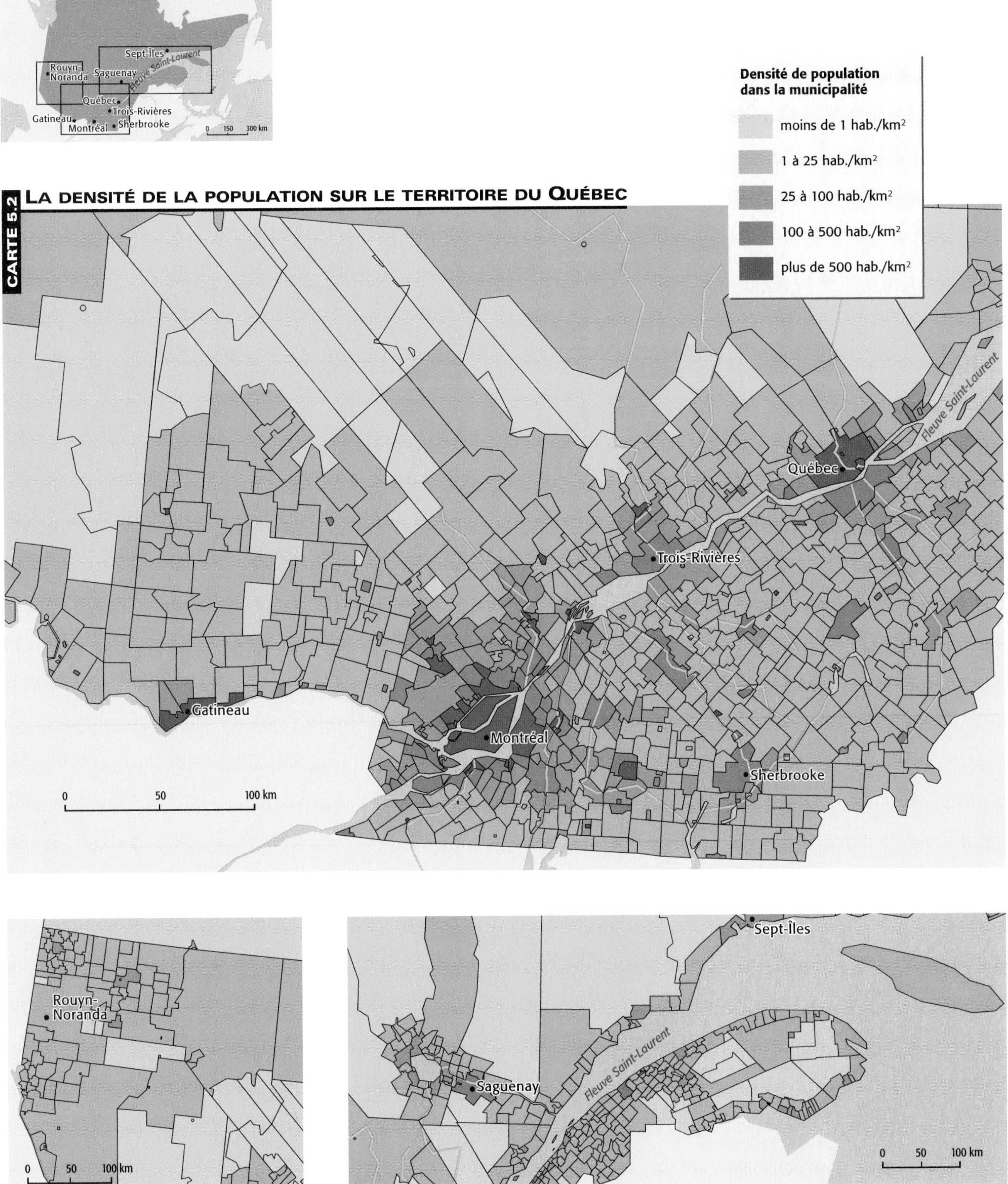

Un espace découpé en rangs

Le rang est un système d'occupation du sol qui a fortement modelé le territoire agricole du Québec depuis le 17e siècle. Rang croche, rang double, école de rang... Le rang désigne un habitat rural aligné en rangée le long d'une route. Les terres sont découpées en rectangles étroits. La proximité entre les habitants du rang favorisait autrefois l'entraide et la solidarité. Aujourd'hui, ces valeurs existent toujours, mais des tensions liées aux différentes pratiques d'utilisation du sol surgissent parfois. Par exemple, un agriculteur qui utilise beaucoup d'engrais chimiques sur ses terres risque de ne pas s'entendre avec un voisin qui prône l'utilisation d'engrais naturels.

5.4
Massawippi dans les Cantons-de-l'Est (aujourd'hui Estrie). Le mot « canton » évoque un découpage des terres en carrés qui date du 18e siècle.

5.5
Île d'Orléans. Paysage agricole organisé le long d'un rang. Quel nom portent les montagnes en arrière-plan ?

Des fermes plus grandes, mais moins nombreuses

Au Québec, le nombre d'exploitations agricoles diminue, tandis que la superficie moyenne des fermes augmente. Aujourd'hui, les 1600 plus importantes exploitations agricoles génèrent 35 % de toute la production agricole du Québec.

Collectivité rurale : Ensemble des habitants qui se sentent appartenir à une communauté rurale et au territoire qu'ils occupent.

Patrimoine bâti : Ensemble des constructions (logements, bâtiments de ferme, édifices religieux, etc.) auxquelles les collectivités rurales accordent de la valeur.

5.6 Évolution des exploitations agricoles québécoises

	Nombre d'exploitations agricoles	Superficie moyenne des exploitations agricoles
1961	95 777	60 ha
2001	32 139	106 ha

Source : Statistique Canada.

Ici, « ha » est l'abréviation de « hectares ». Et un hectare, c'est à peu près grand comme un terrain de soccer.

Une production laitière importante

L'agriculture a beaucoup changé au cours des dernières décennies, mais la production laitière reste la première industrie agricole en importance au Québec. Une exploitation sur quatre est une exploitation laitière. Le tiers de la production laitière du Canada se fait au Québec. En 2005, trois grandes entreprises seulement transforment plus de 75 % du lait produit : Agropur, Saputo et Parmalat.

Des campagnes organisées

Malgré des besoins personnels ou familiaux et des habitudes de vie semblables, la population rurale se distingue de la population urbaine de bien des façons. Elle entretient un lien différent avec l'espace, la nature, le climat et les saisons. Cette différence influence la vie sociale, économique et culturelle sur le territoire. Ainsi, les agriculteurs contribuent au développement des collectivités rurales*: ils créent des emplois (un emploi sur huit est lié au secteur agroalimentaire) ; dans une large mesure, ils contribuent à l'entretien des paysages et du patrimoine bâti* des campagnes. Ils s'organisent dans des associations afin de faciliter l'intégration des jeunes agriculteurs ou encore de faire la promotion de la qualité de vie dans les localités rurales plus éloignées.

5.7 Pourquoi peut-on dire que cette ferme est typique du territoire agricole du Québec ?

5.8 En quoi cette photo illustre-t-elle cet extrait du texte : les agriculteurs « contribuent à l'entretien des paysages et du patrimoine bâti des campagnes » ?

Une économie agricole reliée au reste du monde

L'économie agricole relie le Québec aux autres territoires de la planète : des produits sont importés, d'autres sont exportés.

Le territoire agricole du Québec fait partie d'un réseau mondial. La circulation des aliments dans le monde est devenue très complexe. Les produits que nous consommons viennent souvent de très loin. Pour une très grande part, en dehors de la saison des récoltes, les légumes frais proviennent de la Californie ou du Mexique ; par ailleurs, le porc du Québec est consommé au Japon. Parfois, même si un produit est récolté ici en très grande quantité, d'autres variétés de ce même produit sont importées. Par exemple, le Québec exporte des pommes… mais il en importe aussi !

À vos ordinateurs !

Créer un graphique avec un tableur

Dans ce dossier, on trouve de nombreuses statistiques en lien avec l'organisation des territoires agricoles. Repérez, dans le texte ou dans des tableaux, deux ou trois exemples d'utilisation de ces statistiques.

Ces données statistiques sont certes nécessaires, mais elles ne sont pas toujours faciles à lire. La représentation de statistiques sous forme de graphiques rend la lecture plus simple. Un tableur permet de faire rapidement des graphiques variés, de les imprimer et de les déplacer vers un document d'un logiciel de traitement de texte.

Il faut alors respecter les étapes suivantes :

- Inscrire sur une feuille du tableur les données à représenter sous forme de graphique, sans oublier de donner un titre aux colonnes et aux lignes.
- Sélectionner les cellules contenant des données à inclure dans le graphique.
- Cliquer sur la boîte de dialogue Graphique du menu Insertion.
- Cliquer sur le type de graphique souhaité.
- Cliquer sur Suivant pour continuer.
- Ajouter l'information désirée en suivant les consignes.

Et voilà ! Il suffit maintenant de déplacer le graphique dans son document.

Voici un petit exercice où la création d'un graphique va vous permettre de lire et de comparer plus facilement des données.

On dit, en haut de cette page, que le Québec exporte des pommes, mais qu'il en importe aussi ! D'où viennent donc ces pommes ? Voici des données statistiques à ce sujet tirées du site Internet de l'Institut de la statistique du Québec.

Le Québec a exporté environ 6605 tonnes de pommes fraîches en 2003, exportations toutes destinées aux États-Unis et au Royaume-Uni. Durant la même année, il en a importé environ 4610 tonnes, provenant des pays suivants :

5.9 Importations québécoises de pommes fraîches

Pays	Pommes fraîches (en tonnes)
États-Unis	2936
Afrique du Sud	1106
France	238
Chili	172
Nouvelle-Zélande	158

Représentez les données de ce tableau sur un diagramme circulaire. Vous pourrez ainsi mieux comparer la quantité de pommes fraîches importées par le Québec selon le pays de provenance.

1. **Quel pourcentage du total des importations les pommes en provenance des États-Unis représentent-elles ?**
2. **Pourquoi le Québec importe-t-il des pommes des États-Unis s'il en exporte dans ce pays ?**

Le phénomène de la concentration

Situation A Quatre agriculteurs exploitent quatre fermes sur un territoire agricole situé en banlieue d'une grande ville.

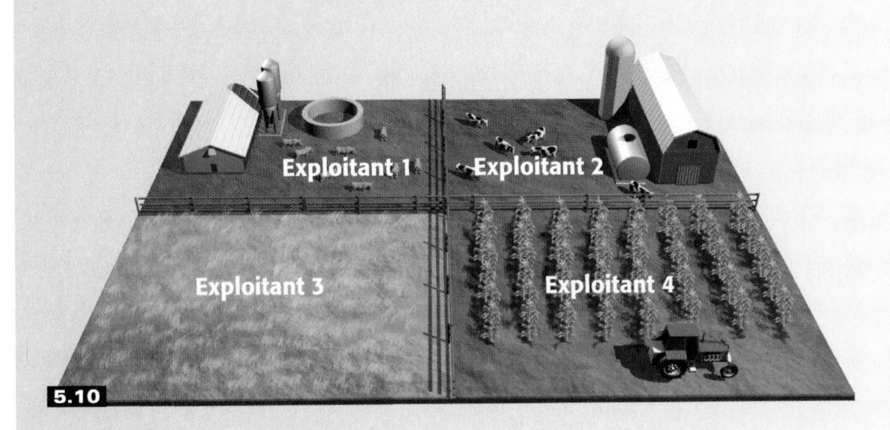

5.10

Situation B L'exploitant 2 achète la ferme de l'exploitant 4. L'exploitant 1 prend sa retraite et n'a pas de relève familiale; il vend sa ferme à un promoteur qui y construit des immeubles résidentiels.

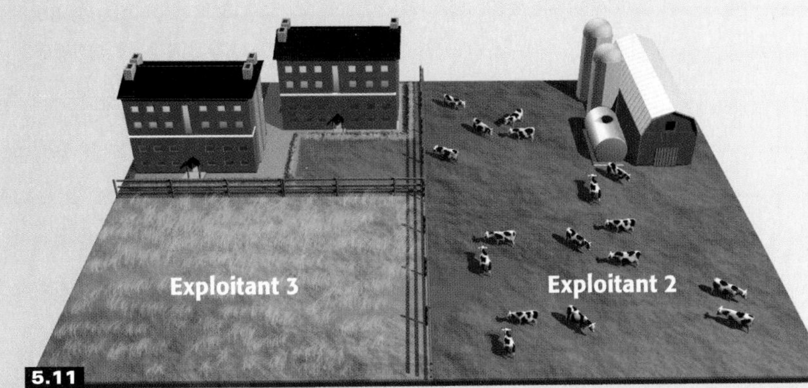

5.11

Observations:

- Diminution du nombre d'agriculteurs.
- Diminution de la superficie totale des terres cultivées sur ce territoire.
- Augmentation de la superficie d'une exploitation.
- Pression du développement urbain sur le territoire agricole.

Situation C L'exploitant 2 achète la ferme de l'exploitant 3 qui était devenue trop petite, c'est-à-dire pas assez rentable pour couvrir les coûts de production. L'exploitant 2 transforme son exploitation: il remplace la production laitière par une production plus rentable, celle de l'élevage intensif d'animaux pour l'exportation de viande.

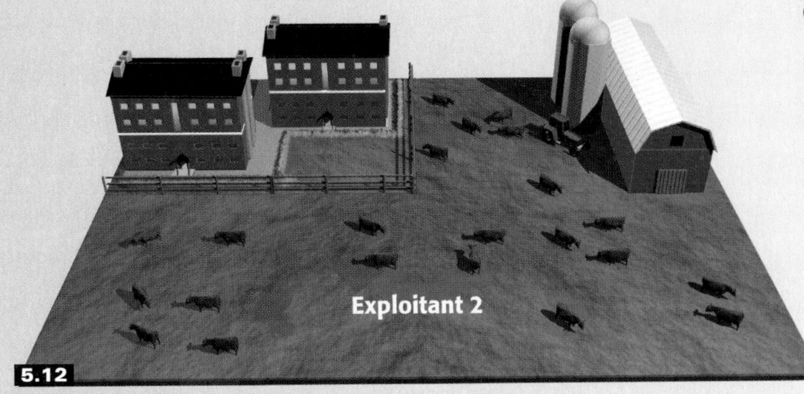

5.12

Observations:

- Diminution du nombre d'agriculteurs.
- Augmentation de la superficie d'une exploitation.
- Risque de tensions entre les activités urbaines et les activités agricoles.
- Pression du territoire agricole sur l'environnement.

2 Des pressions sur l'environnement : pourquoi ?

Chaque année, il y a de moins en moins d'exploitations et d'exploitants agricoles au Québec. Pourtant, l'agriculture est devenue la principale source de pollution diffuse. Comment cela est-il possible ?

Pour bien établir les liens entre l'agriculture et l'environnement, il faut savoir ce qui se passe sur le terrain. Parcourons ce territoire agricole, où différents panneaux nous livrent des indices…

5.13

2 Nourrir sans détruire
5 Ici, agriculture biologique

« Terres zonées agricoles », « Nourrir sans détruire », etc. Quel est le message véhiculé par chacun des panneaux de l'illustration des pages 164 et 165 ? Quels indices fournissent-ils sur les liens entre l'agriculture et l'environnement ? Regardons chacun de ces panneaux de plus près.

1 Terres zonées agricoles

Depuis 1978, une loi protège le territoire agricole du Québec. Dans chaque municipalité, cette loi délimite une « zone verte » réservée à l'agriculture (au total 6,4 millions d'hectares au Québec) et définit les activités tolérées. La Commission de protection du territoire agricole du Québec a été créée : sa mission est de « garantir pour les générations futures un territoire propice à l'exercice et au développement des activités agricoles ».

Mais pourquoi fallait-il une loi pour cela ? C'est que l'étalement urbain* empiétait de façon incontrôlée sur les terres à vocation agricole. Autoroutes, lignes hydroélectriques, industries, quartiers résidentiels, banlieues et centres commerciaux ont ainsi été construits sur des sols à bon potentiel agricole.

*

Étalement urbain : Occupation de plus en plus grande de l'espace (ou de la surface du sol) par les villes. Cet étalement est lié au développement des banlieues, à l'usage de la voiture et à la construction des autoroutes.

Dans plusieurs pays, les autorités votent des lois pour protéger le territoire agricole.

La loi est-elle efficace ?

Même après bien des modifications, la loi sur le zonage agricole suscite des controverses. En effet, tous ne s'entendent pas sur sa nécessité ni sur la façon de l'administrer. Ceux qui sont en faveur de la loi disent qu'elle freine le développement « gourmand » des villes, protège les rares bons sols agricoles et favorise l'augmentation de la production. D'autres sont contre la loi ou trouvent qu'elle ne va pas assez loin. Certains d'entre eux prétendent par exemple que la loi ne protège pas suffisamment l'environnement sur les terres zonées agricoles et qu'ainsi elle permet la poursuite de pratiques agricoles polluantes.

5.14 Asphalter un territoire agricole ? Que se passe-t-il ici ?

2 Nourrir sans détruire

La campagne, quand on y pense, ce n'est pas tellement « naturel » ! Cultiver exige de déboiser, de travailler la terre, de semer, d'épandre des engrais et des pesticides, d'utiliser de la machinerie lourde, de creuser des fossés, de détourner des ruisseaux et parfois même des rivières. Donc, il est certain que les activités agricoles exercent des pressions sur l'environnement. Trop de pressions ? Il semble bien que oui.

Comment ces pressions se manifestent-elles ?

- Par la contamination de l'eau par les engrais* et les pesticides qui, avec l'érosion des sols, se retrouvent dans les cours d'eau et parfois même dans la nappe phréatique*.
- Par la transformation des milieux de vie, qui cause la disparition de certaines espèces animales et végétales et menace ainsi la biodiversité.
- Par l'utilisation de produits dangereux (pesticides, antibiotiques, etc.) pour la santé des travailleurs agricoles et des consommateurs.

Comment en est-on arrivé là ? Depuis les années 1950, l'agriculture a profondément changé. Les fermes sont maintenant moins nombreuses et plus grandes. L'agriculture y est pratiquée de façon beaucoup plus intensive. Carburants, pesticides et engrais sont massivement utilisés pour augmenter la production, en particulier celle du soja et du maïs destinés à l'alimentation animale. Ces pratiques agricoles* rendent les sols plus vulnérables. Ainsi, des produits nocifs pour les êtres vivants sont entraînés dans les cours d'eau avec les particules de sol et peuvent se retrouver jusque dans les eaux souterraines.

*

Engrais : Substance organique ou chimique que l'on mêle au sol pour le fertiliser.

Nappe phréatique : Réserve d'eau souterraine naturelle accumulée dans des cavités du sous-sol.

Pratique agricole : Manière concrète de faire de l'agriculture. Par exemple, l'utilisation d'engrais chimiques et le compostage sont deux pratiques agricoles différentes.

On parle d'agriculture intensive quand...
Psitt ! C'est à la page 173.

Trois sources de pollution

L'agriculture est-elle la principale cause de pollution ? Pollue-t-elle vraiment plus que les industries ? En fait, on distingue trois principales sources de pollution : la pollution peut provenir des activités agricoles, des activités urbaines et des activités industrielles.

5.15 Illustration réalisée pour l'Union québécoise pour la conservation de la nature (UQCN). Selon vous, que signifie-t-elle ?

Les activités industrielles et urbaines génèrent une pollution dite « ponctuelle », c'est-à-dire dont la source est bien localisée. Et, ces dernières années, la pollution industrielle (par exemple, celle de l'industrie des pâtes et papiers) a diminué grâce à une réglementation sévère de la gestion des déchets. De plus, il y a moins d'industries : plusieurs se sont déplacées vers les pays en développement, où les coûts d'exploitation sont moins élevés.

Alors, c'est chez eux qu'on pollue maintenant ?

Les activités agricoles entraînent, quant à elles, une pollution dite « diffuse » parce qu'elle se répand dans les sols, les cours d'eau et les eaux souterraines bien au-delà de la zone cultivée. Ainsi, les pratiques de fertilisation, de travail du sol et de drainage ont des répercussions considérables sur la qualité de l'eau.

Comment protéger les terres agricoles contre l'érosion ?

Voici un exemple de pratique agricole qui a un impact positif sur le sol et sur l'eau des exploitations.

L'aménagement des bandes de protection riveraines le long des cours d'eau contribue à préserver les terres agricoles contre l'érosion, à réduire les coûts d'entretien des berges et des sols, à rehausser le paysage agricole et à réduire la pollution.

Lorsqu'il n'y a pas de bandes pour protéger les berges, l'eau de pluie entraîne dans les cours d'eau les particules les plus fines et les plus riches du sol comme l'argile et l'humus, ainsi que les sédiments, les pesticides et les fertilisants. Ainsi, le sol s'appauvrit, les rives s'érodent, les cours d'eau s'obstruent et la qualité de l'eau se dégrade.

5.16

L'aménagement des bandes de protection riveraines est une pratique agricole durable. Vrai ou faux ? Pourquoi ?

Engrais : juste assez, pas trop... et les bons !

Les céréales, les fruits et les légumes qui poussent dans les champs cultivés n'ont pas seulement besoin d'eau pour atteindre leur pleine maturité, mais aussi de nutriments comme de l'azote, du phosphore et du potassium. Les fermiers doivent donc épandre sur leurs champs des engrais qui contiennent toutes ces bonnes choses.

Vive le naturel !

Certains engrais, qu'on dit « chimiques », sont fabriqués en usine et vendus aux agriculteurs. Ils sont riches en minéraux, mais ils ne contiennent pas de matière organique essentielle au sol. Leur production demande aussi beaucoup d'énergie. Cependant, il n'est pas toujours nécessaire de se tourner vers les engrais chimiques pour se procurer les précieux nutriments dont les céréales, les fruits et les légumes ont besoin. On peut les trouver directement à la ferme.

En effet, les animaux comme les vaches, les chevaux, les moutons ou les porcs éliminent 80 % des éléments nutritifs qu'ils consomment. Leurs excréments et leur urine font donc d'excellents engrais. Pour s'en servir, il suffit de ne pas avoir le nez délicat !

À chaque culture son engrais

Il existe plusieurs types d'engrais de ferme. Le plus connu, le fumier, est un mélange d'excréments, d'urine et de litière (généralement de la paille). Le lisier, lui, est une mixture d'excréments, d'urine et d'eau. On le recueille dans les fermes où les animaux ne sont pas élevés sur de la litière, mais sur des treillis. Enfin, le purin est composé des liquides qui s'écoulent du fumier et du lisier, principalement de l'urine et de l'eau.

La teneur en nutriments varie beaucoup d'un type d'engrais organique à l'autre et en fonction de sa teneur en eau. Par exemple, le purin est pauvre en azote, mais relativement riche en potassium. Il convient bien aux cultures de légumineuses. Le fumier est très riche en azote et en phosphore, mais il prend beaucoup de temps pour relâcher ses nutriments. Quant au lisier, ses propriétés varient en fonction de l'animal dont il provient et de la quantité d'eau qu'il contient.

SOS environnement

Avant de procéder à l'épandage des engrais, les agriculteurs doivent analyser le sol afin d'en identifier les besoins. En effet, ajouter trop de nutriments peut avoir des conséquences désastreuses sur l'environnement. Les surplus d'azote, de phosphore et de potassium s'infiltrent dans le sol, rejoignent la nappe d'eau souterraine et se retrouvent un jour ou l'autre dans les lacs et les rivières.

Une fois dans les plans d'eau, les nutriments favorisent la croissance des algues. Ces plantes aquatiques peuvent « étouffer » les lacs et les rivières lorsqu'elles sont trop nombreuses. En outre, la décomposition des algues et d'autres matières organiques par les bactéries fait chuter la concentration d'oxygène dans l'eau. Le plan d'eau commence alors tranquillement à mourir, ce qui met en péril la vie des poissons et des autres espèces aquatiques.

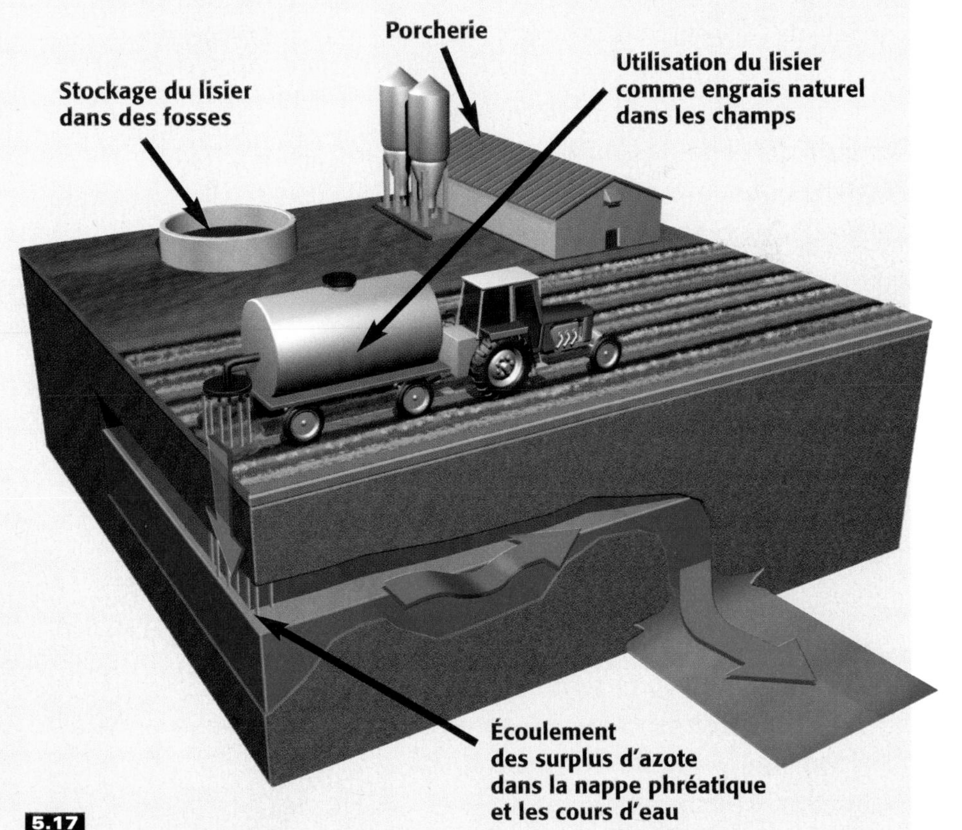

5.17
Quand le lisier est épandu en trop grande quantité, les plantes ne peuvent pas tout l'absorber. Mais, aujourd'hui, les agriculteurs suivent des recommandations ou des plans de fertilisation pour mieux gérer les engrais.

3 Gérer l'eau par bassin versant

Gérer l'eau par bassin versant, c'est veiller à préserver la quantité et la qualité de l'eau qui circule sur le territoire. Cela concerne l'eau que l'on prélève pour divers usages, mais aussi celle qui est remise en circulation ou qui s'écoule naturellement.

Or, les activités agricoles sont parfois responsables de la contamination de l'eau. Prenons l'exemple de l'emploi des engrais ou des pesticides. Les produits épandus en surplus ne sont pas absorbés par les plantes. Ils ruissellent à la surface du sol et s'y infiltrent en direction des rivières et des nappes phréatiques. Prise séparément, une action comme celle-là n'a peut-être que peu d'effets sur un cours d'eau. Cependant, lorsque ces effets sont combinés à d'autres dans un même bassin versant, ils peuvent entraîner d'importants impacts négatifs.

Des groupes qui gèrent

Des organismes se sont donné des moyens pour tenter de remédier à ces problèmes de contamination et de veiller à la qualité de l'eau sur leur territoire : les organisations de bassin. Ils gèrent un territoire délimité en tenant compte de toutes les activités qui ont un impact sur le bassin versant. Ces organisations de bassin sont formées de représentants de tous les acteurs concernés par la gestion de l'eau : les municipalités régionales de comté (MRC), les municipalités, les usagers (dont les agriculteurs), les groupes environnementaux et les citoyens.

Tous ces gens discutent des enjeux et prennent des décisions. Dans plusieurs pays, on gère les territoires en fonction des bassins versants. Il existe même un Réseau international des organismes de bassin auquel le gouvernement du Québec a adhéré en 1996.

Un bassin versant, qu'est-ce que c'est ?

« Un bassin versant, c'est l'ensemble du territoire qui recueille l'eau pour la concentrer dans une rivière et ses tributaires. Comme un pays, un bassin versant a des frontières. Ce sont des frontières naturelles qu'on appelle "lignes de partage des eaux". Elles suivent la crête des montagnes. Les précipitations qui tombent sur un versant de la montagne se concentrent dans les ruisseaux pour finalement rejoindre la rivière. Celles qui tombent sur l'autre versant vont alimenter une rivière voisine, un bassin versant voisin. Ces précipitations peuvent aussi s'infiltrer dans la roche et former des réservoirs ou des nappes souterraines. »

Source : Site Internet du Conseil de bassin de la rivière Rimouski.

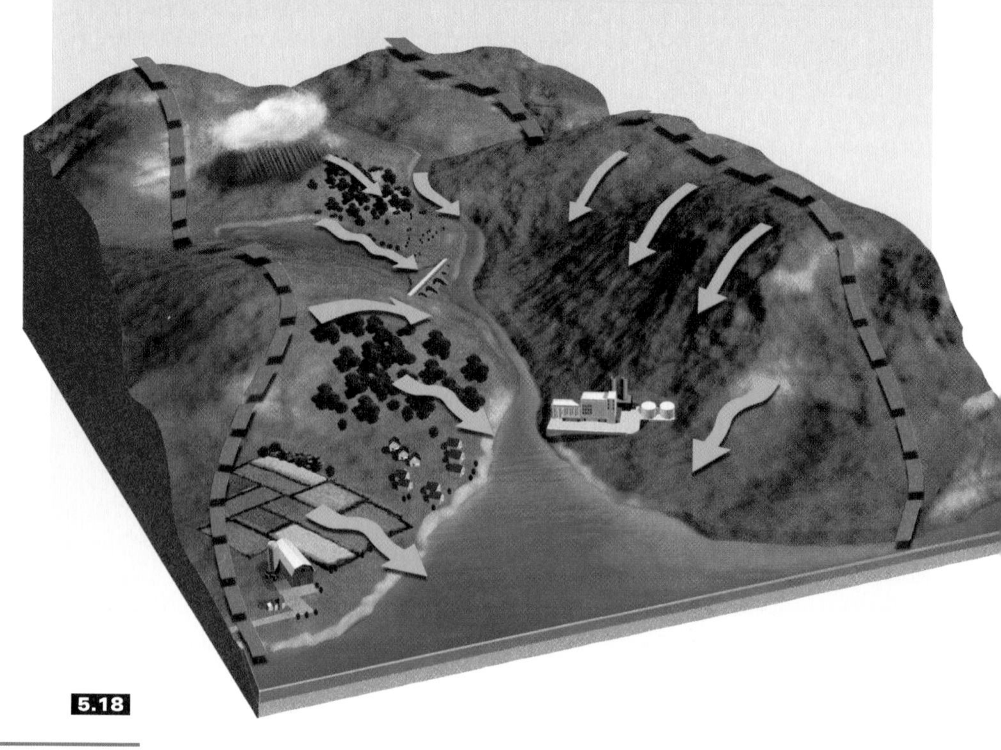

5.18

Petits et grands bassins versants

Le réseau hydrographique du Québec se divise en trois bassins versants principaux :

- celui du fleuve Saint-Laurent ;
- celui de la baie d'Hudson ;
- celui de la baie d'Ungava.

Toute l'eau qui s'écoule sur chacun de ces territoires finit par atteindre soit le fleuve Saint-Laurent, soit la baie d'Hudson, soit la baie d'Ungava, comme leur nom l'indique. Ce sont de grands bassins versants. Celui du fleuve Saint-Laurent, par exemple, couvre la plus grande partie des régions habitées du Québec.

Mais chacun de ces grands bassins est parcouru de nombreux cours d'eau, dont des rivières. Or, ces rivières sont alimentées par les eaux de surface et les eaux souterraines des terres environnantes. Un territoire dont les eaux s'écoulent vers une même rivière constitue aussi un bassin versant. On parle alors de petit bassin versant. Un grand bassin versant comprend donc un ensemble de plus petits bassins versants.

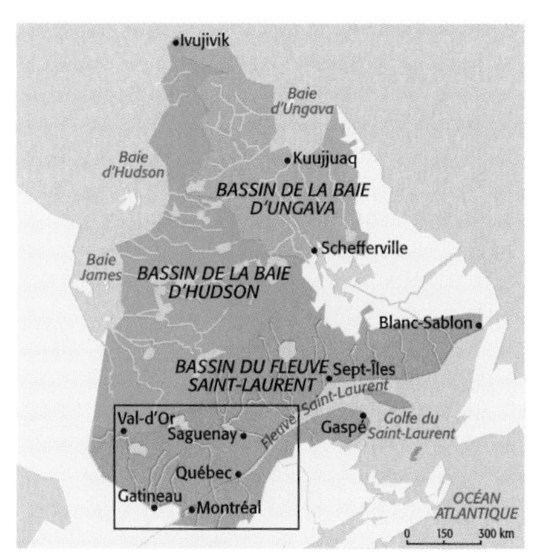

La qualité des bassins versants représentés sur la carte 5.3 dépend du type d'activités humaines pratiquées sur le territoire.

Source : Sites Internet du gouvernement du Québec et du ministère du Développement durable, de l'Environnement et des Parcs.

CARTE 5.3 PRINCIPAUX BASSINS VERSANTS CONCERNÉS PAR LES ACTIVITÉS HUMAINES

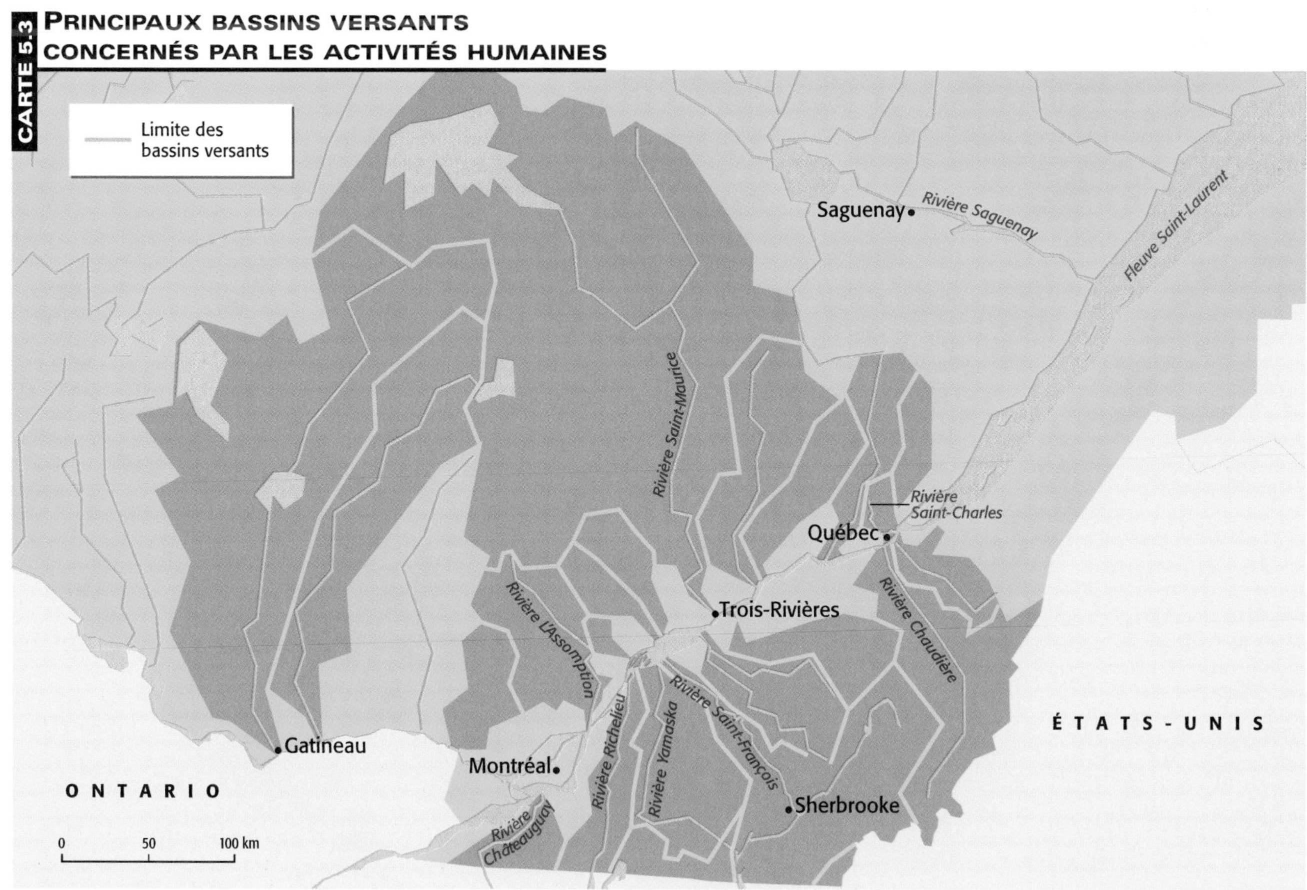

1. **À quel grand bassin versant le territoire agricole du Québec est-il principalement relié ?**

2. **Comparez les cartes 5.1, 5.2 et 5.3. Quels sont les principaux facteurs qui influencent la qualité de l'eau des bassins versants situés dans la partie sud du Québec ?**

4 Les porcs s'en vont au port!

De toutes les provinces canadiennes, c'est le Québec qui produit le plus de porcs. Et environ 80 % du cheptel* québécois vient des régions de la Montérégie, de Chaudière-Appalaches et de Lanaudière. Les impacts de cette industrie sont donc principalement ressentis dans les bassins des rivières Chaudière, Yamaska et L'Assomption (voir carte 5.3, p. 171).

5.19 Évolution du cheptel porcin et du nombre de fermes porcines au Québec, 1976-2001

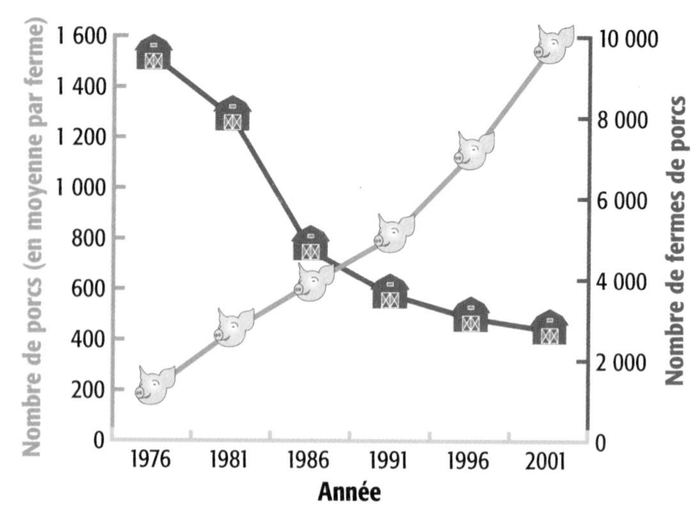

Source : Statistique Canada.

Mais pourquoi l'élevage de porcs provoque-t-il autant de réactions négatives dans la société ? Le graphique ci-contre nous livre deux renseignements essentiels pour comprendre cette question : au Québec, le nombre de porcs a grandement augmenté de 1976 à 2001, tandis que le nombre de fermes porcines a nettement diminué au cours de la même période. Cela veut dire que la production porcine s'est fortement concentrée : il y a moins de fermes, mais chacune compte de plus en plus de porcs. Cette tendance à la concentration, toujours actuelle, a des effets sur l'environnement et, en particulier, sur la qualité de l'eau dans les bassins versants. Pourquoi ? Parce que, à plusieurs endroits, il y a trop de lisier pour les surfaces d'épandage.

Concentration ? On en a un exemple à la page 163.

Protéger l'environnement et satisfaire la demande

Il existe des moyens de réduire la pollution associée aux fermes porcines, comme maintenir un équilibre entre le nombre de porcs et la surface d'épandage disponible.

Cheptel : Ensemble des bestiaux.

5.20 Que signifie ce panneau installé à l'entrée d'une ferme porcine ?

5.21 Les élèves de l'école primaire de Saint-Simon-de-Bagot ont participé à un projet écologique. Selon vous, en quoi consistait ce projet ?

Cependant, les pressions économiques pour produire davantage et plus vite de façon à répondre à la demande mondiale de porcs sont très fortes. Près de la moitié de la viande de porc du Québec est en effet exPORTée. La production porcine a presque doublé en quatre ans. Le porc représente le principal produit agricole exporté au Québec. Il s'agit donc d'un enjeu économique important. Cependant, toutes ces préoccupations d'ordre économique ne doivent pas nous faire oublier celles d'ordre environnemental.

Ah ! De là le titre du panneau : « Les porcs s'en vont au port ! »

5.22 Exportations québécoises de viande de porc (en tonnes)

Pays	1999	2002
États-Unis	107 238	162 905
Japon	20 538	52 600
Hong-Kong (Chine)	7 184	24 941
Russie	626	15 253
Rép. de Corée	7 988	12 417
Autres	48 883	57 908
Total	192 457	326 025

Source : Agriculture et Agroalimentaire Canada, 2002.

L'agriculture intensive

On parle d'**agriculture intensive** quand les principes du développement économique à court terme sont appliqués à l'agriculture. Cette agriculture vise l'obtention rapide d'une plus grande productivité et d'un meilleur rendement. Elle se caractérise principalement par :

- la taille importante des exploitations ;
- des investissements financiers importants (machinerie, engrais, bâtiments, pesticides, main-d'œuvre) ;
- la spécialisation des entreprises dans un même type de production ;
- la concentration de la production (par exemple, de plus en plus d'animaux sur une même surface) ;
- une compétition marquée entre agriculteurs.

L'agriculture durable

On parle d'**agriculture durable** quand les principes du développement durable sont appliqués à l'agriculture. Cette agriculture vise à assurer les besoins de tous en nourriture et à protéger les ressources naturelles (sol, eau, air, biodiversité végétale et animale). Elle cherche plus particulièrement à :

- protéger, à nourrir et à enrichir les sols tout en tenant compte des écosystèmes (végétation, haies, cours d'eau, etc.) ;
- utiliser des semences originales et à cultiver la terre par la rotation des cultures et l'utilisation d'engrais organiques ;
- respecter les besoins comportementaux des bêtes en proscrivant la surpopulation animale dans des bâtiments fermés ;
- améliorer les conditions de vie des populations rurales et agricoles (emploi, santé, équité, qualité des paysages).

Certaines exploitations agricoles peuvent facilement être classées dans l'un ou l'autre de ces deux types d'agriculture. Mais, dans certains cas, ce n'est pas si simple. De grandes exploitations intensives adoptent parfois des pratiques durables (par exemple, reboisement des rives, rotation des cultures, protection des sols).

5 Ici, agriculture biologique

Aujourd'hui, le mot « bio » est partout : produire bio, manger bio, acheter bio. Mais que veut dire le mot « biologique » ? On pense souvent que c'est simplement une façon de cultiver sans engrais chimiques, pesticides ou OGM*. Mais c'est beaucoup plus que ça. En gros, ce mot désigne un mode de production agricole qui respecte certains critères environnementaux.

L'agriculteur biologique voit sa ferme comme un écosystème : il recherche l'équilibre entre les divers éléments. En voici quelques exemples : travailler le plus possible avec des moyens naturels (nourriture des animaux, contrôle des insectes, engrais organiques) ; maintenir un équilibre entre le nombre d'animaux et la surface cultivée ; maintenir un équilibre entre les surfaces boisées et déboisées.

Ces méthodes ne datent pas d'hier. En effet, l'agriculture biologique s'est développée en Europe, durant les années 1930, en réaction aux effets néfastes de l'agriculture intensive : dégradation des sols, contamination des cours d'eau, développement de résistances aux pesticides. Les produits « bio » obtiennent un succès grandissant chez certains groupes de consommateurs, succès lié en partie aux craintes associées aux risques alimentaires dont les médias font état à travers le monde (par exemple, la maladie de la vache folle* et les OGM).

*

OGM : Organisme génétiquement modifié. C'est un organisme vivant dont on a modifié le patrimoine génétique en y insérant un ou plusieurs gènes issus d'un autre organisme vivant.

Maladie de la vache folle : Encéphalopathie spongiforme bovine. Ouf ! En fait, c'est une maladie mortelle qui affecte le système nerveux central des bovins.

L'agriculture de l'avenir ?

On trouve des fermes biologiques dans toutes les régions du Québec. Ce type de production représente actuellement de 1 % à 2 % du marché de l'alimentation. Mais sa croissance, au Québec et ailleurs dans le monde, est de 20 % à 30 % par année.

L'agriculture biologique se répandra-t-elle sur toute la planète un jour ? Est-ce la seule façon de faire ? Difficile de prédire l'avenir du « bio ». Une chose est sûre : les débats que l'agriculture biologique provoque ont fait changer des pratiques agricoles. De plus en plus d'agriculteurs, même s'ils ne sont pas « bio », apportent des transformations à leur exploitation dans une perspective de développement durable. Plusieurs groupes sont désormais plus conscients des enjeux environnementaux sur les territoires agricoles de la planète.

5.23 Comment savoir si les aliments que nous achetons sont « bio » ?

Qu'est-ce qu'un OGM?

Des fraises qui résistent au gel, des saumons qui grandissent quatre fois plus vite que la moyenne, du blé qui survit aux herbicides... Les connaissances scientifiques actuelles permettent de créer des plantes et des animaux inhabituels. Comment? En modifiant l'ADN de ces organismes.

Une empreinte unique

Les humains, les animaux et les plantes possèdent de l'ADN dans chacune de leurs cellules. Qu'est-ce que c'est? Il s'agit de longues chaînes de molécules chimiques, représentées par quatre lettres: A, T, G et C. Côte à côte, ces lettres forment des phrases qu'on appelle les « gènes ».

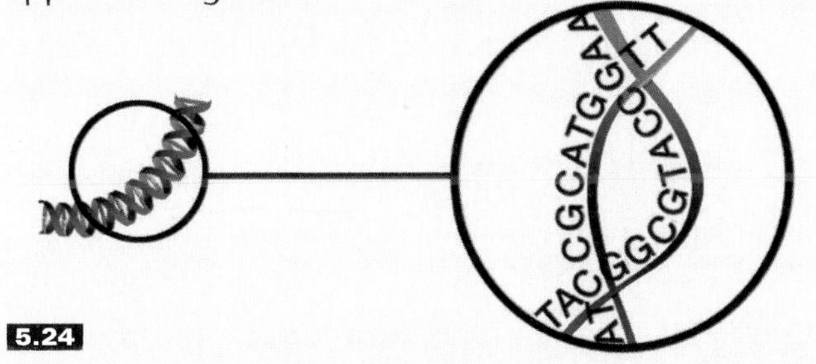

5.24

Ce sont les gènes qui définissent les caractéristiques des organismes vivants. Chez les êtres humains, par exemple, ils dictent la couleur des yeux, la taille et même la prédisposition à contracter certaines maladies.

Il n'existe pas deux chaînes de lettres pareilles. En effet, chaque individu possède un code génétique unique, à l'exception des jumeaux identiques. L'ADN est un peu comme notre empreinte digitale.

Comment fabrique-t-on des OGM?

Pour attribuer à un organisme vivant des propriétés nouvelles, on peut modifier son ADN en y ajoutant un gène provenant d'un autre organisme vivant. On nomme l'organisme qui en résulte « organisme génétiquement modifié » ou « OGM ».

À titre d'exemple, on peut produire des fraises résistant au gel en intégrant à leur ADN un gène antigel provenant d'un poisson de l'Arctique.

5.25

Un OGM en sept étapes

1. À l'aide de ciseaux biochimiques appelés « enzymes », on coupe la chaîne de l'ADN du poisson pour isoler le gène de la résistance au froid.

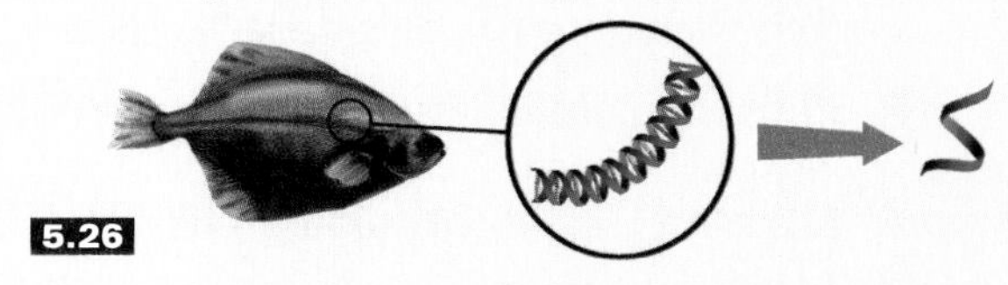

5.26

2. Le gène isolé est inséré dans un brin d'ADN circulaire nommé « plasmide ».

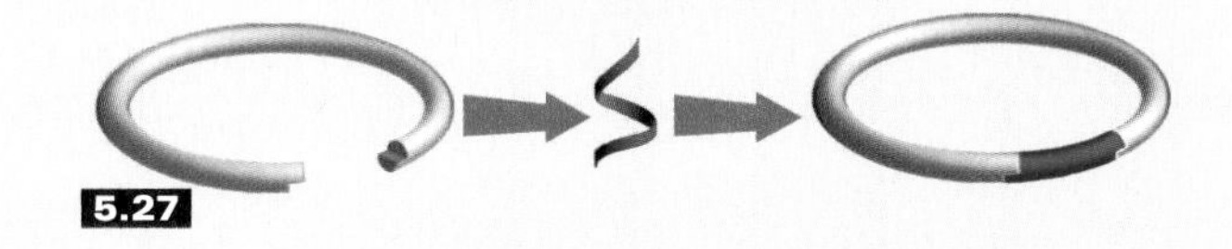

5.27

3. Le plasmide est inséré dans une bactérie.

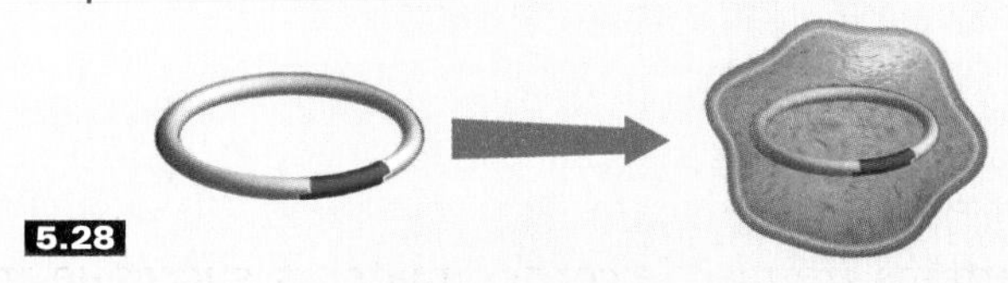

5.28

4. La bactérie se multiplie plusieurs milliers de fois, créant autant de copies du plasmide contenant le gène antigel.

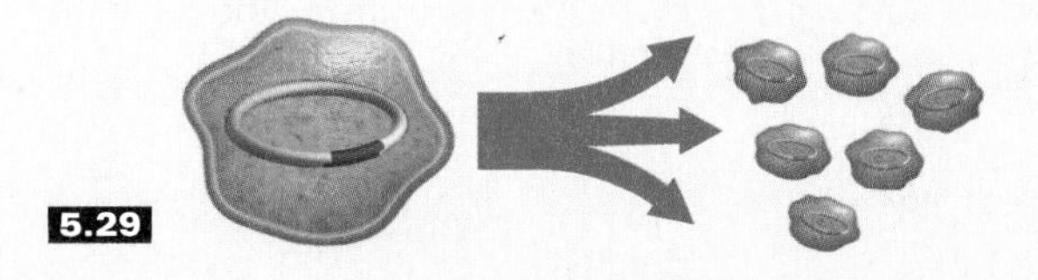

5.29

5. On infecte des cellules de fraises avec les bactéries contenant le plasmide. Ainsi, le gène antigel est incorporé dans l'ADN des fraises.

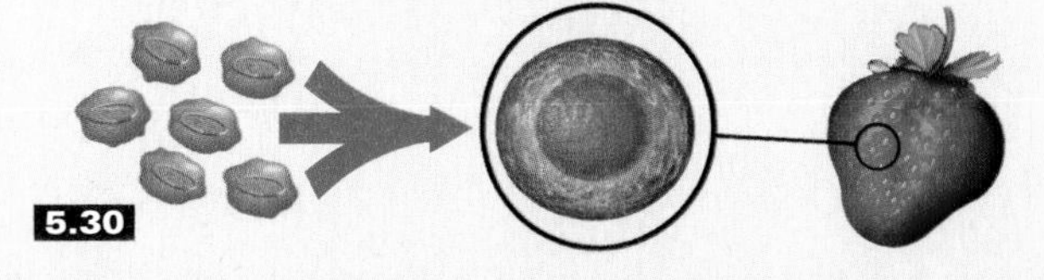

5.30

6. On place les cellules de fraises génétiquement modifiées dans un milieu qui favorise leur croissance.

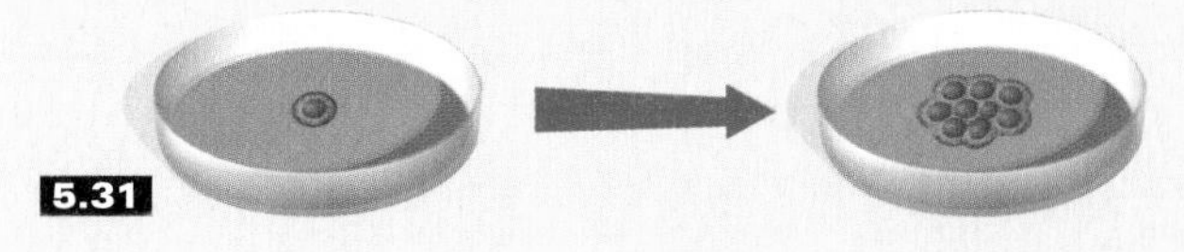

5.31

7. Les jeunes pousses sont plantées et on obtient un plant de fraises qui résiste au froid. Le gène antigel est présent dans chacune des cellules de la plante.

Cultiver la mer

Une ressource à exploiter

« Il faut changer notre façon de voir la mer. La mer n'est pas une pourvoyeuse sans limites. Cette voie n'est plus celle de l'avenir. » C'est ce qu'affirme le directeur du Conseil régional de concertation et de développement de Gaspésie – Îles-de-la-Madeleine.

Si cette région a su par le passé tirer profit d'activités économiques traditionnelles (pêche, tourisme, forêts et mines), cela n'est plus le cas aujourd'hui. Ces activités, bien qu'elles soient encore pratiquées, ne répondent plus aux besoins de la région. Il faut faire différemment.

En plus de pêcher de nouvelles espèces marines, une des façons d'exploiter autrement la mer est la mariculture, c'est-à-dire l'aquaculture en mer. Parmi les produits de la mer qui sont ainsi cultivés, il y a d'abord les moules qu'on élève aux îles de la Madeleine. On cultive aussi les pétoncles et les myes destinés au marché de la Nouvelle-Angleterre.

Un autre secteur maritime qui se développe est la transformation sur place des produits maritimes, comme le hareng fumé destiné aux marchés extérieurs. Des entreprises de biotechnologies marines innovent en produisant des protéines pour l'industrie alimentaire ou une fibre naturelle et biodégradable à partir des carapaces de crabes et des résidus de crevettes.

Source : D'après Pierre Vallée, « Apprendre à cultiver la mer », *Le Devoir*, 2 et 3 novembre 2002, p. H8.

Une pratique contestée !

L'Organisation pour la conservation du saumon atlantique considère que l'aquaculture menace le saumon sauvage. Comment ? La production intensive de saumons en cages placées directement dans les mers est à l'origine de la dissémination de maladies qui affectent sérieusement le saumon sauvage. Le problème de base auquel l'aquaculture fait face est celui des rejets d'excréments directement dans l'eau. Malgré certaines mesures, cela cause la pollution intense du milieu marin local et la contamination bactérienne d'élevages entiers et des espèces sauvages voisines.

L'expérience européenne nous indique que l'élevage du saumon en mer doit être confiné en milieu terrestre, dans des bassins d'eau de mer. C'est la seule façon de traiter les eaux contaminées et de protéger l'espèce. Mais le saumon coûterait beaucoup plus cher…

Source : D'après Louis-Gilles Francoeur, « Un traité pour interdire ou contrôler l'aquaculture », *Le Devoir*, 11 juin 2004, p. B7.

La « culture » ou l'élevage du poisson est un enjeu pour plusieurs territoires, au Québec et ailleurs dans le monde. Quels sont les arguments pour et contre cette pratique ?

5.32
Aquaculture en mer, au Nouveau-Brunswick.

1 En Californie : cultiver le désert

L'État de la Californie est le premier producteur agricole des États-Unis. C'est même une des régions les plus productives du monde. « Les vallées riches et fertiles de la Californie » : voilà une expression qu'on entend souvent. Pourtant, un climat désertique caractérise ce territoire. D'où vient donc l'eau nécessaire aux cultures ?

5.33
Culture de la vigne, Vallée Impériale, Californie. Comment le raisin pousse-t-il dans un climat désertique ?

Qu'est-ce qui caractérise le territoire agricole californien ?

Un climat désertique

Près de 65 % de la superficie de la Californie reçoit moins de 500 mm de pluie par an. Dans le sud de cet État, il en tombe moins de 200 mm : il s'agit donc de régions caractérisées par un climat désertique*. Toutefois, les sols des vallées de la Californie sont très fertiles. Pourquoi ? Les plaines ont été nourries en profondeur par des dépôts que les crues de cours d'eau y ont laissés depuis des centaines d'années. Des engrais chimiques ajoutés à ces terres les ont rendues parmi les plus productives du monde.

Où poussent les différentes cultures ?

La Californie est bordée à l'ouest par la chaîne côtière (Coast Range) et à l'est par la sierra Nevada. Entre ces deux chaînes de montagnes, il y a des vallées rattachées à plusieurs cours d'eau. Les deux plus importantes sont : la Grande Vallée, qui comprend celle de la rivière Sacramento au nord et celle du fleuve San Joaquin au centre, productrice d'une gamme diversifiée de cultures, et la Vallée Impériale, une région désertique du sud transformée en immense potager.

Dans les régions côtières, les vallées de Salinas, de Napa et de Sonoma sont aussi largement cultivées. Ces vallées sont d'ailleurs reconnues internationalement pour leur production de vin.

D'où vient l'eau ?

En Californie, la pluie tombe principalement au nord, mais l'eau est surtout utilisée au sud. Voilà pourquoi les Californiens ont construit le plus grand système de transport artificiel de l'eau sur la planète : c'est pour gérer et distribuer l'eau sur leur territoire.

L'eau sert à irriguer* les terres agricoles et aussi à approvisionner les villes. Les terres sont riches, oui, mais sans irrigation il n'y a tout simplement pas de culture possible en Californie. Selon les régions, de 50 % à 75 % des fermes sont irriguées. Ainsi, le territoire agricole de la Californie révèle un réseau complexe de barrages, de canaux d'irrigation, d'aqueducs*, de puits de pompage et de milliers de kilomètres de conduites d'irrigation qui font le lien entre ces infrastructures et les terres cultivées.

*

Climat désertique : Un climat désertique est caractérisé par une faible quantité de précipitations (moins de 250 mm par an) et par leur irrégularité d'une année à l'autre.

Irrigation : Ensemble de techniques permettant d'arroser artificiellement des terres agricoles (barrage, canal, détournement de cours d'eau, réservoir, etc.).

Aqueduc : Canal qui permet d'amener l'eau d'un point à un autre et qui peut servir à transporter l'eau potable.

CARTE 5.5 LES PRÉCIPITATIONS EN CALIFORNIE

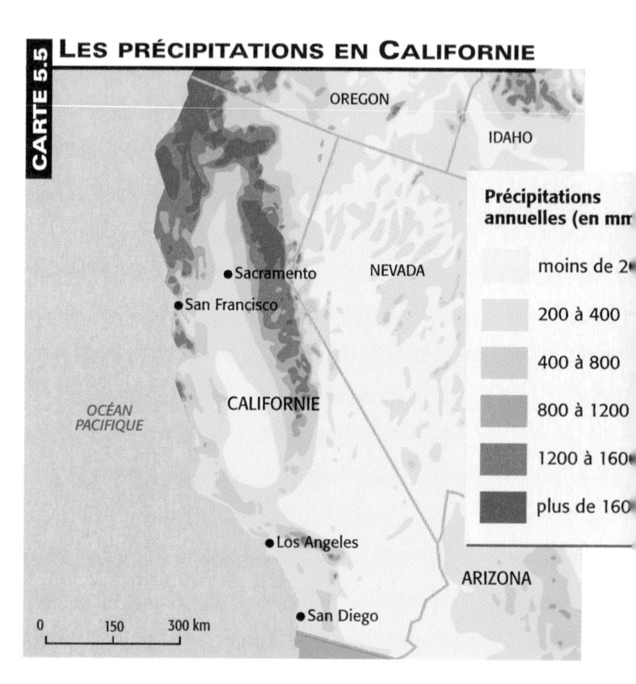

CARTE 5.6 LE RELIEF DE LA CALIFORNIE

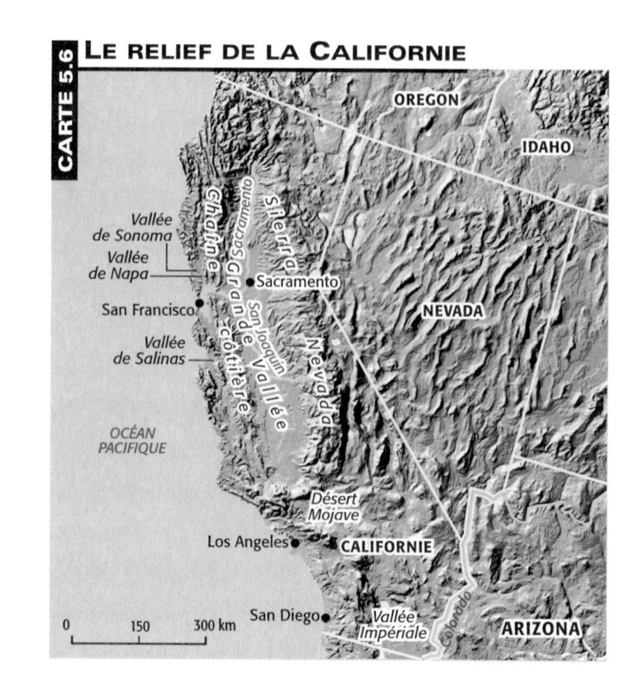

CARTE 5.7 Le territoire agricole irrigué de la Californie

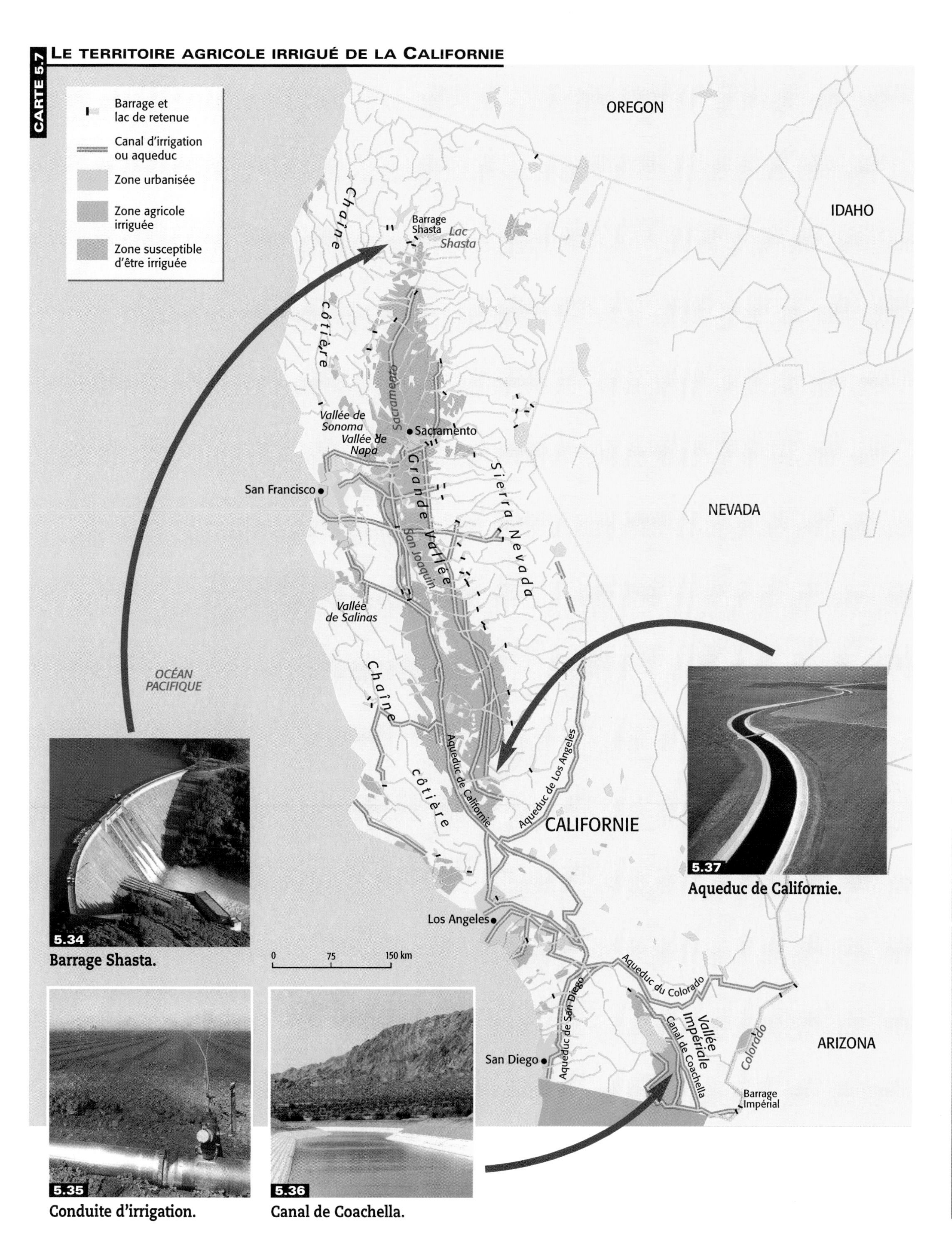

Barrage Shasta.

Conduite d'irrigation.

Canal de Coachella.

Aqueduc de Californie.

La provenance de l'eau

L'eau qui nourrit les terres agricoles du sud de la Californie provient de trois sources : Ⓐ la pluie, Ⓑ la nappe d'eau souterraine et Ⓒ le détournement de l'eau du nord de l'État et des États voisins par des canaux d'irrigation.

Ⓐ La **pluie** qui tombe au sol ne disparaît pas. Elle se dérobe simplement pour réapparaître plus tard, sous une autre forme. Sur la planète, l'eau circule constamment entre l'atmosphère et la terre. Elle forme une boucle infinie qu'on appelle le « cycle de l'eau ».

Évaporation
Réchauffée par le soleil, l'eau des océans, des lacs et des rivières s'évapore et s'élève dans l'atmosphère. L'eau s'évapore aussi du sol et de la végétation : on parle alors d'évapotranspiration.

Condensation
Lorsque la vapeur d'eau entre en contact avec les couches d'air plus froides de l'atmosphère, en altitude, l'eau se condense et forme des nuages.

Précipitations
L'eau des nuages finit par retomber sur terre sous forme de précipitations (pluie, neige ou grêle).

Infiltration
Une partie de l'eau qui arrive sur la terre pénètre dans le sol et descend pour rejoindre la nappe d'eau souterraine (nappe phréatique).

Ruissellement
L'eau qui n'est pas absorbée par la végétation et qui ne s'infiltre pas dans le sol coule ou circule en surface vers les lacs ou les rivières et finit par rejoindre les océans.

Et le cycle recommence…

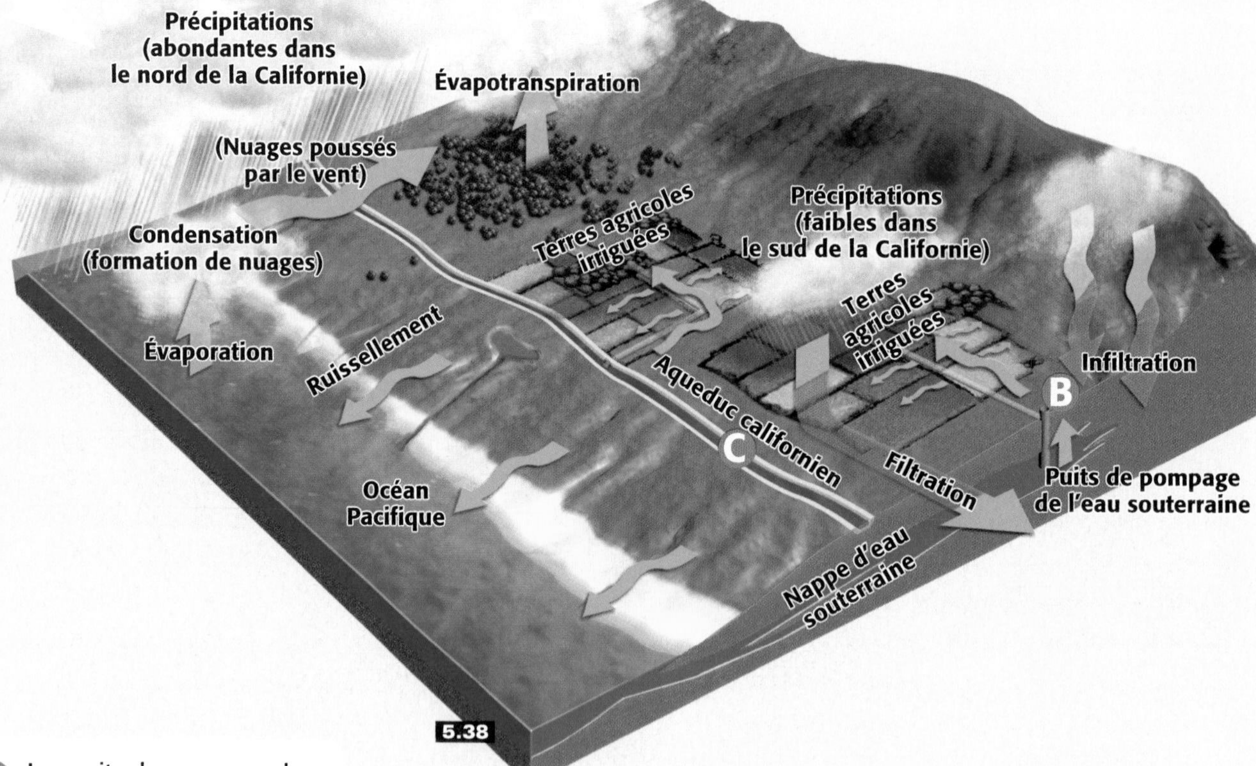

5.38

Ⓑ Les puits de pompage descendent très profondément dans le sol, jusque dans la **nappe d'eau souterraine.** Ils tirent l'eau jusqu'à la surface de la terre. Le précieux liquide est ensuite distribué dans les champs grâce à un réseau de conduites d'irrigation.

Ⓒ L'aqueduc californien sert à détourner vers le sud l'eau qui circule dans le nord de la Californie. Ce canal s'étire sur 700 km, soit plus que la distance entre Montréal et Toronto ! Mesurant en moyenne 12 m de large et 9 m de profond, il ressemble à une immense rivière dont le lit serait couvert de béton.

L'aqueduc californien n'est qu'un des **canaux d'irrigation** qui amènent l'eau vers le sud de la Californie. D'autres canaux transportent l'eau des États voisins vers la Californie.

Qui travaille en agriculture ?

La Californie compte 84 000 exploitations qui couvrent le tiers de la superficie de l'État. La plupart de ces exploitations appartiennent à de grandes entreprises qui embauchent des travailleurs salariés. Les fruits et les légumes sont cueillis par des travailleurs saisonniers. Leurs conditions de travail sont difficiles : bas salaires, logements souvent insalubres, contact avec les produits chimiques, chaleur excessive, etc. Aujourd'hui, un grand nombre de ces travailleurs viennent du Mexique pour le temps des récoltes seulement. Mais plusieurs immigrent aux États-Unis. Ainsi, environ 70 % de la population de la région de la Vallée Impériale est d'origine mexicaine.

Dans une grande entreprise agricole de la vallée de Salinas, en Californie, ces travailleurs cueillent et mettent en boîtes les laitues... qui seront peut-être exportées au Québec.

Que produit la Californie ?

Avec 3 % seulement des agriculteurs des États-Unis, la Californie produit la moitié des fruits, des légumes et des noix du pays. Ses vallées produisent principalement du coton, du vin, du raisin, des noix, du riz, des produits laitiers et une très grande variété de fruits et de légumes. Plusieurs de ces produits se retrouvent d'ailleurs sur nos tables, car le Canada est le principal pays importateur de produits agricoles de la Californie.

Selon une étude du Worldwatch Institute, le trajet moyen parcouru par un aliment du champ à la table est de 2500 km! (Équiterre, 2004)

5.40 Principales exportations agricoles de la Californie

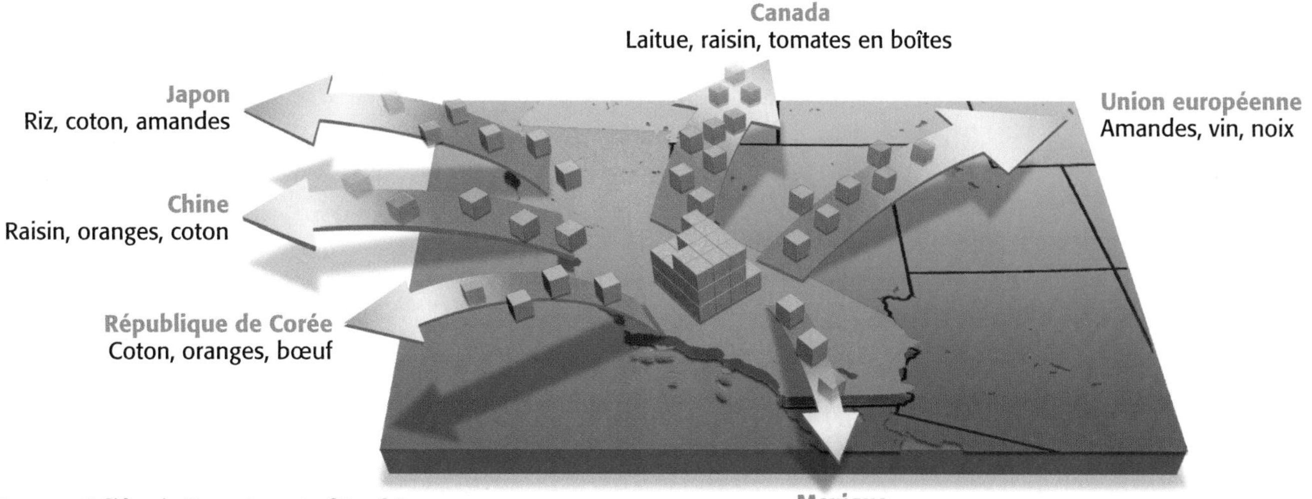

Source : California Department of Food & Agriculture Resource Directory, 2002.

L'histoire des travailleurs agricoles de la Californie

Une grave sécheresse s'est produite dans les États du centre des États-Unis au cours des années 1930. On a appelé ce phénomène le « Dust Bowl ». Des dizaines de milliers d'agriculteurs ont dû quitter la terre qui les avait nourris jusque-là pour chercher du travail ailleurs. Plusieurs se sont dirigés vers la côte ouest, en Californie, car l'agriculture y était florissante.

À cette époque, les États-Unis traversaient la pire crise économique de leur histoire : la Grande Dépression. Des millions de chômeurs étaient à la recherche d'un emploi. C'est pourquoi seulement une minorité des fermiers exilés du centre du pays sont parvenus à trouver du travail en Californie.

Dans cet État, la ruée vers l'or et les chemins de fer avaient enrichi une minorité d'habitants. Ceux-ci avaient alors acheté de vastes domaines agricoles, et les terres qu'ils avaient irriguées comptaient parmi les plus fertiles du monde. Quelques grands propriétaires faisaient donc de bonnes affaires malgré la crise économique. Afin d'éviter l'impact négatif de cette crise sur leur entreprise, ces propriétaires payaient de bas salaires aux personnes qu'ils engageaient et ils les logeaient dans des camps de fortune. Les chômeurs qui avaient la chance d'être engagés n'osaient pas se plaindre.

Le romancier John Steinbeck a raconté l'histoire de ces travailleurs agricoles dans son roman *Les raisins de la colère*. Il a décrit les pénibles conditions de vie qu'ils ont endurées, loin de chez eux, et le courage dont ils ont fait preuve pour s'organiser et s'en sortir.

Aujourd'hui encore, on trouve en Californie des travailleurs agricoles qui acceptent de très bas salaires. Beaucoup viennent du Mexique et certains n'ont même pas le droit de travailler aux États-Unis. Ce sont les propriétaires des grands domaines agricoles qui en profitent. À l'exemple de John Steinbeck, plusieurs personnes dénoncent aujourd'hui les mauvaises conditions qui sont faites à ces travailleurs immigrés de l'agriculture.

5.41 En 1934, 25 artistes ont reçu une commande de l'État : peindre des murales qui décrivent différents aspects de la vie en Californie durant la crise économique. On peut observer ces œuvres à la Coit Tower (tour d'observation), à San Francisco. La murale ci-dessus a été réalisée par Maxine Albro. Selon vous, quels aspects de la vie des travailleurs agricoles l'artiste a-t-il mis en valeur dans son œuvre ?

2 L'eau, une ressource de plus en plus rare : comment la gérer ?

En Californie, on consomme plus d'eau qu'il n'en tombe sur le territoire. Qui sont les grands consommateurs d'eau ? Les agriculteurs d'abord, dont les besoins sont très grands. Puis, la population, dont le nombre a beaucoup augmenté au cours des 30 dernières années. La nappe phréatique baisse chaque année. L'eau devient donc un bien de plus en plus rare. Comment la partager de façon équitable* ?

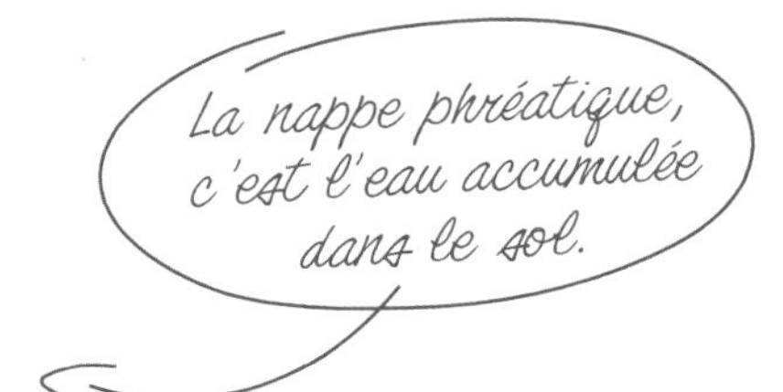

L'eau du nord et l'eau du sud

Depuis des décennies, l'eau est un sujet de dispute entre le nord et le sud de la Californie. Et pour de bonnes raisons : les deux tiers des précipitations tombent sur le territoire moins populeux du nord, tandis que les deux tiers des gens vivent dans le sud.

Pour compliquer davantage le problème, des conflits au sujet de l'eau existent également entre les différents États américains.

Prenons par exemple l'eau du fleuve Colorado. Sept États s'y « abreuvent » : du nord au sud, le débit* d'eau diminue donc nécessairement. De plus, pour ce cours d'eau, des conflits existent également entre les États-Unis au nord et le Mexique au sud : les États américains prélèvent 90 % de l'eau du Colorado. Aussi le fleuve a-t-il pratiquement disparu à son embouchure au Mexique, ce qui cause bien des ennuis aux utilisateurs mexicains qui manquent d'eau pour leurs activités.

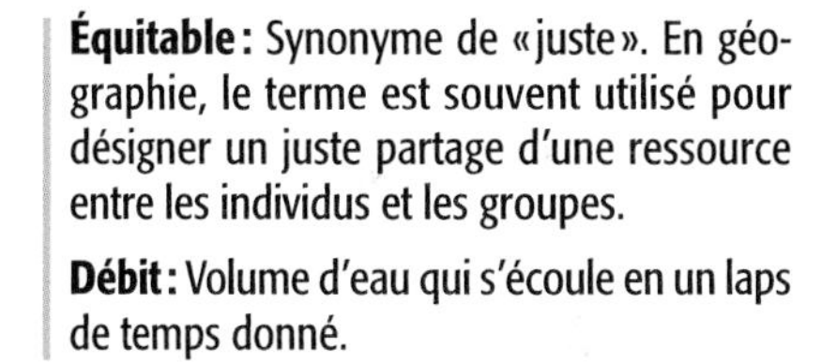

Équitable : Synonyme de « juste ». En géographie, le terme est souvent utilisé pour désigner un juste partage d'une ressource entre les individus et les groupes.

Débit : Volume d'eau qui s'écoule en un laps de temps donné.

CARTE 5.8 **LA GESTION DE L'EAU DU BASSIN DU COLORADO**

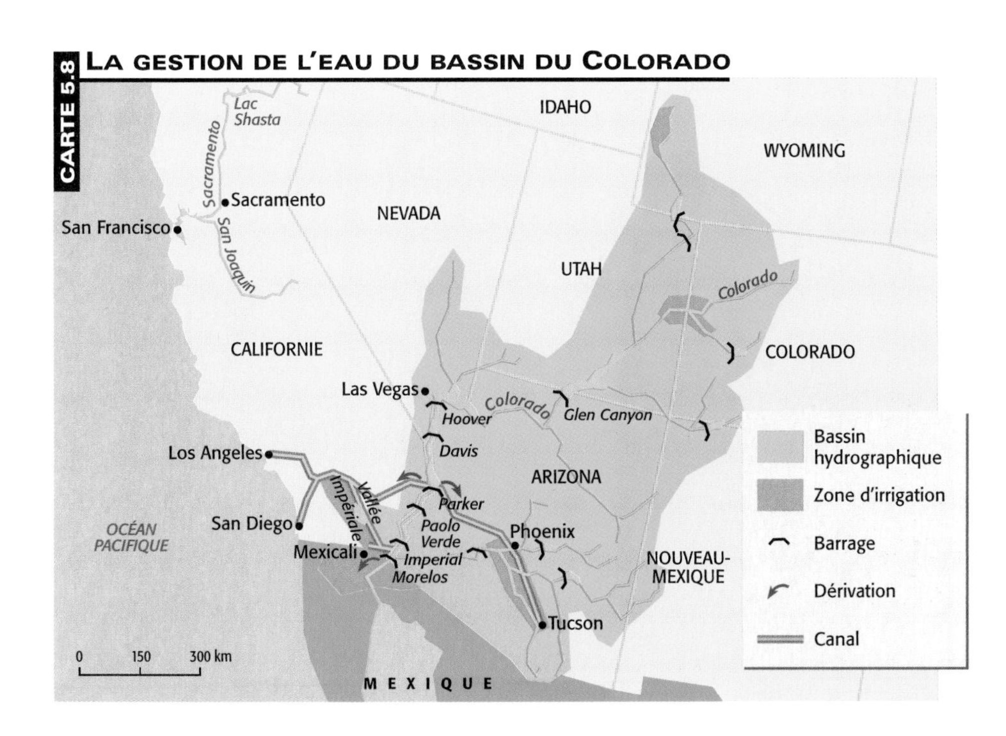

L'eau des champs et l'eau des villes

En plus des divisions nord-sud quant à l'utilisation de l'eau, il y a dispute entre la population des villes de plus en plus importante et celle des campagnes. En 2020, on prévoit qu'il y aura près de 15 millions de Californiens supplémentaires, surtout installés dans les villes du sud de l'État... Cela signifie 15 millions d'utilisateurs d'eau de plus!

Rappelons par ailleurs qu'en Californie l'agriculture accapare 75 % de l'eau consommée. Quatre cultures prélèvent 57 % de l'eau agricole: le coton, le riz, la luzerne et les pâturages irrigués.

Dans ce contexte où tous veulent de l'eau, c'est certainement la ressource la plus négociée et réglementée du monde (accords, lois, traités).

Négocier l'eau

Voici un cas concret d'ententes négociées autour de la question de l'eau. À partir d'une prise d'eau sur le Colorado, 200 000 hectares appartenant à environ 700 exploitants agricoles sont irrigués dans la Vallée Impériale. En raison des techniques d'irrigation employées et de l'aridité du climat, les exploitations agricoles californiennes consomment autant d'eau que 12 millions de personnes. Or, la population de la ville de San Diego, ville située près de la Vallée Impériale, augmente rapidement, et ses besoins en eau aussi!

5.42

San Diego. De l'eau pour les villes... ou de l'eau pour les champs ? La question suscite bien des dé

5.43

Plantation de dattes dans la Vallée Impériale.

Les citoyens revendiquent une distribution plus équitable de l'eau. Une entente a été signée entre la ville et les agriculteurs en l'an 2000 pour assurer un meilleur approvisionnement en eau des citadins.

Autre exemple d'ententes, celui-là dans la Grande Vallée. Depuis plusieurs années, on utilise dans la Grande Vallée des banques d'eau souterraines, c'est-à-dire des réservoirs qui récupèrent l'eau des crues printanières et autres surplus d'eau qui tombent de façon cyclique. À la suite d'une entente, ces réservoirs sont gérés de manière conjointe par les divers utilisateurs des campagnes et des villes. Les ressources d'eau sont ainsi mieux protégées de l'évaporation ou de la contamination causée notamment par l'érosion des sols agricoles.

5.44
Vignoble dans la vallée de Napa.

À la recherche de solutions durables

On le constate, la gestion du partage de l'eau en Californie est une question cruciale. Pour trouver des solutions durables, les autorités concernées sont appelées à :

- choisir les types d'infrastructures à mettre en place (barrages, réservoirs, canaux, usines de recyclage de l'eau usée, etc.) ;
- décider de l'utilisation même du territoire. Quelle agriculture pratiquer ? Faut-il que les entreprises et les villes aillent chercher leur eau de plus en plus loin ou qu'elles limitent leurs besoins et leur expansion ? Quel contrôle établir sur les ressources des bassins versants de l'État ?

Les différents groupes concernés par le territoire agricole de la Californie ont donc à définir des stratégies pour assurer le développement durable de leur État[1].

Curieux

D'où vient le nom « Californie » ?

On dit qu'en 1862 des chercheurs ont découvert un roman espagnol écrit en 1521 par García Ordóñez de Montalvo. Ce livre décrivait une île mystérieuse des Indes, idyllique, couverte d'or et de pierres précieuses. Cette île se nommait « California ». Lorsque les premiers conquérants espagnols ont débarqué sur les côtes de la Basse-Californie en 1542, ils se croyaient sur California... Ce territoire deviendra par la suite un lieu mythique pour les chercheurs d'or, de terres fertiles et de rêves hollywoodiens. Comme quoi la fiction et la réalité s'emmêlent souvent dans la vie !

1. D'après Frédéric LASSERRE et Luc DESCROIX, *Eaux et Territoires*, Québec, PUQ, 2002, p. 106.

1 S'alimenter au Japon : toute une organisation

Le Japon, une des grandes puissances économiques mondiales, est surtout connu pour ses très grandes villes, sa technologie de pointe et ses voitures. Qui n'a pas, à la maison, un bien fabriqué au Japon? Plus de 127 millions de personnes habitent ce territoire surtout montagneux, presque cinq fois plus petit que le Québec et ayant peu de terres cultivables. Dans ces conditions, on peut se demander comment le Japon organise son territoire pour nourrir sa population...

CARTE 5.9 LE JAPON EN ASIE

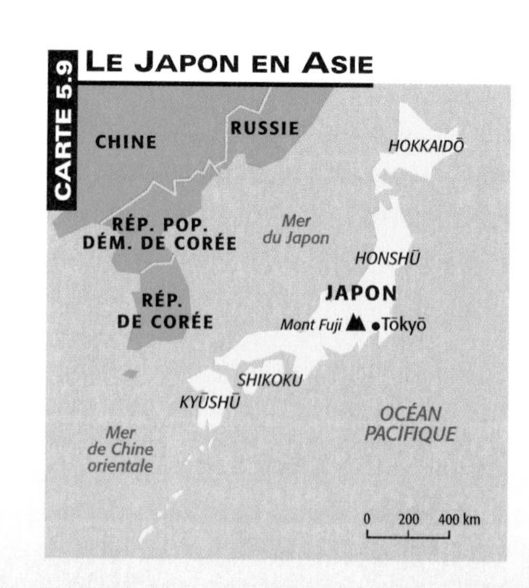

5.45
Tōkyō, capitale du Japon. La majorité des Japonais vit dans de grandes villes. D'où provient la nourriture de la population?

CARTE 5.10 **LE JAPON, UN TERRITOIRE ORGANISÉ POUR NOURRIR SA POPULATION**

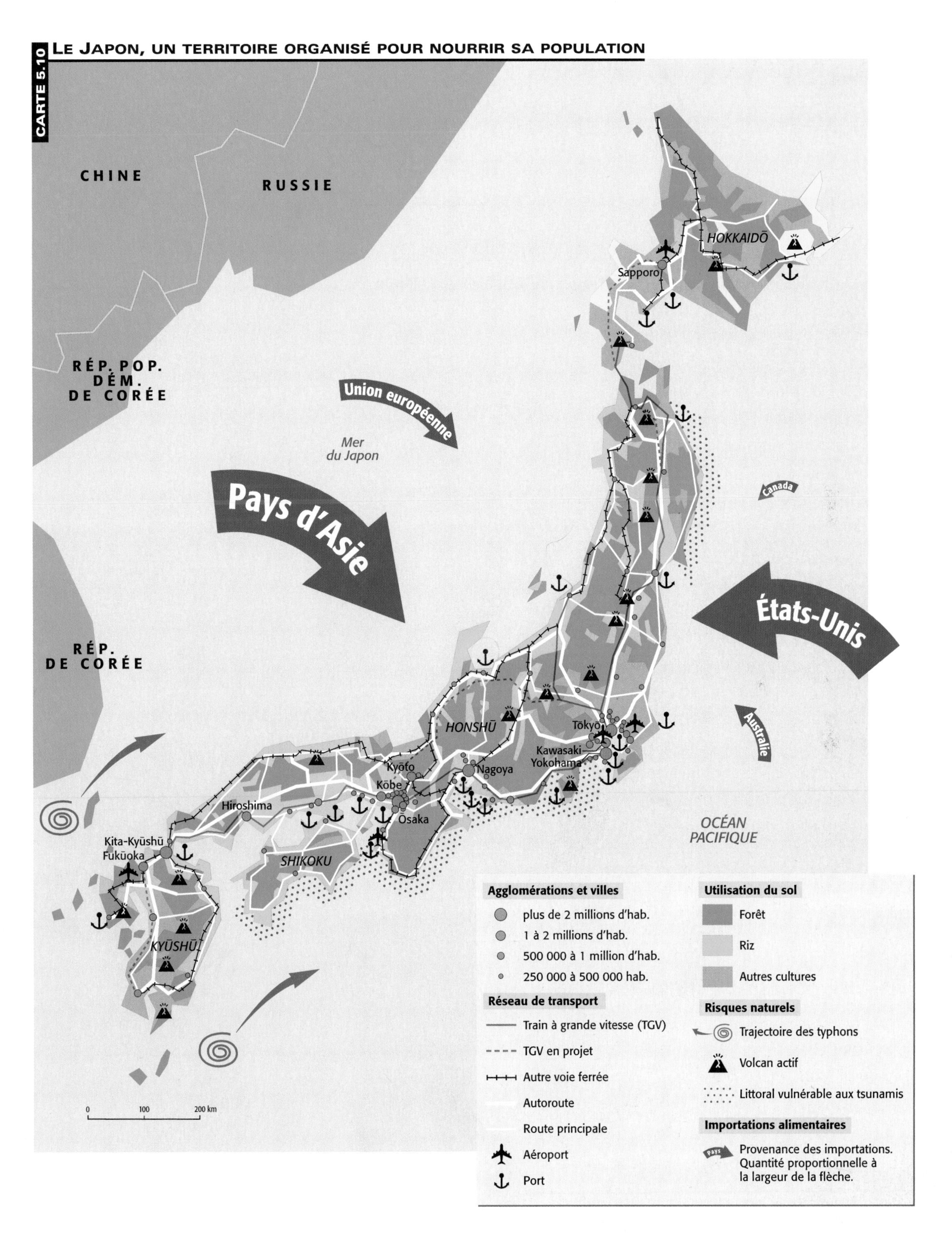

Qu'est-ce qui caractérise le territoire agricole japonais ?

Le Japon, c'est un archipel de 3922 îles ! Rassurez-vous, vous n'aurez pas à toutes les connaître... seulement les quatre principales. Du nord au sud, il y a Hokkaidō, Honshū, Shikoku et Kyūshū. Ces îles sont situées à l'est du continent asiatique. L'agriculture y est pratiquée depuis des siècles. Voici les principales caractéristiques du territoire japonais.

La rareté des terres cultivables

Le territoire agricole n'occupe que 13,9 % de toute la superficie de l'archipel japonais. Il faut savoir que le relief est principalement montagneux et volcanique. La forêt couvre 66,7 % de la superficie du pays. Mais pas question de déboiser. Les Japonais accordent une grande importance à la forêt : le pays compte 28 parcs nationaux et de nombreuses réserves naturelles. Hokkaidō est une exception : là, l'agriculture gagne sur la forêt. Par ailleurs, le Japon est un pays fortement urbanisé et industrialisé. Ainsi, la quantité de terres cultivées diminue, car les villes et les moyens de communication empiètent progressivement sur ces sols.

5.47 Pourquoi ce riziculteur s'est-il « installé » dans la mer ?

5.46 Répartition des surfaces occupées

Type de terrain	Surface (en milliers de km²)	Pourcentage
Forêts	252,1	66,7
Zones agricoles	**52,6**	**13,9**
Zones urbaines	16,5	4,4
Lacs et rivières	13,2	3,5
Routes	11,7	3,1
Zones incultes	2,6	0,7
Autres	29,1	7,7
Total	377,8	100

Source : Agence nationale du territoire, Japon, 1994.

Des paysages de rizières dans toutes les îles

La rizière est le trait dominant du paysage agricole japonais. La quantité de riz produite suffit aux besoins de la population : toute la production est consommée sur place. Le riz est la nourriture de base de la population. Près de 40 % des terres cultivables sont consacrées à la riziculture. Le Japon arrive au huitième rang mondial des pays producteurs de riz. Les rendements des terres sont parmi les plus élevés du monde, grâce aux sols, aux engrais, à l'irrigation et au travail des paysans ! La production à grande échelle se concentre surtout dans les plaines, mais on pratique encore la culture en terrasses sur les pentes.

5.48

Rizière sur l'île de Honshū. Observez le contraste entre la rizière, au premier plan, et l'espace habité, à l'arrière-plan. Peut-on établir un lien entre ces deux plans ? Formulez une hypothèse.

Quelles autres cultures que le riz produit-on au Japon ? Les types de cultures varient en fonction de plusieurs facteurs : la latitude, la qualité des sols, l'espace disponible, la demande, la technologie, etc. Par exemple, au nord, on cultive des pommes de terre, et, plus au sud, des oranges. Sur les pentes fertiles des volcans du centre de Honshū, on cultive la vigne. En raison du manque d'espace, il y a peu d'élevage au Japon.

5.49

Élevage de vaches près de Kannabe sur l'île de Honshū. Un gratte-ciel pour les vaches ? Pourquoi construit-on des édifices en hauteur pour l'élevage du bétail ?

L'agriculture dans les quatre grandes îles de l'archipel

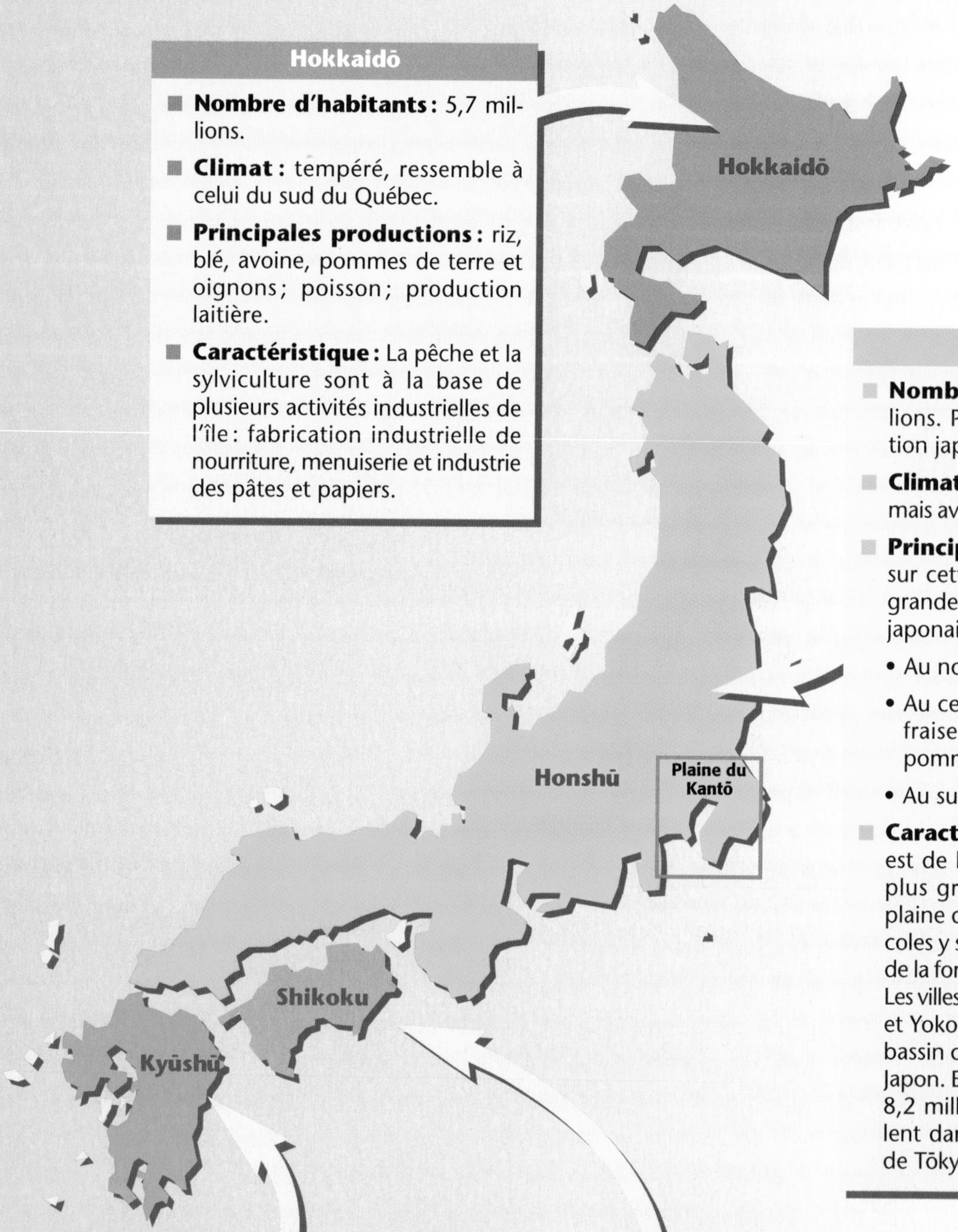

Hokkaidō
Honshū
Plaine du Kantō
Shikoku
Kyūshū

Hokkaidō

- **Nombre d'habitants:** 5,7 millions.
- **Climat:** tempéré, ressemble à celui du sud du Québec.
- **Principales productions:** riz, blé, avoine, pommes de terre et oignons; poisson; production laitière.
- **Caractéristique:** La pêche et la sylviculture sont à la base de plusieurs activités industrielles de l'île: fabrication industrielle de nourriture, menuiserie et industrie des pâtes et papiers.

Honshū

- **Nombre d'habitants:** 99 millions. Premier foyer de la civilisation japonaise.
- **Climat:** plus doux qu'à Hokkaidō, mais avec quatre saisons marquées.
- **Principales productions:** c'est sur cette île qu'on cultive la plus grande part des produits agricoles japonais.
  - Au nord: riz; poisson.
  - Au centre: riz, thé, mandarines, fraises, cerises, raisins, pêches, pommes, pommes de terre, blé.
  - Au sud: riz, agrumes; poisson.
- **Caractéristique:** C'est au centre est de l'archipel que se trouve la plus grande plaine du Japon, la plaine du Kantō. Les activités agricoles y sont en déclin compte tenu de la forte urbanisation de la région. Les villes voisines de Tōkyō, Kawasaki et Yokohama forment d'ailleurs le bassin commercial et industriel du Japon. En guise d'exemple, plus de 8,2 millions de personnes travaillent dans les 765 600 entreprises de Tōkyō.

Kyūshū

- **Nombre d'habitants:** 3,5 millions.
- **Climat:** tropical.
- **Principales productions:** riz et fruits tropicaux.
- **Caractéristique:** Cette île est reliée à Honshū par un pont, des tunnels sous-marins, une route et un chemin de fer. Sa population migre d'ailleurs progressivement vers Honshū.

Shikoku

- **Nombre d'habitants:** 4,2 millions.
- **Climat:** tropical; de fréquents typhons détruisent les récoltes.
- **Principales productions:** riz, thé, pêches et légumes en serres (poivrons, concombres, aubergines, etc.).
- **Caractéristique:** Plusieurs ponts relient maintenant Shikoku à Honshū.

5.50

Une grande diversité de climats

Le territoire japonais a une forme très allongée : l'ensemble de l'archipel s'étend sur 2000 km en longueur, dépassant rarement les 300 km en largeur. C'est un peu comme un territoire qui s'étendrait de Québec à Miami en Floride ! Le Japon possède ainsi un climat tempéré au nord et un climat tropical au sud. Par ailleurs, le climat est plus rigoureux du côté de la mer du Japon que du côté de l'océan Pacifique.

On comprendra que cette variété de climats et leurs particularités influencent la diversité des produits agricoles.

Quant aux précipitations, il en tombe beaucoup au Japon. Toutefois, à cause du nombre élevé d'habitants et des faibles capacités de stocker cette eau, la ressource doit être gérée avec soin.

*

Tsunami : Vague gigantesque provoquée par un tremblement de terre. On parle aussi de « raz de marée ».

Des risques d'origine naturelle

Situé en bordure de la zone des typhons, au nord des mers de Chine et des Philippines, le Japon est exposé à des tsunamis* et à une trentaine de typhons chaque année, à la fin de l'été. Accompagnés de fortes précipitations, ces typhons augmentent le risque d'inondation, surtout dans les plaines, là où les zones urbaines et agricoles sont concentrées. De plus, le territoire compte environ 260 volcans, dont 60 sont actifs et 83 en surveillance continue. Le pays tente de contrer l'impact de ces catastrophes sur les ressources et sur la population par la recherche scientifique et de grands travaux d'aménagement : barrages, brise-lames, bassins, réservoirs, etc.

Izushi, le 22 octobre 2004, après le passage du typhon Tokage. Quel est l'impact d'un typhon en territoire agricole ?

Un paysage morcelé

Le paysage agricole du Japon est très morcelé. Cela veut dire qu'il existe un très grand nombre de petites exploitations. Chaque exploitant dispose en moyenne de deux hectares seulement. Pourquoi est-ce ainsi ?

Au Québec, la superficie moyenne des exploitations est d'environ 100 hectares.

Cette situation découle de la réforme agraire survenue au milieu du 20e siècle. Les terres des grands seigneurs ont alors été divisées en petites parcelles et distribuées aux paysans qui y travaillaient.

Cette division des terres existe encore aujourd'hui. Les paysans, ne possédant qu'une petite terre, ne peuvent vivre uniquement des revenus de leur exploitation. Ils sont obligés d'avoir une autre activité pour subvenir aux besoins de leur famille, par exemple la pêche ou l'artisanat. La mécanisation est souvent impossible sur des terres aussi petites.

Depuis 1950, la population agricole a diminué de presque la moitié. Le travail très exigeant de la ferme attire moins les jeunes. Les agriculteurs constituent donc une population vieillissante, dont l'âge moyen est de 60 ans.

5.52 **Champs cultivés sur l'île de Kyūshū.** Pourquoi peut-on dire que ce paysage agricole est morcelé ?

Est-il vrai que le Japon manque d'espace ?

On entend souvent dire que le territoire du Japon est surpeuplé et que ce pays manque d'espace. Qu'en est-il ?

C'est vrai que la densité de population, c'est-à-dire le rapport entre le nombre d'habitants et la superficie du pays, est une des plus élevées du monde. Mais les habitants sont concentrés dans les plaines de l'île de Honshū. Les autres îles sont moins peuplées. À Hokkaidō, en particulier, les terres cultivables ne sont pas toutes occupées. De plus, des terres cultivables sont laissées à l'abandon à cause du vieillissement de la population et du manque d'intérêt des jeunes qui préfèrent la ville. Pour leur travail, très fortement relié à la production industrielle ou technologique et aux divers services, les gens doivent vivre dans les très grandes villes ou à proximité.

Donc, au Japon comme ailleurs dans le monde, la distribution de la population est plus fonction des conditions économiques que du manque d'espace physique. D'ailleurs, même dans un pays très vaste et peu peuplé comme le Canada, les habitants des grandes villes manquent parfois d'espace !

5.53

La concentration des activités humaines

Près de 25 % de la population du Japon est concentrée dans la grande région métropolitaine de Tōkyō, la capitale. Tōkyō est située sur la plus vaste plaine du Japon, la plaine du Kantō. On fait encore de l'agriculture sur cette plaine, mais les banlieues urbaines rongent de plus en plus les terres cultivables. En fait, une part grandissante de la population japonaise vit aujourd'hui dans de grandes agglomérations urbaines. On vit en banlieue et on travaille en ville. À elles seules, les agglomérations de Tōkyō, d'Ōsaka et de Nagoya regroupent plus de 40 % de la population japonaise !

La mer prolonge le territoire agricole

Le Japon, c'est plus de 32 000 km de côtes ! Pas étonnant qu'après le riz les produits de la mer constituent le deuxième élément de base de l'alimentation des Japonais, très friands de poissons variés. Le secteur des pêcheries (aquaculture, production industrielle, etc.) est donc très développé au Japon. Ce pays arrive d'ailleurs au premier rang de la technologie mondiale dans la production du poisson.

La pêche a joué un rôle important dans l'organisation de l'espace autour des côtes et des ports au Japon. Par exemple, les ports sont aménagés pour transformer le poisson et commercialiser tous les produits de la mer : bassins d'élevage, usines, entrepôts, camions réfrigérés, etc. D'autres types de produits sont tirés de la mer, les algues et les baleines notamment.

Au Japon, l'agriculture et la pêche sont très liées puisque la pêche est le complément de revenu d'un grand nombre d'agriculteurs. La pêche permet aussi un apport d'engrais à base d'algue ou de poisson en agriculture.

5.54

5.55

Le poisson, il faut le pêcher en mer, l'apporter au port, le transformer en usine, le transporter vers des lieux de consommation, partout au Japon, l'exporter ailleurs dans le monde… et le garder toujours frais ! Quelle organisation !

2 Comment se nourrissent les Japonais ?

Le Japon ne subvient qu'à environ 40 % de ses besoins alimentaires. Cette situation fait du Japon le plus grand importateur de produits agricoles et alimentaires du monde. Les principaux produits alimentaires importés sont le poisson, le porc, le maïs, les fèves de soja et le bœuf. Le grand marché japonais intéresse vivement les pays d'Asie, les États-Unis, l'Union européenne, l'Australie et le Canada qui exportent un grand nombre de leurs produits au Japon. En échange, ces mêmes pays importent du Japon des biens industriels et technologiques, des automobiles, etc.

Il faut un bon réseau de distribution pour importer et exporter ainsi des milliards de dollars de produits. Il y a par exemple 173 aéroports au Japon ! Pour acheminer les produits à l'intérieur de l'archipel, les Japonais comptent sur un réseau de communication très développé : nombreux ports, chemins de fer et autoroutes. Le train est le moyen de transport le plus utilisé.

5.56 Principaux pays d'où proviennent les importations japonaises de produits alimentaires

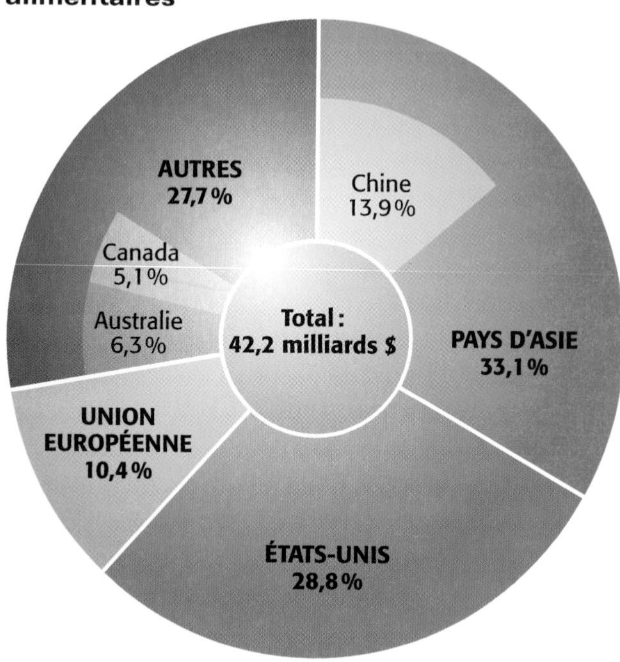

Source : *Japan 2004*, Keizai Koho Center, 2004.

5.57

Aéroport du Kansai, au large d'Ōsaka. Selon vous, pourquoi cet aéroport a-t-il été construit dans la mer plutôt que sur la terre ferme ?

Traditionnellement, les Japonais se nourrissaient surtout de poisson et de riz dont ils disposaient en grande quantité. Aujourd'hui, la population a augmenté et les habitudes alimentaires ont changé, sous l'influence de l'Occident. On mange plus de viande, de produits laitiers et une grande variété de fruits et de légumes qu'il faut importer.

Et chez soi, on s'organise comment ? Dans les centres urbains, où se trouve la plus grande partie de la population, la moindre parcelle de terre cultivable est mise à profit. On cultive dans sa petite cour, sur le balcon, sur le toit, dans des espaces vacants. Cette agriculture urbaine est maintenant considérée comme un apport complémentaire non négligeable aux besoins des citadins. La concentration de la population est telle que l'espace est limité partout. Les appartements aussi sont petits et il y a peu d'espace de rangement. Contrairement aux Nord-Américains, les Japonais n'achètent donc pas de gros formats et ne font pas de réserves. Cela augmente les déplacements quotidiens en ville pour faire l'épicerie et contribue aux bouchons de circulation.

5.58
En quoi cette photo illustre-t-elle un changement dans les habitudes alimentaires au Japon ?

5.59
Agriculture urbaine dans une banlieue de Kyōto. Ce phénomène existe dans plusieurs villes du monde, mais pourquoi est-il particulièrement important au Japon ?

Curieux

Mangeons-nous des aliments du Japon au Québec ?

Bien sûr ! Nous mangeons des produits à base de soya (tofu, sauce Tamari et sauce teriyaki), du poisson, des clémentines en conserve et du thé du Japon, par exemple. Certains produits plus rares sont aussi offerts dans des épiceries spécialisées. Cependant, ce sont surtout les Japonais qui mangent des produits du Québec et du Canada ; les graines de colza, le porc et le blé sont les principaux produits que le Canada exporte au Japon.

POUR ou CONTRE les OGM ?

Les OGM, savons-nous vraiment ce que c'est ? Les territoires agricoles de la planète sont particulièrement touchés par cette invention biotechnologique. Sous la pression des consommateurs et des groupes environnementalistes, les autorités de chaque pays sont appelées à prendre d'importantes décisions en lien avec les OGM[1].

La création d'organismes génétiquement modifiés (OGM), saluée dans les années 1970 comme une découverte scientifique majeure, soulève aujourd'hui une polémique internationale. Les partisans des OGM vantent les progrès dont ils sont porteurs pour l'agriculture ou la médecine. Les opposants dénoncent les effets de ces OGM sur les êtres vivants, dont les conséquences futures sont mal connues. Le débat est en cours, mais les cultures d'OGM gagnent rapidement du terrain (plus de 50 millions d'hectares en 2003) sous l'impulsion de puissantes firmes agroalimentaires qui en tirent d'immenses profits. Alors, pour ou contre les OGM ?

Recherche
Les scientifiques utilisent les OGM pour réaliser des expériences qui leur permettent de mieux comprendre les mécanismes du vivant.

Environnement
Des plantes modifiées pour résister aux insectes ou aux maladies peuvent être cultivées sans produits polluants (pesticides, insecticides…).

POUR · POUR · POUR

Pollution génétique
La recherche sur les OGM végétaux nécessite des cultures en champ. Ces OGM expérimentaux qui poussent à l'air libre se croisent avec des plantes naturelles et peuvent contaminer des cultures destinées à l'alimentation.

Biodiversité
Les OGM résistant aux insectes concurrencent les plantes naturelles, plus fragiles. Certaines de ces dernières pourraient disparaître.

CONTRE · CONTRE · C

5.60

1. Le texte ci-contre est tiré de : COMBRES, Élizabeth, et Florence THINARD, *Les 1000 mots de l'information pour mieux comprendre et décrypter l'actualité*, Paris, Gallimard Jeunesse, 2003, p. 237.

Quels arguments les scientifiques utilisent-ils pour justifier leurs recherches sur les OGM ?

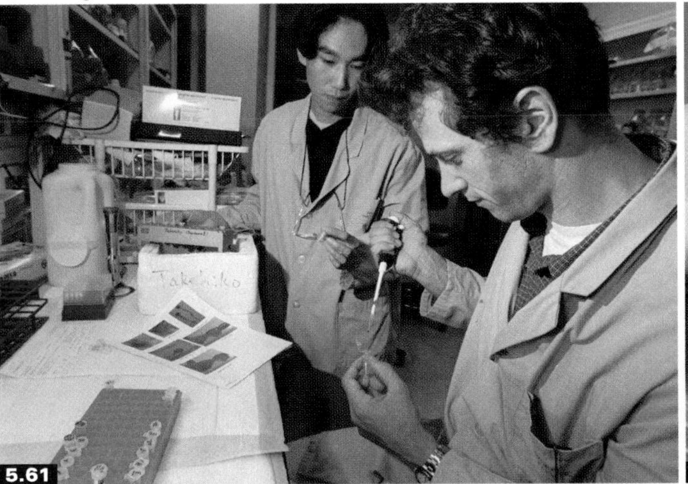
5.61

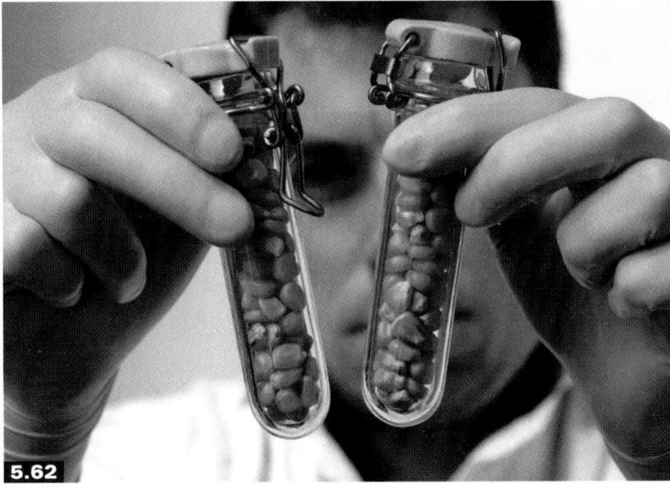
5.62

Santé

Des OGM (plantes ou animaux) capables de fabriquer un médicament ou un vaccin permettront un jour de se soigner ou de se vacciner en mangeant. Des populations entières pourront être vaccinées facilement et à moindre coût dans les pays pauvres notamment.

Développement

La création de plantes résistant au froid ou à la sécheresse peut faciliter l'agriculture dans des pays aux climats extrêmes. En Afrique subsaharienne, on pourrait ainsi aider les paysans et lutter contre la famine.

Coûts

En transformant des plantes ou des animaux pour les rendre plus vigoureux et accélérer leur croissance, on diminue les coûts dans l'agriculture et l'élevage. On améliore ainsi les revenus des agriculteurs et des éleveurs tout en baissant le prix de vente des produits.

OUR · POUR · POUR · POUR

Résistance

Si une plante fabriquant un médicament se répand dans la nature, elle permet aux microbes d'entrer en contact avec ce médicament et de s'y adapter pour y résister, si bien que le médicament n'est plus efficace.

Précaution

On n'est pas sûr aujourd'hui que les OGM soient sans danger pour l'être humain. Des aliments à base d'OGM pourraient notamment provoquer des allergies.

Multinationales

La conception des OGM en laboratoire coûte très cher et seules quelques grandes entreprises privées peuvent s'y consacrer. Du coup, la concurrence est faible et les agriculteurs qui cultivent ces OGM dépendent totalement de ces multinationales dont le but est de faire des bénéfices.

RE · CONTRE · CONTRE · CONTRE

5.63

Pourquoi ces manifestants sont-ils contre la culture du maïs génétiquement modifié ? Selon vous, ont-ils raison ?

QUATRIÈME PARTIE SYNTHÈSE

FAIRE DE LA GÉO EN... réalisant le croquis d'un paysage

Un croquis géographique est un dessin qui propose une représentation simplifiée d'un paysage. Il peut être fait à partir d'une photo ou d'une observation sur le terrain.

Imaginez que vous êtes le ou la photographe qui a pris cette photo du haut des airs. Ce paysage, vous voulez en faire un croquis pour une présentation orale en classe.

Quelle est votre intention ?

Vous voulez montrer l'importance des arbres dans un paysage agricole. Pour ce faire, vous devez observer attentivement le paysage, bien sûr, mais aussi vous poser des questions et vous documenter. Par exemple, que savez-vous du rôle des bandes riveraines dans la préservation des terres agricoles ? Ont-elles un impact sur la qualité de l'eau ? Les arbres rendent-ils un paysage agricole plus beau ? Et cela a-t-il de l'importance, un beau paysage ?

Quels éléments retenir ?

Dans un croquis, vous ne pouvez pas tout représenter. Il faut vous demander quels éléments vous seront utiles, selon votre intention. Ici, on peut retenir les champs, les haies et les boisés dans l'espace cultivé ; les maisons, la ferme, les arbres et les rues dans l'espace habité ; les collines à l'arrière.

Comment découper les trois plans de la photo ?

Sur la photo, vous pouvez dégager trois plans :

- l'espace cultivé au bas de la photo (plan rapproché) ;
- l'espace habité et parsemé d'arbres au milieu (plan moyen) ;
- l'espace cultivé et boisé en haut, avec les collines (arrière-plan).

5.64 Secteur Saint-Augustin, ville de Mirabel.

Quels symboles utiliser pour votre croquis ?

Les symboles vous permettront de représenter les éléments que vous avez retenus. Il peut s'agir de pictogrammes, de dessins, de flèches, de zones de couleurs différentes, avec des hachures ou des pointillés, etc. Bref, tout ce qui peut représenter simplement et efficacement votre propos.

Vous pouvez réaliser votre croquis à la main ou à l'ordinateur. Vous pouvez aussi utiliser la couleur.

Comment tracer votre croquis ?

Vous pouvez tracer d'abord le cadre de la photo, puis délimiter les trois plans. Ensuite, vous placez les différents éléments de votre croquis dans l'espace approprié en recourant aux symboles choisis.

Comment construire la légende et déterminer le titre ?

La légende, c'est ce qui permet de décoder l'information présentée sur le croquis. Elle doit reprendre les symboles utilisés et en donner la signification dans un tableau. Quant au titre, il doit refléter l'intention du croquis.

Les arbres : un atout en territoire agricole

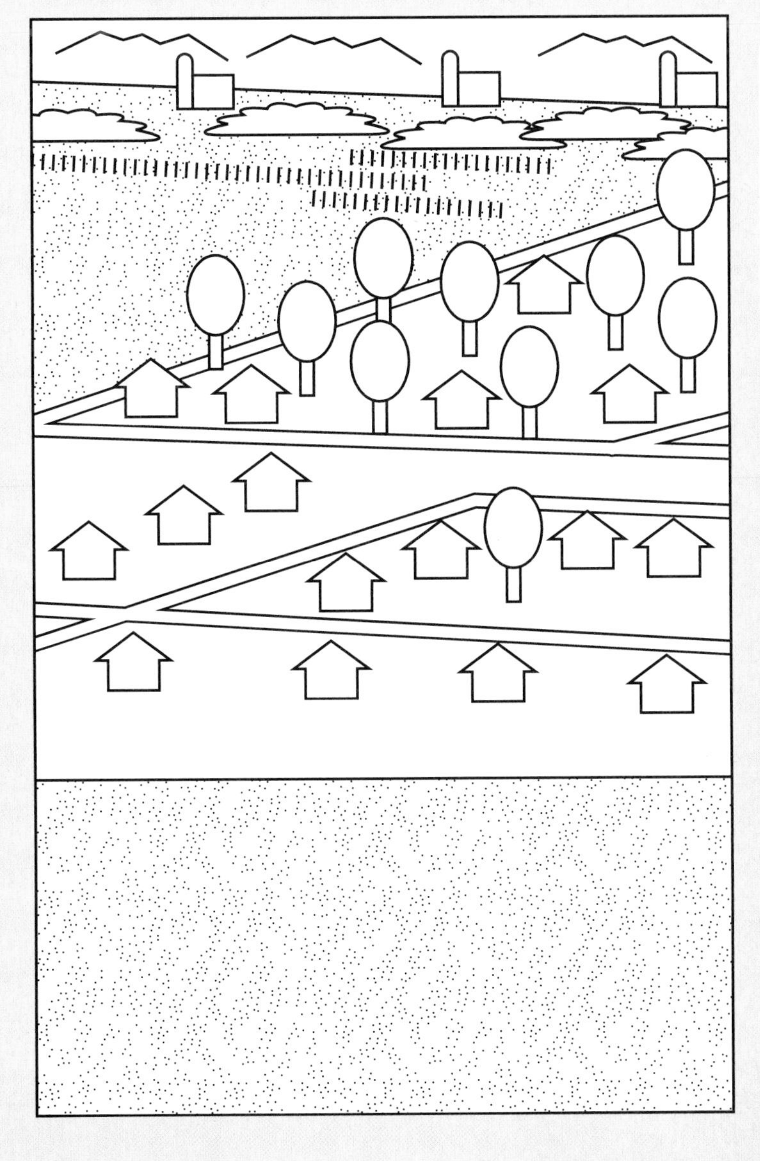

Trouvez une photo d'un paysage agricole du Québec. Imaginez un projet qui exige le réaménagement d'une partie de ce paysage (ex. : nouvelle route, reboisement, changement d'activités agricoles, installations touristiques, etc.).

À quoi ressemblera ce paysage une fois transformé ? Réalisez un croquis qui représente ce paysage réaménagé, en vous aidant de la démarche proposée ci-dessus.

CARTO

Interpréter une carte

Les cartes 5.1 et 5.2 nous donnent de l'information sur le territoire agricole du Québec. Comment faire pour bien décoder le message que le ou la cartographe a cherché à nous communiquer? Pour « lire » des cartes, il faut apprendre leur langage…

Il faut:

1. Bien saisir le sens du **titre.**
2. Savoir à quoi correspondent les **unités découpées** sur le fond de carte; ici, ce sont des municipalités.
3. Prendre connaissance de l'**échelle.**
4. Situer l'**espace cartographié.**
5. Décoder les symboles de la **légende.** Ici, ce sont les couleurs qui transmettent l'information. On a varié les tons de vert et d'orangé pour représenter la variation de la superficie cultivée (carte 5.1) et la variation de la densité de population (carte 5.2).

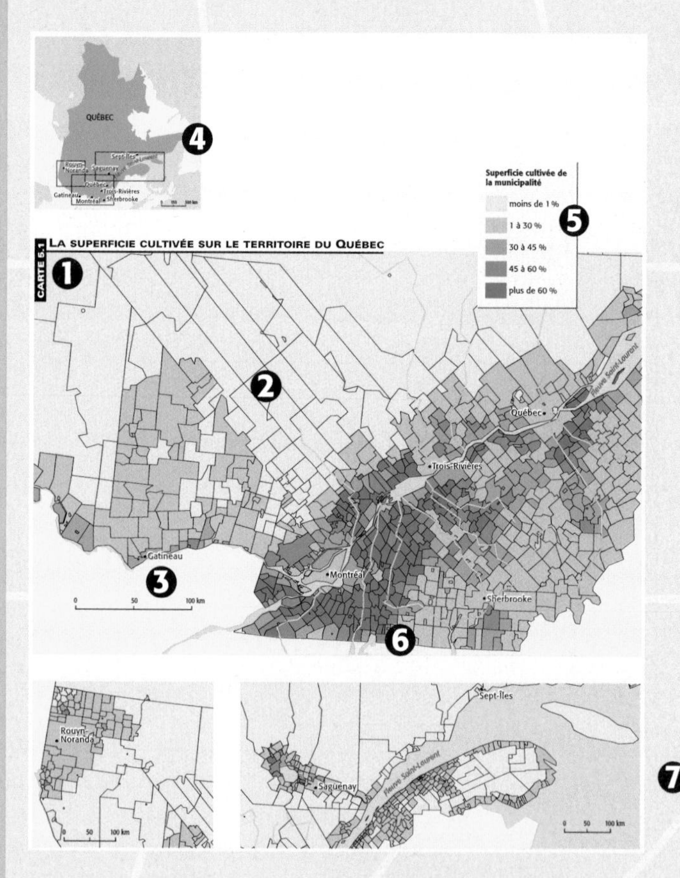

CARTE 5.1 LA SUPERFICIE CULTIVÉE SUR LE TERRITOIRE DU QUÉBEC

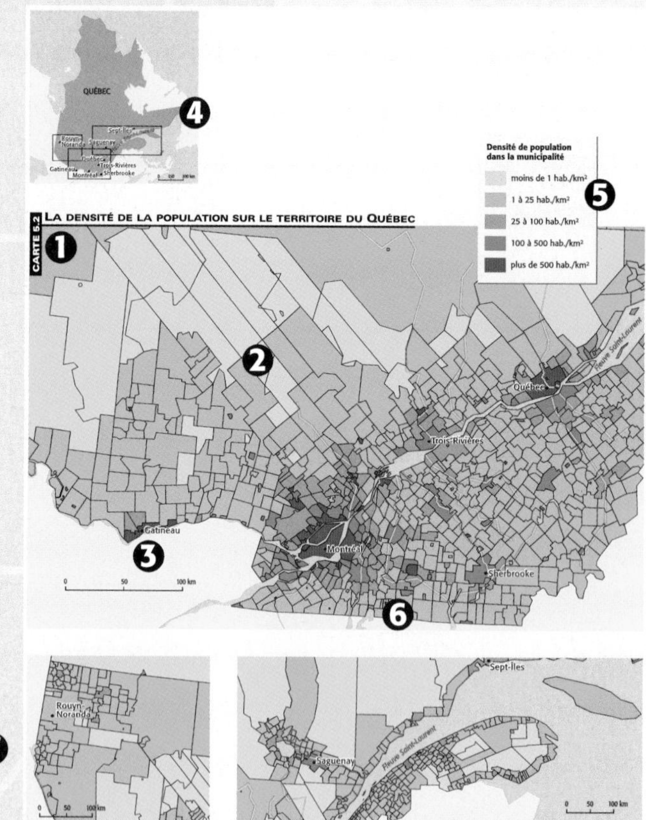

CARTE 5.2 LA DENSITÉ DE LA POPULATION SUR LE TERRITOIRE DU QUÉBEC

6. Reconnaître l'existence de **grands ensembles** sur la carte, comme des zones de distribution de la population ou des zones d'activités.
7. Bâtir un **raisonnement** à l'aide de l'information donnée sur la carte, ici sur les cartes.

Comparez les cartes 5.1 et 5.2. D'après ces cartes, à quels problèmes le territoire agricole du Québec est-il confronté?

À propos des photos d'ouverture

Un agriculteur traitant son champ avec des pesticides (Park Corner, Île-du-Prince-Édouard). Un grand marché où les gens achètent des produits cultivés nécessaires à leur alimentation (Madère, Portugal). Deux photos qui pourraient avoir été prises n'importe où dans le monde.

a

b

1. Qu'est-ce qui relie ces deux photos à la question du dossier : peut-on cultiver sans détruire ?

2. En quelques lignes, dites comment vous pourriez illustrer la question autrement. Si possible, trouvez une ou deux photos qui le montrent. Vous pouvez aussi dessiner un croquis.

POUR EN savoir plus...

Des livres et des périodiques P

Général

BUISSON, Lucien, et Pierre GUÉRIN. *L'environnement*, Mouans-Sartoux (France), PEMF (coll. 30 mots clés pour comprendre...), 1996.

HAWKES, Nigel. *Les aliments génétiquement modifiés*, Villebon (France), Éditions Piccolia, 2001.

MORICE, Gérard. « La famine en voie d'extinction ? », *Science et Vie*, nº 988, janvier 2000, p. 76-84. P

Québec

La Terre de chez nous. Revue québécoise publiée par l'Union des producteurs agricoles. P

Californie

PIOT, Hélène. « Vins du monde. Californie », *Géo*, nº 286, 2002, p. 112-118. P

Japon

TRUDEL, Jonathan. « Les poissons bio du Japon », *L'actualité*, 1er septembre 2003, p. 36-40. P

Des sites Internet

Agriculture et Agroalimentaire Canada.

Département d'agriculture des États-Unis.

Équiterre.

Fondation québécoise en environnement.

H2O.net.

Ministère de l'Agriculture, des Pêcheries et de l'Alimentation du Québec (MAPAQ).

Ministère du Développement durable, de l'Environnement et des Parcs du Québec.

Ministère des Affaires étrangères du Japon.

Réseau international des organismes de bassin.

Union des producteurs agricoles (UPA).

Dossier 6

TERRITOIRE RÉGION – TOURISME

TOURISTE SUR UN TERRITOIRE : À QUELLES CONDITIONS ?

Chaque année, des millions de personnes changent de territoire pour se divertir. Pendant ce temps, des milliers d'autres transforment leur territoire pour accueillir les visiteurs. À quelles conditions peut-on **développer** le tourisme tout en **préservant** les personnes et les ressources ?

sommaire

6.1

1 Voyager, un rêve !

Aventure, découverte, dépaysement, exotisme... le simple fait d'entendre le mot « voyage » nous fait rêver. Mais imaginez le nombre de déplacements qu'il y aurait sur la planète si chaque habitant réalisait son rêve ! Ce n'est toutefois pas la réalité, puisque certaines personnes voyagent pendant que d'autres travaillent... à les accueillir !

Le tourisme* constitue la principale activité économique au monde. Son impact sur les territoires de la planète est donc majeur. Dans chacun des territoires à l'étude, nous allons découvrir la part de rêve et de réalité que cache cette industrie.

CARTE 6.1 LOCALISATION DES TERRITOIRES À L'ÉTUDE ET DES DESTINATIONS PRIVILÉGIÉES PAR LES TOURISTES

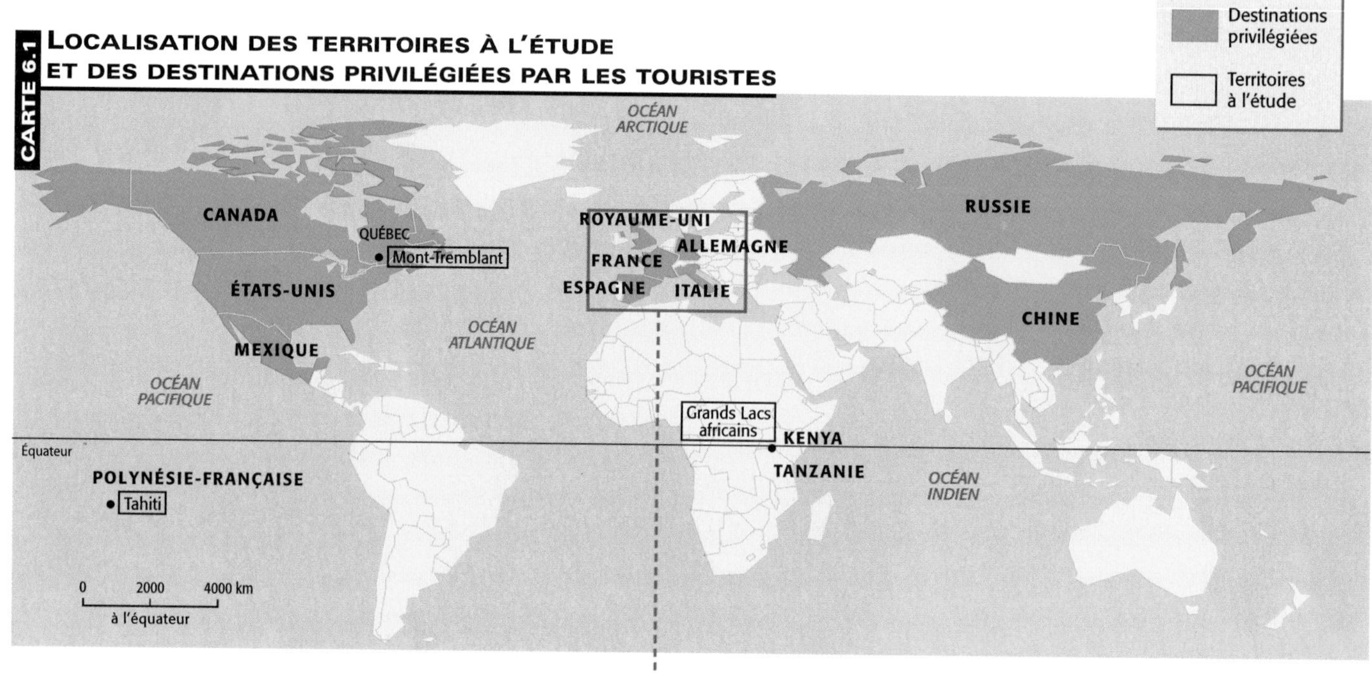

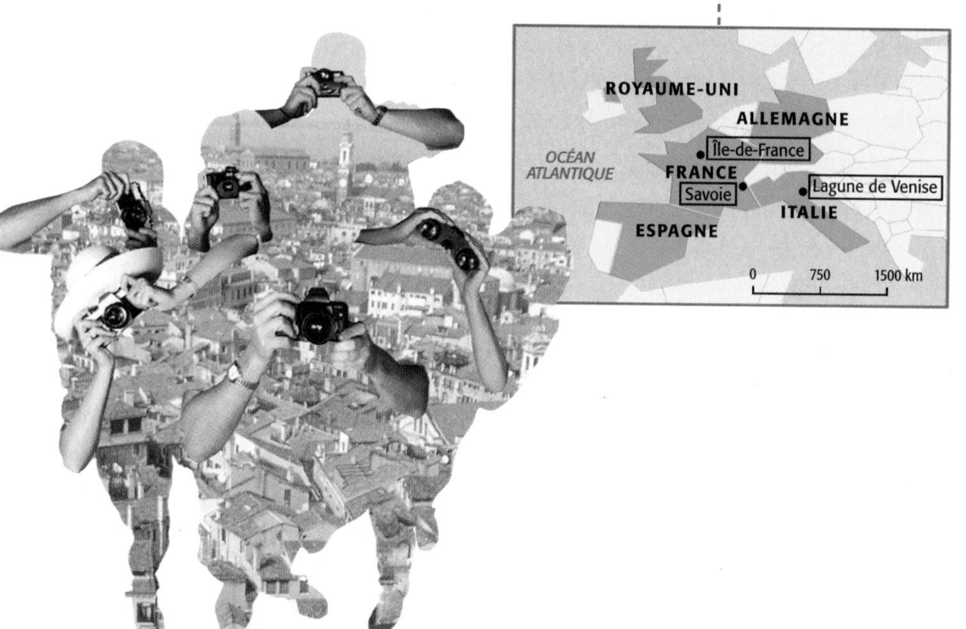

*

Tourisme : Ensemble de phénomènes liés au déplacement volontaire et temporaire de personnes à l'extérieur du lieu qu'elles habitent. Celles-ci ont comme objectifs le repos et le loisir et, de plus en plus, la découverte.

L'activité touristique nécessite des aménagements spécifiques (autoroutes, aéroport, lieux d'hébergement, sites naturels et culturels, etc.), des organismes et des personnes (agences de voyages, moyens de transport, guides touristiques... et touristes !) et, bien sûr, des investissements.

2 Ces touristes, qui sont-ils ?

Nous avons parfois l'impression que chaque personne peut aller où elle le désire. Pourtant, tous les habitants de la planète n'ont pas le même « droit au tourisme ». Qui sont ces gens qui voyagent ?

D'où viennent-ils?

En 2004, 760 millions de touristes* internationaux se sont déplacés. C'est près de 10 % de la population mondiale. Dans les faits, le tourisme touche un petit nombre d'États : les pays d'Europe occidentale, les États-Unis et le Japon, surtout. Les habitants de ces contrées ont davantage d'argent et de temps de loisirs. La situation est bien différente pour les pays pauvres où seuls les plus favorisés peuvent se permettre de voyager.

Où vont-ils?

La majorité des touristes choisissent une destination dans leur pays tandis que les autres traversent des frontières. D'ailleurs, le tourisme se déploie de plus en plus largement sur la planète. Voici les 10 pays les plus visités en 2001.

*

Touriste : Personne qui se rend, pour plus de 24 heures, dans un territoire situé à 80 km du lieu qu'elle habite normalement, et cela à des fins récréatives ou professionnelles.

6.2 Destinations les plus populaires en 2001

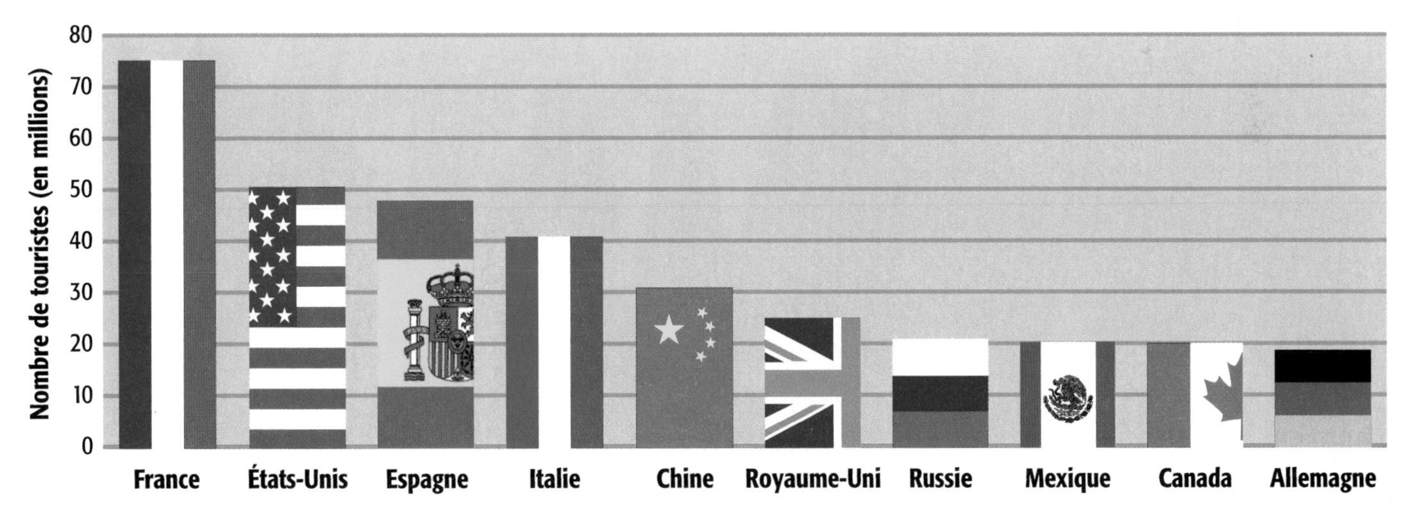

Source : Organisation mondiale du tourisme, *Tendances des marchés touristiques*, 2001.

La France étant la destination privilégiée, trois territoires français seront à l'étude dans ce dossier, soit la Savoie, l'Île-de-France, où est située Paris, et Tahiti. Quant au Canada, il arrive au 9e rang. On y vient surtout des États-Unis, du Royaume-Uni, du Japon, de la France et de l'Allemagne.

Source : Commission canadienne du tourisme, 2002.

Tahiti, un territoire français ? Eh oui, cette île située dans l'océan Pacifique Sud est un territoire d'outre-mer appartenant à la France.

Pourquoi, à votre avis, la France est-elle une destination aussi recherchée ?

3 Qu'est-ce qui attire les touristes ?

Les gens choisissent une destination en fonction de leurs besoins spécifiques. Certains ont des objectifs de détente, d'autres d'aventure, d'exotisme, de découverte, etc. On peut donc classer les catégories de tourisme selon le but recherché. Voici des exemples de catégories de tourisme.

Tourisme de plage ou tourisme balnéaire

Des touristes se prélassent sur la plage à Cancún, au Mexique.

Connaissez-vous d'autres destinations réputées pour le tourisme de plage ?

6.3

Tourisme de neige ou tourisme « blanc »

Dévaler les pentes encore et encore, comme ces skieurs au mont Tremblant.

Ce type de tourisme englobe toutes les activités de glisse.

Où ailleurs au Canada pratique-t-on le tourisme de neige ? Et ailleurs dans le monde ?

6.4

Tourisme de nature, aussi appelé tourisme « vert » ou écotourisme

Canot-camping dans le parc national de Frontenac, au Québec.

En général, les activités reliées à l'écotourisme favorisent l'apprentissage et le respect de la nature. Elles ont peu ou pas d'impact sur l'environnement et elles profitent à la population locale.

Nommez d'autres activités associées au tourisme de nature.

6.5

Un même territoire offrira souvent plusieurs catégories d'activités touristiques. Ainsi l'Île-de-France propose des activités culturelles, écotouristiques et un parc d'attractions.

Qu'est-ce qui fait qu'un territoire est attirant sur le plan touristique ?

- D'abord ses attraits spécifiques : la notoriété, les lieux à visiter, l'animation, la qualité de l'environnement, etc.
- Ensuite, certaines infrastructures d'accueil facilitant le séjour : hébergement, moyens de transport, information, etc.
- Finalement, le temps de transport pour s'y rendre.

Mais c'est surtout « dans la tête » qu'il faut chercher ce qui pousse les gens à choisir une destination plutôt qu'une autre. Ainsi, la majorité des touristes vont préférer le repos à la découverte. Eh oui, les gens aiment rêver d'aventure, mais la plupart optent pour le calme et le confort… assez près du lieu de résidence.

Tourisme d'aventure

Escalade de glace dans les Alpes.

Les touristes qui pratiquent ce type de tourisme aiment explorer des sentiers moins fréquentés ou encore faire des activités exigeantes, voire risquées. Ainsi, certains vont explorer l'Amazonie à la rencontre de peuples autochtones alors que d'autres vont préférer la descente de rapides en canot, par exemple.

6.6

Tourisme culturel

On vient de partout dans le monde pour visiter des musées tel le Centre Pompidou.

Le tourisme culturel compte plusieurs facettes : visite de musées et de sites historiques mais aussi découverte de cultures différentes. Ce type de tourisme comprend aussi un volet éducatif : les séjours linguistiques en sont un bon exemple.

Si on vous offrait la possibilité de pratiquer ce type de tourisme, que feriez-vous ? Où iriez-vous ?

6.7

Tourisme de divertissement

Des milliers de personnes se rendent à Disneyland Paris chaque année.

Ce type de tourisme englobe des activités liées aux parcs de récréation, aux parcs d'amusement ou de jeux.

Les différents parcs Disneyland ainsi que Las Vegas (États-Unis) sont les destinations les plus populaires sur la planète. Pourquoi, selon vous ?

6.8

4 Qui est concerné par le tourisme ?

De nos jours, pratiquement tout le monde est lié, d'une manière ou d'une autre, à l'industrie touristique. Voici néanmoins les principaux groupes qui ont à trouver des compromis afin de développer un tourisme que l'on appelle « durable* ».

*

Tourisme durable : Désigne le tourisme qui respecte les ressources du territoire et contribue au développement des communautés locales et à l'épanouissement culturel des personnes.

Multinationale : Entreprise ayant des activités dans plusieurs pays.

- **Les organismes publics internationaux, nationaux et locaux.** Ceux-ci tentent de promouvoir, mais aussi de réglementer, le phénomène touristique. L'Organisation mondiale du tourisme, le ministère du Tourisme d'un pays ou l'association touristique d'une région, par exemple.
- **Les entreprises directement liées au secteur.** Hôtels, restaurants, sociétés de transport, organisateurs de voyages, agences de voyages, agences de publicité, etc. sont concernés. Il existe de plus en plus de multinationales* dans ce secteur, des chaînes d'hôtels entre autres.
- **Les médias.** L'information joue un rôle primordial dans l'industrie touristique. Un reportage élogieux sur une destination aura un effet positif sur le nombre de touristes. Par contre, un compte rendu sur la situation politique explosive d'une région aura des répercussions désastreuses.
- **La population locale.** Les habitants de Venise, tout comme les Massaïs au Kenya, par exemple, doivent avoir leur mot à dire devant l'afflux des touristes.
- **Les travailleurs permanents et saisonniers.** Vous êtes en vacances, mais eux gagnent leur vie avec le tourisme, et souvent dans des conditions difficiles.
- **Les touristes eux-mêmes.** Leur intérêt, niveau d'éducation, âge, sexe, état de santé sont autant de facteurs qui influencent le choix de leur destination.

Regardez les trois photos, toutes prises au Népal. Les personnes représentées ont-elles le même point de vue sur le tourisme ?

6.9 Des alpinistes sur un sommet au Népal.

6.10 Un Népalais travaille comme porteur et guide pour des touristes. C'est un « sherpa ».

6.11 Rue achalandée à Katmandou, capitale du Népal.

5 Les touristes laissent-ils des traces de leur passage ?

Les touristes ont un impact majeur sur l'organisation de l'espace visité. Pour pouvoir les accueillir, il faut des aéroports de plus en plus grands, des infrastructures permettant de les loger, de les nourrir, de les divertir et de les transporter d'un lieu à un autre.

Dans le pays d'accueil, les emplois se transforment. D'anciens pêcheurs, par exemple, seront embauchés par un parc national ou un « musée » de la pêche.

Il y a parfois trop de touristes pour un territoire. Cela n'empêche pas les organisateurs de voyages de continuer à promouvoir cette destination ! En fait, le problème est de bien gérer le flux touristique. Qu'est-ce que cela signifie ? D'après l'Organisation mondiale du tourisme, il s'agit du « nombre maximal de personnes pouvant en même temps visiter un lieu touristique sans porter atteinte de manière irréversible à l'environnement physique, économique et socioculturel ».

L'augmentation du flux touristique peut causer :

- des pressions excessives sur les milieux naturels, la congestion dans les centres urbains et les lieux les plus fréquentés ;
- un engorgement des moyens de transport et des services publics ;
- une augmentation de la demande en eau et en énergie. Cela pourrait entrer en conflit avec les besoins des populations locales ;
- une détérioration des cultures et des traditions des populations locales ;
- la détérioration de l'environnement par la pollution de l'eau, de l'air et la pollution visuelle.

Voilà pourquoi le voyage individuel n'est pas toujours la meilleure solution. Dans certains lieux très fréquentés ou très fragiles, il est nécessaire d'encadrer les activités touristiques et d'en mesurer l'impact sur les territoires visités.

6.12

Groupe de touristes à Venise. On dit que 25 touristes pris séparément font parfois davantage de dommages qu'un groupe de 25 touristes accompagnés d'un ou d'une guide. Cette personne veillera à faire respecter les règlements en vigueur sur un site donné.

Tourisme et territoire : quel impact ?

Le tourisme suscite la controverse. Certains font l'éloge de son apport au développement. D'autres dénoncent ses effets destructeurs. Le tourisme : positif ou négatif ?

Le tourisme est jugé positif lorsqu'il...

- Sensibilise à la sauvegarde du patrimoine naturel et culturel.
- Constitue un apport économique pour les communautés locales et pour leurs cultures.
- Constitue une source de revenus pour les zones protégées.
- Incite à la protection et à l'exploitation durable de la nature.

Le tourisme est jugé négatif lorsqu'il...

- Contribue à la dégradation des paysages naturels et au gaspillage des ressources en eau.
- Contribue à la misère, au déplacement des communautés locales, à l'érosion des traditions culturelles.
- Constitue une menace pour les espèces sauvages et la biodiversité.
- Cause la pollution des mers et des côtes.

« Le tourisme, puisqu'il peut contribuer de manière positive au développement socioéconomique et culturel, mais aussi à la détérioration de l'environnement et à la perte de l'identité locale, doit être abordé dans une perspective globale. »

Source : Charte du tourisme durable, avril 1995.

carrefour Histoire

Pourquoi y a-t-il de plus en plus de touristes dans le monde ?

Voyager pour le plaisir peut paraître banal pour certaines personnes de nos jours. En a-t-il toujours été ainsi ? Au 19e siècle, le tourisme a connu un essor spectaculaire. Les voyages étaient toutefois le privilège d'une élite fortunée : il fallait du temps et de l'argent. Au cours du 20e siècle, le tourisme est devenu accessible à un plus grand nombre de personnes. L'expression « tourisme de masse* » est d'ailleurs apparue dans les années 1960 pour désigner cette réalité. Qu'est-ce qui a fait que les gens se sont mis à voyager davantage ?

- Le développement des moyens de transport (train, avion, paquebot).
- L'augmentation du temps libre (vacances annuelles, congés fériés, etc.).
- L'augmentation des échanges entre divers pays.
- L'influence grandissante des médias (publicité, reportage, documentaire, etc.).
- L'amélioration des technologies de l'information, qui permet notamment les réservations par Internet.

Ainsi, à la fin des années 1990, le tourisme est devenu la première industrie du monde. Difficile à croire, mais l'industrie touristique est maintenant plus importante que la production automobile, l'industrie chimique ou agroalimentaire ! Le tourisme constitue même la principale source de revenus de certains pays. C'est le cas de la République dominicaine, notamment.

*

Tourisme de masse : Désigne le tourisme devenu un produit de consommation accessible à un grand nombre de personnes. Ce phénomène a entraîné une augmentation des échanges et une concentration dans certains lieux très populaires. Cette très grande fréquentation menace l'équilibre environnemental et social des lieux visités.

Le Code mondial d'éthique du tourisme

Article 1

Le tourisme doit contribuer à la compréhension et au respect mutuels entre les humains et entre les sociétés.

Article 2

Le tourisme doit favoriser l'épanouissement individuel et collectif. L'exploitation des humains, et plus particulièrement des enfants, doit être interdite.

Article 3

Le tourisme doit être un facteur de développement durable. Par exemple, on doit sauvegarder l'environnement et les ressources naturelles ; économiser l'eau et l'énergie ; étaler dans le temps et dans l'espace les flux de visiteurs.

Article 4

Le tourisme profite du patrimoine culturel de l'humanité et il doit contribuer à son enrichissement.

Article 5

Le tourisme doit être une activité bénéfique pour les pays et la population des régions visitées.

Article 6

Les professionnels du tourisme doivent fournir de l'information juste sur les destinations et les services offerts et assurer la sécurité et la santé des touristes.

Article 7

Le tourisme doit être considéré comme un droit pour tous les habitants du monde.

Article 8

Les touristes doivent bénéficier de la liberté de circuler à l'intérieur de leur pays ainsi que d'un État à un autre.

Article 9

Le tourisme doit se vivre dans le respect des droits des travailleurs et des entrepreneurs de l'industrie touristique.

Article 10

Les professionnels du tourisme doivent se donner les moyens de respecter les principes du Code mondial d'éthique du tourisme.

Ce code d'éthique a été diffusé dans une cinquantaine de langues dans le monde. Ce code est-il une bonne chose ? Certains le considèrent comme un document de référence essentiel, qui propose des règles communes à l'ensemble des territoires touristiques. D'autres sont sceptiques quant à la possibilité d'atteindre un tel idéal. Néanmoins, les 57 pays qui l'ont adopté à l'unanimité ont réussi à dépasser leurs divergences économiques, politiques et religieuses. Cela reflète un besoin réel d'agir. Établir des règles communes en matière de tourisme et les respecter, voilà sans doute le plus grand défi à relever pour les années à venir.

6.13 La photo montre le symbole de la destination la plus populaire du monde. Où est-ce ? Le pays a-t-il adopté le Code mondial d'éthique du tourisme, selon vous ? Vérifiez dans Internet.

1 Comment le territoire de Mont-Tremblant est-il devenu touristique ?

Situé au cœur des Laurentides*, à environ 130 km de Montréal et d'Ottawa, le territoire de Mont-Tremblant est la première destination touristique de l'est de l'Amérique du Nord. Pourtant, il n'y avait pas de touristes il y a une centaine d'années. L'exploitation forestière était alors la principale activité économique de la région. Comment ce territoire s'est-il transformé en site touristique ?

*

Laurentides : Toponyme lié au fleuve Saint-Laurent. En 1845, l'historien François-Xavier Garneau désigne ainsi la chaîne de montagnes qui borde la rive nord du fleuve Saint-Laurent et suit une direction parallèle. Le nom s'applique maintenant à toute la région.

Curieux

Herman Smith- Johannsen

Pionnier du ski au Canada et dans les Laurentides, il est né en 1875 en Norvège et il est mort en 1987, à l'âge de 111 ans ! Écologiste avant l'heure, celui que l'on surnommait Jack Rabbit favorisait le plein air et l'exercice. Le plus haut sommet de la région porte son nom de même qu'une piste de ski.

6.14
Fondeurs sur le lac Tremblant, dans les Laurentides.

Observez bien la photo. Quels indices nous permettent de dire que ce territoire est devenu touristique ?

Au début, l'exploitation du bois

À la fin du 19e siècle, le territoire de Mont-Tremblant est peu fréquenté. Seuls quelques chasseurs, trappeurs et pêcheurs s'y aventurent. Situé dans les Hautes-Laurentides, trop au nord pour permettre l'agriculture, le territoire se développe grâce à l'exploitation forestière. Le bois est destiné à la construction des navires anglais.

6.15 Chapelle Saint-Bernard à Mont-Tremblant en 1940.

6.16 Le même endroit en 2004. Qu'est-ce qui a changé ? Où est la chapelle Saint-Bernard ?

CARTE 6.2 **LE TERRITOIRE TOURISTIQUE DE MONT-TREMBLANT**

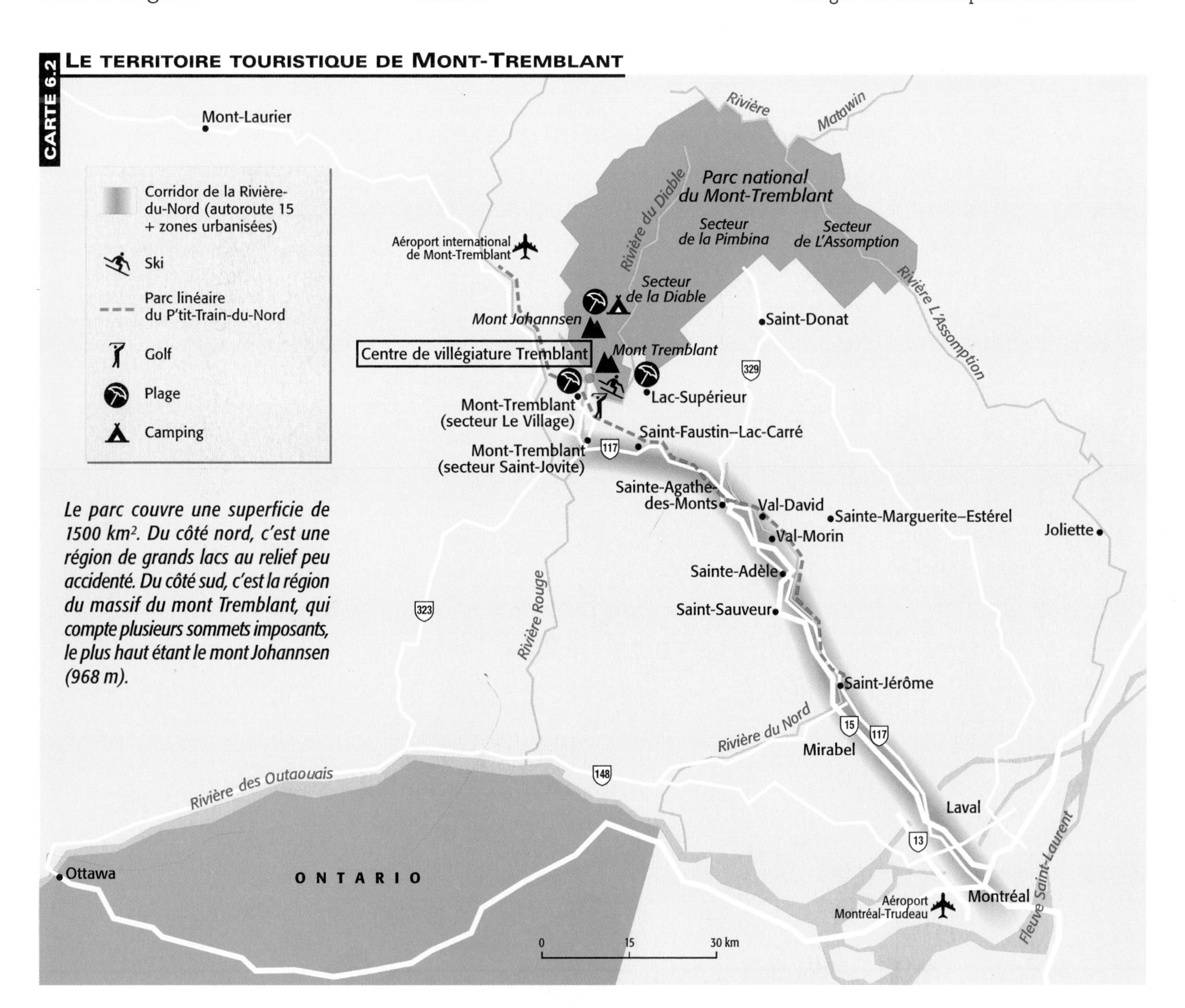

Le parc couvre une superficie de 1500 km². Du côté nord, c'est une région de grands lacs au relief peu accidenté. Du côté sud, c'est la région du massif du mont Tremblant, qui compte plusieurs sommets imposants, le plus haut étant le mont Johannsen (968 m).

B Première phase du développement touristique : un parc et un train

La création d'un parc naturel

- La création du parc national du Mont-Tremblant remonte à 1894. Un médecin veut construire sur ce territoire un sanatorium* pour soigner la tuberculose qui sévit alors au Québec. Faute de fonds, le projet est abandonné, mais le premier parc naturel du Québec voit tout de même le jour. Deux types d'activités s'y déroulent alors. Il y a l'exploitation de la forêt. D'importantes concessions forestières* sont en effet accordées à des entreprises au cours des années 1920 et 1930. Les sports d'hiver sont aussi très populaires. L'Américain fortuné Joe Ryan bâtit une station de ski qui fait la renommée de la région, surtout auprès des Américains. C'est le début du développement touristique.

- La grande région de Montréal s'urbanise et s'industrialise. Pour leurs loisirs, les Montréalais recherchent des espaces verts dans les Laurentides. Le premier camping public est ouvert au lac Chat en 1958. Dix mille personnes s'y rendent en un an. Ce sera le point de départ d'une série d'aménagements pour les visiteurs. La richesse de l'écosystème* des Laurentides attire les visiteurs : 400 lacs, de nombreuses espèces de poissons, d'oiseaux et de mammifères.

Curieux

Un drôle de nom : est-ce que la montagne tremble vraiment ?

Le territoire de Mont-Tremblant appartenait jadis aux Algonquiens. Les autochtones appelaient la montagne *Manitonga Soutana*, ce qui signifie « montagne du diable ou des esprits ». La légende raconte que si quelqu'un osait enfreindre les lois sacrées de la nature, le grand manitou faisait trembler la montagne. Les habitants de la région ont par la suite transformé « Montagne du Diable » en « Montagne Tremblante ».

*

Sanatorium : Maison de santé accueillant les personnes souffrant de tuberculose, maladie contagieuse très répandue au début du 20e siècle.

Concession forestière : Territoire concédé à une entreprise qui a alors le droit d'y faire la coupe de bois.

Écosystème : Ensemble constitué d'un milieu physique (sol, eau, etc.) et de tous les organismes qui y vivent (animaux, végétaux, etc.). Il inclut les interrelations entre le milieu et les organismes.

6.17
Vue aérienne du lac Monroe et de ses environs dans le secteur de la Diable du parc national du Mont-Tremblant.

Le rôle du chemin de fer

- Comment se rend-on dans cette région au début du 20e siècle, sans automobile ? Le chemin de fer qui relie Saint-Jérôme à Montréal dès 1876, dessert les Laurentides à partir de 1904. Baptisé le « P'tit train du Nord », ce service ferroviaire a plusieurs fonctions : assurer le ravitaillement des premiers colons, acheminer le bois vers Montréal, permettre l'établissement de lieux de villégiature (Val-Morin, Val-David, Sainte-Marguerite, Sainte-Adèle, Sainte-Agathe-des-Monts) et de clubs de chasse et pêche, surtout au cours des années 1920 à 1940.

Pourquoi dit-on « sans automobile » ? Parce que son invention remonte à la fin du 19e siècle. C'est d'ailleurs seulement à partir de 1908, soit avec l'arrivée du modèle T de Henry Ford, que l'automobile commence à devenir accessible.

- Avec le passage du train, le paysage se transforme. Les centres de ski prolifèrent à proximité des gares. Toutefois, à partir de la seconde moitié du 20e siècle, l'automobile devient de plus en plus populaire pour finalement supplanter le train, qui cesse de desservir les Laurentides en 1981. L'autoroute 15, dont la construction a commencé à la fin des années 1950, atteint finalement Sainte-Agathe-des-Monts au début des années 1970. Cette autoroute s'avère un important axe d'organisation du territoire régional.

- En 1996, la portion de l'ancienne voie ferrée qui s'étend de Saint-Jérôme à Mont-Laurier (200 km) devient le parc linéaire du P'tit-Train-du-Nord. Les vieilles gares sont rénovées et transformées en musées, en cafés ou en points de service pour les amateurs de plein air.

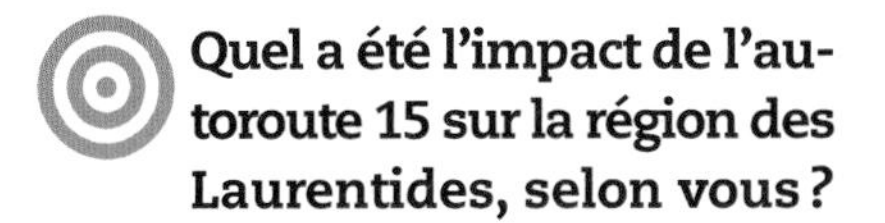

Quel a été l'impact de l'autoroute 15 sur la région des Laurentides, selon vous ?

6.18 Autrefois, le train passait ici. Aujourd'hui, l'espace est réservé aux randonneurs, cyclistes et skieurs.

6.19 **1941-1942.** Couverture de l'horaire du train qui desservait les Laurentides.

C Deuxième phase du développement touristique : le Centre de villégiature Tremblant

- Dans les années 1970 et 1980, le tourisme périclite dans les Laurentides. Le développement de la région, excessif et trop rapide, a été mal planifié. On remarque une diminution des espaces verts, la pollution des lacs et des rivières. De plus, le réseau hôtelier est démodé et l'équipement touristique, désuet.

- En 1991, la société Intrawest achète la station de ski Mont-Tremblant. L'entreprise est une multinationale spécialisée dans les centres de villégiature. Elle possède 10 stations de ski, dont celle de Whistler dans les montagnes Rocheuses, à proximité de Vancouver. Elle fait du territoire de Mont-Tremblant le centre touristique le plus important en Amérique du Nord.

- Une fois terminé, le centre de villégiature fera le tour de la montagne, ce qui transformera le paysage de façon significative. La réalisation du projet compte deux grandes phases : de 1991 à 2004, aménagement du versant Sud puis, de 2004 à 2014, aménagement des versants Soleil et Nord. Pistes de ski, hôtels, appartements en copropriété, centres des congrès, chalets, terrains de golf, piscines, terrains de camping, l'entreprise prévoit 25 ans pour terminer l'aménagement du centre. Les gouvernements fédéral et provincial contribuent en investissant dans le réseau routier, le système d'égouts, le réseau d'aqueduc et en accordant des crédits d'impôts. Cette participation fait d'ailleurs l'objet de débats. Des groupes de citoyens souhaiteraient que cet argent soit distribué autrement.

- Les installations sont principalement destinées à une clientèle favorisée. On veut attirer les 55 millions de personnes vivant à 8 heures de route de Mont-Tremblant. En 2004, 2,3 millions de visiteurs ont séjourné dans le secteur. On prévoit que le nombre de visiteurs venant de l'extérieur du Québec grimpera à 7 millions en 2010. C'est d'ailleurs pour accommoder les clients en provenance de New York et de Toronto que l'ancien aérodrome militaire de La Macaza a obtenu le statut d'aéroport international.

Pourquoi avoir choisi cet endroit ? Qu'est-ce qui a amené la multinationale à privilégier ce lieu ?

6.20

2 Le territoire est-il devenu trop touristique ?

D'importantes retombées économiques sont prévues dans l'ensemble du territoire et ce, d'ici les 20 à 40 prochaines années. Pareil développement a des impacts majeurs sur le territoire. Ces impacts sont-ils positifs ou négatifs pour l'ensemble de la population ? Voici les principaux arguments évoqués par les citoyens au cours des débats.

« C'est positif ! »	« C'est négatif ! »
« Ce vaste projet touristique relance l'économie de toute la région. C'est le moteur d'un développement dont l'effet se fait sentir de plus en plus largement. »	« Depuis l'arrivée d'Intrawest, on observe une hausse vertigineuse des prix. Les loyers, de même que le prix des maisons et des terrains, ont considérablement augmenté. La situation est difficile pour plusieurs résidants. »
« Ces projets créent de nombreux emplois dans l'hôtellerie et dans la restauration, bien sûr, mais aussi dans le domaine de la construction. »	« Il s'agit d'emplois saisonniers et non spécialisés, dans la majorité des cas. » « On doit résoudre des problèmes de recrutement et d'hébergement des travailleurs. » « On a noté une aggravation du décrochage scolaire. Les jeunes, attirés par ces emplois, ne voient pas la nécessité de poursuivre leurs études. »
« Intrawest a su mettre en valeur la beauté du site de la région : le lac, le village et le paysage patrimonial. » « L'ampleur du développement a permis une prise de conscience des écosystèmes montagneux et des enjeux auxquels sont confrontés leurs habitants. »	« L'aménagement n'est pas authentique. Il ne s'appuie pas suffisamment sur l'histoire du site. Trop uniforme, il manque d'identité. » « Il s'agit là d'une transformation majeure du paysage et de l'écosystème de la montagne : déboisement, érosion, absence de zone tampon pour les animaux. La pression sur l'environnement est trop forte. »
« Le réseau routier était engorgé : la construction de nouvelles routes facilitera la circulation. »	« L'augmentation de l'achalandage exerce de fortes pressions sur le réseau routier. Développera-t-on vraiment un transport collectif ? »

Comparez les arguments ci-dessus avec ceux de la section « Tourisme et territoire : quel impact ? » (p. 210). Pouvez-vous évaluer l'impact du tourisme sur le territoire ?

1 Les Grands Lacs africains, un territoire touristique ?

Vous avez sans doute déjà entendu parler des Grands Lacs, ces grandes étendues d'eau douce qui chevauchent la frontière entre le Canada et les États-Unis.

De quels Grands Lacs parle-t-on ici?

Il existe une région, à l'est de l'Afrique, qui porte le même nom. Elle compte parmi les plus grands lacs d'Afrique et même de la planète. Il y a le lac Victoria, un des plus vastes du monde, et le lac Tanganyika, le plus long et le plus profond d'Afrique. Si vous examinez la carte 6.3, vous y remarquerez aussi les lacs Turkana, Édouard, Albert et Malawi. Les pays avoisinant ces lacs constituent la « région des Grands Lacs africains ». Y a-t-il vraiment beaucoup de touristes qui se rendent dans cette région ?

CARTE 6.3 LE TERRITOIRE TOURISTIQUE DES GRANDS LACS AFRICAINS

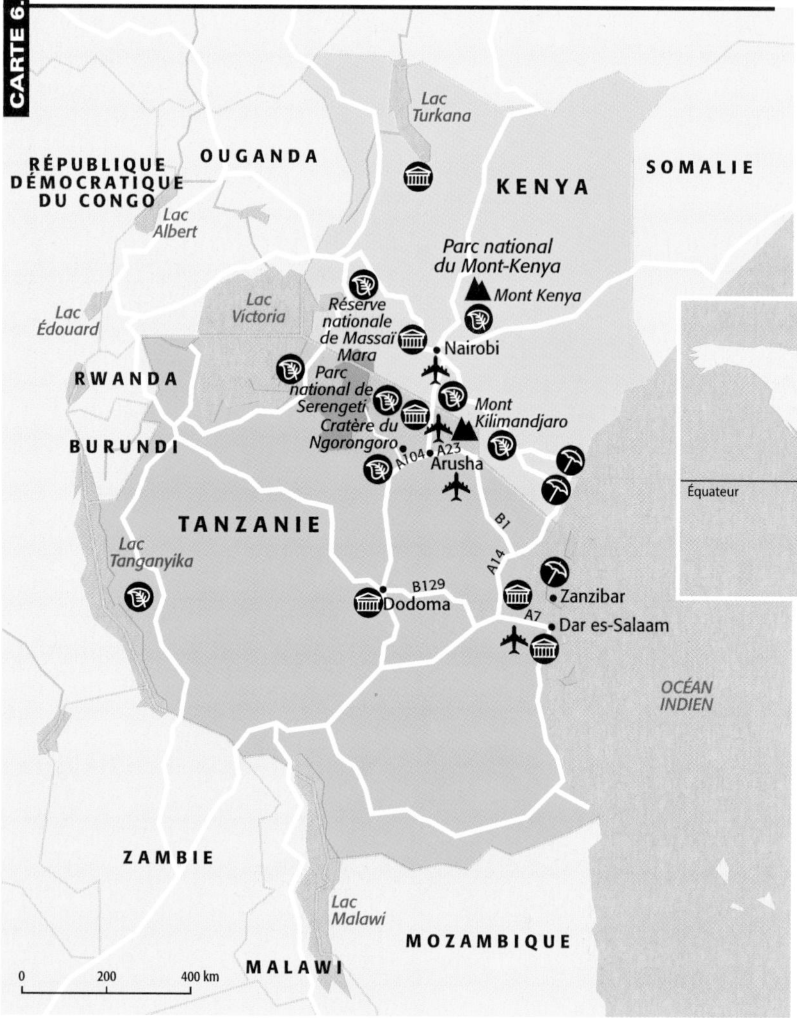

Quels pays font partie de la région des Grands Lacs africains ?

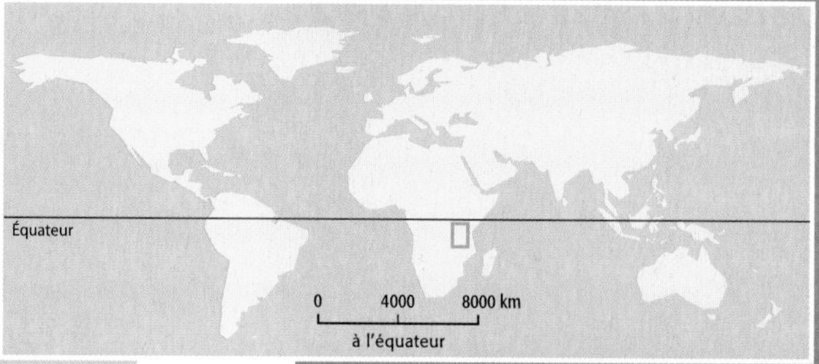

A Deux destinations privilégiées : le Kenya et la Tanzanie

Le tourisme est-il important dans cette partie du monde ? À vrai dire, tous les pays ne sont pas aussi populaires. En effet, certains sont surtout connus pour leurs conflits politiques et la très grande pauvreté des habitants. Tous n'offrent pas non plus les mêmes attraits. Le tourisme est donc peu développé en Ouganda, au Rwanda et au Burundi, par exemple.

En Tanzanie et au Kenya toutefois, la situation politique est actuellement beaucoup plus stable. Ces deux pays sont aussi réputés pour leurs magnifiques plages de sable fin donnant sur l'océan Indien, leurs paysages sauvages exotiques, leurs parcs nationaux et leurs nombreuses réserves naturelles. Le tourisme y est donc important. Est-ce un atout ? Certains affirment que les revenus du tourisme aident les pays à se développer. D'autres considèrent que le tourisme nuit à la faune, à l'environnement et, bien sûr, à la population locale. Qu'en est-il au juste ?

Mont Kilimandjaro (Tanzanie)

6.21
On vient de partout pour admirer ces paysages majestueux. Et, dans les livres, vous verrez souvent des photos semblables pour représenter la région des Grands Lacs africains. Pourquoi ce type de photo nous séduit-il autant ?

B Qu'est-ce qui attire les touristes sur ce territoire ?

Le tourisme est en hausse depuis une quinzaine d'années en Tanzanie et au Kenya. Que recherchent les touristes dans ces pays ?

De magnifiques plages

Les deux pays sont situés le long de l'océan Indien. Ses eaux chaudes et claires ainsi que ses magnifiques plages attirent les touristes.

6.22
De nombreuses stations balnéaires, comme celle-ci à Zanzibar, et des réserves marines ont vu le jour.

Des parcs naturels

Afin de mettre en valeur la grande richesse naturelle de la région, les autorités des deux pays ont créé des parcs et des réserves qui constituent un attrait de taille.

- Le Kenya compte 23 parcs nationaux et 29 réserves dont le parc national du Mont-Kenya, célèbre pour ses randonnées.

6.23
La réserve nationale de Massaï Mara constitue la première destination touristique du Kenya. Cela fait beaucoup de touristes pour un seul lion ! Où sont tous les animaux vantés par la publicité ? Pourquoi les touristes veulent-ils photographier un lion ?

La Tanzanie, quant à elle, compte 10 grands parcs nationaux et plusieurs aires de conservation. Un des attraits est le gigantesque cratère dans le parc Ngorongoro qui fait 16 km de diamètre et 700 m de profondeur avec un fond plat. Il s'agit d'un site archéologique renommé. Des chercheurs y ont en effet découvert des restes d'hominidés*. Les paysages y sont splendides. On y trouve la plus grande concentration d'animaux sauvages du monde : éléphants, zèbres, lions, girafes, etc. Toutefois, la population de certaines espèces animales, notamment les gazelles et les gnous*, a diminué de 25 %, à cause de maladies, mais aussi du braconnage*. À l'intérieur du cratère, les activités humaines ont sensiblement augmenté. En été, la circulation automobile provoque parfois de véritables embouteillages.

6.24 **Cratère de Ngorongoro :** réserve pour les animaux ou stationnement pour les touristes ? La question se pose quand on regarde cette photo.

Un des parcs les plus réputés de la région est le parc national de Serengeti. Il s'agit du plus grand parc de Tanzanie avec ses 15 000 km². C'est aussi le premier parc national à avoir été créé dans ce pays en 1951. Depuis 1981, le Serengeti est inscrit sur la Liste du patrimoine mondial de l'Unesco. Ses attraits seront donc de plus en plus connus du grand public. Ses paysages sont formés de divers milieux naturels : des plaines, une variété d'habitats de savane*, des collines, des montagnes. Les safaris*-photo y sont très populaires, les savanes offrant une impressionnante diversité d'animaux à observer.

« Serengeti » vient du mot massaï « seringet », qui signifie « plaine sans fin ».

6.25 Des zèbres dans la savane du parc national de Serengeti, en Tanzanie avec, en arrière-plan, la réserve nationale de Massaï Mara, au Kenya.

*

Hominidés : Famille de primates qui regroupe les humains actuels ainsi que des espèces considérées comme les ancêtres possibles de notre espèce.

Gnou : Mammifère herbivore.

Braconnage : Action de chasser ou de pêcher malgré les interdits.

Savane : Immense plaine des pays chauds où poussent de hautes herbes et quelques arbres, véritable garde-manger de nombreux animaux.

Safari : Mot d'origine swahili qui signifie « voyage ». Il s'agit d'une expédition de chasse aux gros animaux sauvages, jadis très populaire dans plusieurs pays d'Afrique de l'Est.

- Les touristes s'aventurent aussi à gravir le mont Kilimandjaro, le plus haut d'Afrique (5892 m), et cela jusqu'à ses neiges que l'on croyait jusqu'à récemment éternelles ! Au pied du volcan, le village de Marangu est désormais centré sur les activités touristiques : hôtels, services de guides et de porteurs, etc.

6.26
Des touristes visent le sommet du mont Kilimandjaro, comme bien d'autres l'ont fait avant eux. Des guides locaux gagnent leur vie comme porteurs de bagages... jusqu'au sommet, cela bien sûr, lorsque les grimpeurs réussissent à se rendre !

Des cultures différentes

Ces territoires sont-ils habités ? Bien sûr ! Le Kenya compte 30 millions d'habitants et la Tanzanie, 33 millions. Dans ces pays de contrastes, les habitants vivent dans des villes très modernes comme Nairobi, mais aussi dans de nombreux villages plus traditionnels. C'est d'ailleurs en partie pour faire des rencontres avec d'autres cultures que les touristes choisissent ces destinations. Il existe en effet environ 120 groupes ethniques uniquement en Tanzanie ! Tous ces groupes parlent des dialectes différents, mais partagent une langue commune, le swahili.

6.27
Nairobi, la capitale du Kenya compte deux millions d'habitants. C'est dans les aéroports des grandes villes d'Afrique que les touristes arrivent d'abord.

6.28
Kijabe, village situé à une heure de route au nord de Nairobi. Du village, on a une vue sur la vallée du Rift africain.

Rift et… tourisme

La vallée du Rift africain est une gigantesque fissure de 5000 kilomètres qui sillonne la surface de la Terre, de la mer Rouge au Mozambique. Sa largeur varie de 30 à 90 kilomètres et sa profondeur, de quelques centaines à plusieurs milliers de mètres. Cette entaille, qui divise la portion est du continent africain, est si imposante que les astronautes peuvent l'apercevoir de l'espace!

La naissance du Rift

Le Rift s'est formé progressivement, il y a environ 20 millions d'années. Cette entaille est due à l'éloignement de deux plaques tectoniques. En s'écartant l'une de l'autre, les plaques ont permis l'éruption de la lave qui bouillonnait au centre de la Terre. Cette matière en fusion a provoqué la création de plateaux plus hauts que les terres environnantes et parsemés de montagnes et de volcans.

Avec le temps, les plaques ont fini par être tellement éloignées l'une de l'autre qu'une bande de terre située au milieu des hauts plateaux s'est affaissée. C'est ce qui a donné naissance à la vallée du Rift.

Des plateaux et des lacs populeux

Au sud de l'Éthiopie, la vallée du Rift se divise en deux. La portion ouest traverse le Kenya et la Tanzanie. Elle compte quelques-uns des sommets les plus hauts du continent africain. On trouve dans cette même région certains des lacs les plus profonds du monde dont le lac Tanganyika. À ce jour, les scientifiques ont recensé plus de 1500 espèces végétales et animales dans les eaux du Tanganyika. De nouvelles espèces sont identifiées chaque année!

CARTE 6.4 LA VALLÉE DU RIFT

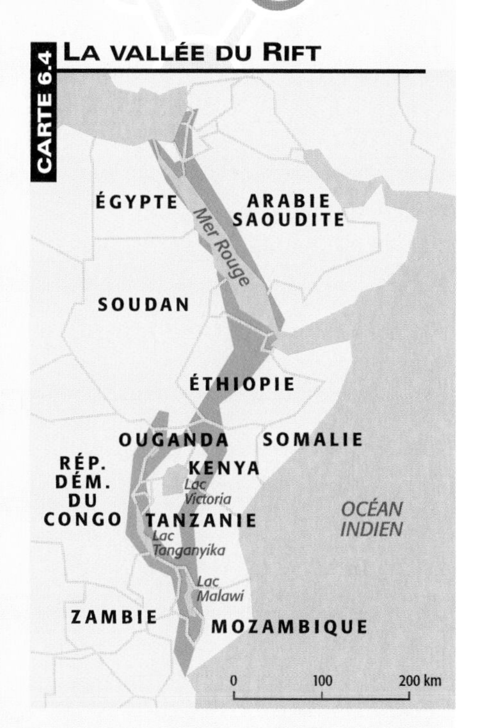

Les plateaux sont aussi un paradis pour les scientifiques et les amants de la nature. Éléphants, buffles, lions, rhinocéros, léopards et girafes font partie des nombreuses espèces que l'on peut observer dans la région.

Des sites archéologiques

La vallée du Rift africain est de plus très prisée par les scientifiques qui tentent de percer le mystère des origines de l'être humain. Ces chercheurs ont trouvé des restes humains très bien conservés enfouis entre les couches de résidus de pierre et de terre.

En 1974, une équipe d'anthropologues a fait une découverte extraordinaire. Ces scientifiques qui s'intéressent aux sociétés humaines ont déterré Lucy, un squelette australopithèque de 3,2 millions d'années!

Quels liens peut-on faire entre les particularités de la vallée du Rift et les attraits touristiques au Kenya et en Tanzanie?

Curieux

À la trace des gnous et des zèbres

Le parc national de Serengeti est célèbre pour ses troupeaux de gnous et de zèbres les plus importants du monde. Environ 3 millions de ces animaux vivent sur ce territoire. Au printemps, pour leurs besoins en eau, en nourriture et pour la reproduction, ils se déplacent vers le Kenya qu'ils atteignent à la fin de l'été. Ils effectuent ensuite le chemin inverse. Le spectacle de leur migration saisonnière attire des milliers de touristes chaque année.

CARTE 6.5 TRAJET DES GNOUS ET DES ZÈBRES

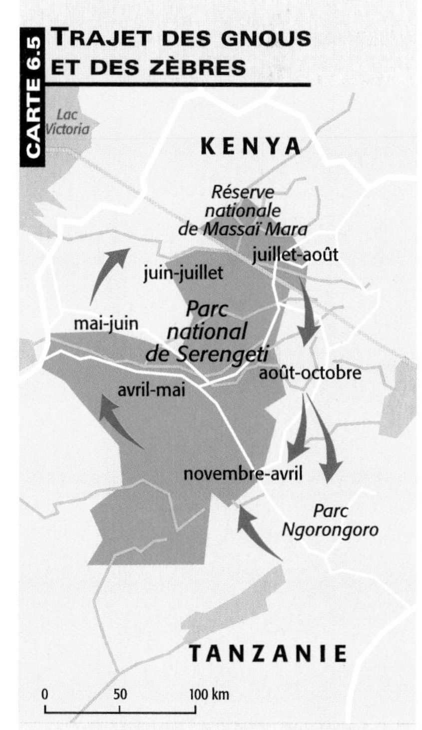

C Pourquoi des safaris-photo ?

Pourquoi les safaris-photo attirent-ils autant les touristes ? Voici quelques explications.

- Les gens vivent de plus en plus dans les villes. Lorsque vient le temps des vacances, ils ressentent le besoin de reprendre contact avec la nature.
- Les organismes de protection de l'environnement ont fait connaître cette façon de voyager. L'appareil photo remplace de plus en plus le fusil de chasse.
- De nombreux reportages et documentaires ont permis de découvrir les attraits des parcs nationaux et des réserves naturelles : ces sites attirent donc un nombre grandissant de touristes.
- Les technologies de l'image sont désormais accessibles. Tout le monde rêve de prendre des photos comparables à celles que l'on peut admirer dans les magazines.

Au Kenya, les safaris de chasse sont bannis depuis 1977. Pourquoi tuer des animaux alors que les activités d'observation apportent davantage de retombées positives sur le plan environnemental et économique ? C'est ce que des groupes de protection des animaux ont démontré.

Paradoxalement, le nombre de safaris d'observation de la faune et les infrastructures nécessaires pour accueillir les touristes (routes, hôtels, véhicules, etc.) ont aussi des effets négatifs sur la faune et l'environnement. De plus, la population locale continue de pratiquer le braconnage, et cela souvent pour subvenir à ses besoins.

6.29

Safari-photo dans le parc national de Serengeti. Qui sont ces touristes ? D'où viennent-ils ? Que photographient-ils ? Quel est le rôle des guides dans de telles excursions ?

D Plage ou safari?

Aujourd'hui, c'est le littoral* qui attire les touristes. Au cours des années 1970, ils consacraient quelques jours à la plage à la fin de leur séjour en safari. Depuis les années 1980, ils optent plutôt pour un long séjour à la mer avec quelques jours, voire quelques heures seulement, en excursion pour photographier des animaux et... des Massaïs !

On peut donc conclure que le territoire touristique est organisé selon deux axes principaux : le littoral pour le tourisme de plage et les parcs naturels pour les safaris-photo.

*

Littoral : Partie de terre située le long de la mer.

2 Massaïs et touristes : qui a la part du lion ?

6.30
Quelle est l'activité principale des Massaïs ? Comment voient-ils les animaux sauvages qui attirent les touristes ?

A Qui sont les Massaïs ?

Les Massaïs constituent le groupe ethnique le plus connu du territoire. Pourquoi ? Parce qu'ils habitent à la frontière entre la Tanzanie et le Kenya, soit les pays les plus fréquentés par les touristes. Ils sont environ 350 000 dans le sud-est de l'Afrique.

Une partie de leurs territoires a été transformée en parcs nationaux. Les Massaïs vivent donc dans les parcs et les réserves naturelles ou encore à proximité de ces lieux. Ce sont des éleveurs de bovins. Ils se déplacent avec leurs troupeaux. On dit qu'ils ont un mode de vie semi-nomade*. Toutefois, ils sont de plus en plus sédentaires, car, pour survivre, ils doivent posséder des terres à cultiver ou encore vivre du tourisme.

Semi-nomade : Mode de vie de certains peuples qui, tout en ayant une habitation fixe, continuent de se déplacer pour faire paître leur bétail.

B Que pensent les Massaïs du tourisme sur leur territoire ?

Les Massaïs ne voient pas le tourisme d'un très bon œil, et cela pour plusieurs raisons.

D'abord, la population se trouve souvent coincée entre ses activités de survie et la protection de la faune. Ainsi, les animaux sauvages sont protégés et utilisés pour attirer les touristes. Or, ces animaux s'en prennent au bétail et détruisent les champs. Ils constituent donc une nuisance pour le peuple.

De plus, le partage des revenus du tourisme avec les Massaïs n'est pas vraiment équitable. Les autorités s'étaient engagées à fournir des emplois à la population locale au moment de la création de la réserve nationale de Massaï Mara, au Kenya. Or, seulement 30 % des postes de la réserve ont été octroyés aux Massaïs et à peine 2 % des dépenses des touristes sont remises au groupe. Le gouvernement du Kenya avait pourtant promis 25 % !

6.31 Si des touristes venaient vous photographier dans votre localité parce que vous leur paraissez « exotique », quelle serait votre réaction ?

En vertu des chartes du tourisme durable, les populations locales doivent bénéficier des retombées du tourisme. Les Massaïs doivent néanmoins se battre pour faire respecter leurs droits. Par exemple, les revenus de ce peuple qui vit près de la réserve nationale de Massaï Mara (Kenya) proviennent du bétail (70 %), de l'agriculture (16 %) et du tourisme (14 %).

Comment expliquer ces chiffres ? La majorité des revenus du tourisme sont récoltés par les organisateurs de voyages de safaris. Les Massaïs ne retirent que quelques bénéfices pour avoir accepté que le circuit traverse leurs terres.

La plupart des organismes de développement du tourisme et de protection de l'environnement s'entendent pour dire qu'il est important d'offrir des avantages à la population locale. La création de parcs naturels soulèvera moins de conflits si les habitants peuvent en tirer profit. Les écosystèmes et toute l'économie locale s'en porteront mieux.

Curieux

Comment les Africains perçoivent-ils le touriste ?

« Le touriste, en Afrique, est celui qui a de l'argent. Il est donc exploité. C'est celui qui est capable de payer toujours plus. » Cette vision très caricaturale est pourtant celle qui domine. D'autres regards moins « clichés » existent, mais ils sont très minoritaires. Enfin, le touriste est exotique ; les Africains ne le comprennent pas.

Source : Site Internet Café géographique, François Bart.

Selon vous, les touristes qui visitent le Kenya et la Tanzanie comprennent-ils la population locale ?

3 Le tourisme dans les Grands Lacs africains : quel impact ?

Dans cette région, le tourisme est jugé positif lorsque…

- les activités touristiques s'inscrivent dans des actions de lutte contre la pauvreté ;
- les revenus des activités touristiques sont mieux partagés avec les populations locales ;
- les ressources locales, comme la viande de gibier, les plantes médicinales et le bois, sont exploitées avec sagesse à des fins touristiques et enrichissent les économies locales ;
- le réseau routier pour accéder aux parcs facilite aussi le commerce local et les communications ;
- les activités touristiques entraînent l'amélioration des services sanitaires et le partage de l'équipement informatique ;
- la forêt est protégée, ce qui favorise l'absorption des précipitations et ainsi l'irrigation des terres agricoles ;
- des conditions favorables à la reproduction des poissons sont créées par les réserves marines ; les pêcheries locales s'en trouvent ainsi renforcées.

Dans cette région, le tourisme est jugé négatif lorsque…

- étant donné la pauvreté du territoire, les fonds visant à protéger et à conserver la nature dans les parcs sont insuffisants, et les lois plus difficiles à appliquer ;
- la pauvreté contraint les habitants au braconnage ou à la coupe illégale du bois ;
- des animaux modifient leur mode de vie à cause de l'affluence touristique ;
- les populations perdent leurs droits d'exploiter des terres ancestrales et sont forcées d'accepter des petits travaux dans le secteur touristique ;
- de grandes quantités de déchets sont abandonnées par les touristes autour des refuges sauvages ;
- les entreprises touristiques de même que les revenus et les emplois qui en découlent profitent surtout aux étrangers ;
- cela entraîne un appauvrissement de la culture de la population locale, c'est-à-dire son acculturation.

Curieux

Aventuriers et explorateurs

Si vous faites des recherches sur la région des Grands Lacs africains, vous tomberez probablement sur un nom, celui de David Livingston.

Ce médecin anglais décide de partir à la découverte des régions inexplorées de l'Afrique. En bateau, puis à dos de bœuf (nous sommes au début du 19e siècle), il traverse le continent de part en part. Il a comme objectifs d'ouvrir l'Afrique aux Occidentaux, d'évangéliser les populations et de faire cesser l'esclavage.

En 1871, le journaliste Henry Morton Stanley est envoyé dans la région par un journal de New York. Sa mission consiste à retrouver le docteur Livingston, porté disparu depuis trois ans. Il le découvre finalement dans une petite ville située au bord du lac Tanganyika, souffrant de malaria.

Plusieurs aventuriers, comme messieurs Livingston et Stanley d'ailleurs, ont parcouru ces contrées jusque-là inconnues des Occidentaux.

De nos jours, de nombreuses personnes partent à la conquête de sommets, tentent la traversée de l'Atlantique à la voile, explorent l'Antarctique… Qu'est-ce qui les pousse à tenter de tels exploits ?

1 Les montagnes de Savoie : une destination touristique réservée aux skieurs ?

Après Paris, la Savoie compte parmi les territoires touristiques les plus importants de France. Pourquoi donc ? Située au cœur des Alpes, la Savoie attire les touristes surtout pour la neige. Ses paysages dans les montagnes les plus hautes d'Europe sont splendides. Depuis trois générations, la construction de nombreuses stations de ski a permis de développer un tourisme de neige réputé dans le monde entier. Malgré tout, aujourd'hui, les skieurs se font moins nombreux. Mais la Savoie, est-ce seulement pour les skieurs ? Quel est l'avenir du tourisme en Savoie ?

6.32
Quelles traces d'activités humaines peut-on observer sur cette photo de Val-d'Isère, une importante station touristique de Savoie ?

La Savoie, c'est où, au juste?

- La Savoie est un département* situé dans le sud-est de la France, à la frontière italienne. Elle se trouve au carrefour des axes de communication de trois grandes villes : Grenoble et Lyon, du côté français, et Genève, en Suisse.
- La Savoie est située dans les Alpes, la chaîne de montagnes la plus vaste et la plus élevée d'Europe. Ce massif montagneux traverse huit pays européens : le Liechtenstein, l'Autriche, la Suisse, la Slovénie, l'Italie, la France, l'Allemagne et Monaco (voir carte 6.6).
- La Savoie se trouve au sud du département de la Haute-Savoie. Dans ces deux départements, l'organisation du territoire est fortement liée au tourisme de neige. Le plus haut sommet des Alpes, le mont Blanc (4810 m), est situé en Haute-Savoie.

CARTE 6.6 LES HUIT ÉTATS ALPINS

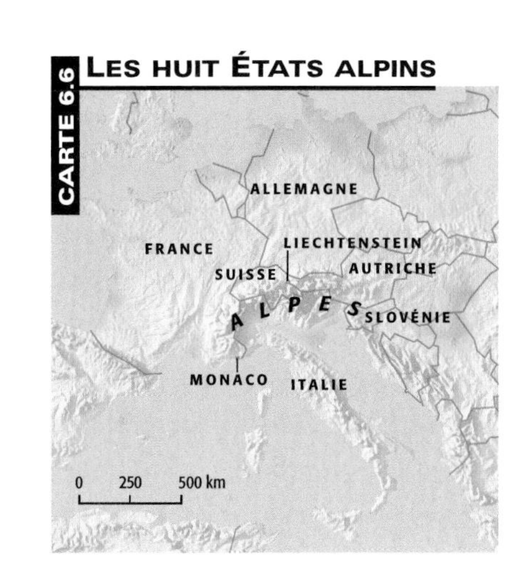

CARTE 6.7 LE TERRITOIRE TOURISTIQUE DE LA SAVOIE

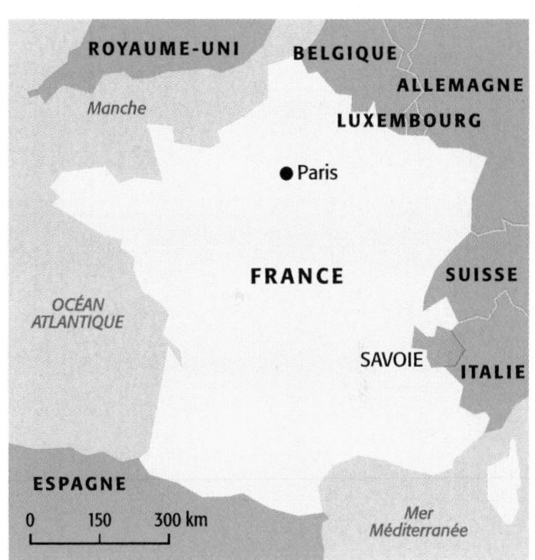

Le tunnel du Fréjus, percé dans les Alpes en 1980, facilite les échanges entre la France et l'Italie.

*

Département : Division administrative de certains pays comme la France. Au Québec, on parle plutôt de « municipalité régionale de comté (MRC) » (par exemple, la MRC de L'Érable ou la MRC de Laval).

B Qui vit en Savoie ?

- La Savoie compte environ 400 000 habitants : ce sont des Savoyards. Près de 70 % d'entre eux vivent dans les villes, les plus grandes étant Chambéry, Aix-les-Bains et Albertville.
- Pendant longtemps, les Savoyards ont pratiqué l'élevage et l'agriculture. Au 19e siècle, des usines, des aménagements hydroélectriques, la construction de routes et d'hôtels ont transformé le paysage de la région. Les Savoyards se sont alors mis au service de l'industrie touristique des sports d'hiver. Ces changements ont nui aux activités traditionnelles comme l'agriculture, et de nombreux habitants ont quitté la région. Aujourd'hui, certains des agriculteurs savoyards organisent des activités touristiques en mettant en valeur les produits du terroir et le patrimoine culturel de la région ; c'est ce qu'on appelle l'« agrotourisme ».

6.33
L'élevage, une activité touristique ?

C Que vont faire les touristes en Savoie ?

- La région de la Savoie représente le plus grand domaine skiable du monde. Elle compte de nombreuses stations de renommée internationale : Courchevel, Méribel, Les Ménuires, Tignes, Val-d'Isère, La Plagne, Les Arcs. C'est donc principalement pour ces stations de ski réputées que les touristes la fréquentent. La tenue des Jeux olympiques d'hiver de 1992 à Albertville a renforcé la réputation internationale des stations de ski de cette région.
- Cependant, on y pratique d'autres activités comme la randonnée, l'alpinisme ou le cyclisme. De plus, un tourisme culturel et gastronomique met en valeur les produits locaux. Et des stations thermales comme celle d'Aix-les-Bains, sur la rive est du lac du Bourget, proposent un tourisme de santé.
- Les parcs naturels de la Savoie attirent aussi les touristes pour leurs paysages splendides : le parc national de la Vanoise, premier parc national français créé en 1963, et les parcs naturels régionaux de la Chartreuse (1995) et des Bauges (1996).
- Les nombreux châteaux, forteresses et églises du Moyen Âge séduisent également les touristes qui visitent la Savoie. Les fortifications ont notamment servi lors des nombreux conflits qui ont eu lieu entre la France et l'Italie au cours des siècles. Aujourd'hui, ce patrimoine culturel est mis en valeur.

6.34
Abbaye de Hautecombe, sur le bord du lac du Bourget. Pouvez-vous situer Hautecombe sur la carte 6.7 ? À quel type de tourisme associez-vous la visite d'anciens bâtiments religieux ?

6.35

6.36

Avant d'arriver là, les touristes – alpinistes et skieurs – ont dû faire des réservations, prendre l'avion, le train ou la voiture, s'installer à l'hôtel en ville, réserver un guide, bien s'équiper... et se lever tôt ! Mais quel paysage !

6.37

Route nationale qui va de Moûtiers à Bourg-Saint-Maurice. Selon vous, pourquoi les axes de transport sont-ils aussi importants dans ce paysage alpin ?

Des paysages marqués par le ski

Sans aucun doute, les paysages alpins sont majestueux ! Mais l'œil détecte souvent sur les images de ces paysages les marques laissées par le tourisme de neige. La Savoie compte environ 70 stations de ski et quelque 1500 remontées mécaniques. C'est sans compter tout ce qu'on a dû mettre en place pour répondre aux besoins des touristes : hôtels, routes, restaurants, stationnements, etc. Pour réaliser tout cela, il a parfois fallu arracher la couche de terre végétale, déboiser, niveler des pentes, écarter des blocs rocheux, poser des drains souterrains, construire des pylônes électriques, bref, modifier le paysage et, dans certains cas, défigurer la montagne.

Représentation en trois dimensions des stations Val-d'Isère et Tignes. Observez bien. Dressez la liste des actions nécessaires à l'aménagement d'un tel espace touristique.

Cet aménagement a été contesté pour son impact négatif sur le plan écologique et social (importance accordée à un sport d'élite, embauche des travailleurs extérieurs à la région, abandon des activités traditionnelles). Depuis une vingtaine d'années, il existe une plus grande conscience de la qualité des paysages, en Savoie comme ailleurs dans les Alpes. Voici des exemples de mesures prises pour protéger ces paysages :

- des espaces sont déclarés protégés, comme les rives des plans d'eau ;
- les aménagements sont « intégrés » à la montagne et bâtis à une hauteur raisonnable, avec des matériaux plus traditionnels ;
- des aménagements paysagers utilisent la flore locale ;
- les constructions se font en harmonie avec le village existant ;
- des funiculaires souterrains ont été construits ;
- les parcs de stationnement sont à bonne distance des espaces récréatifs.

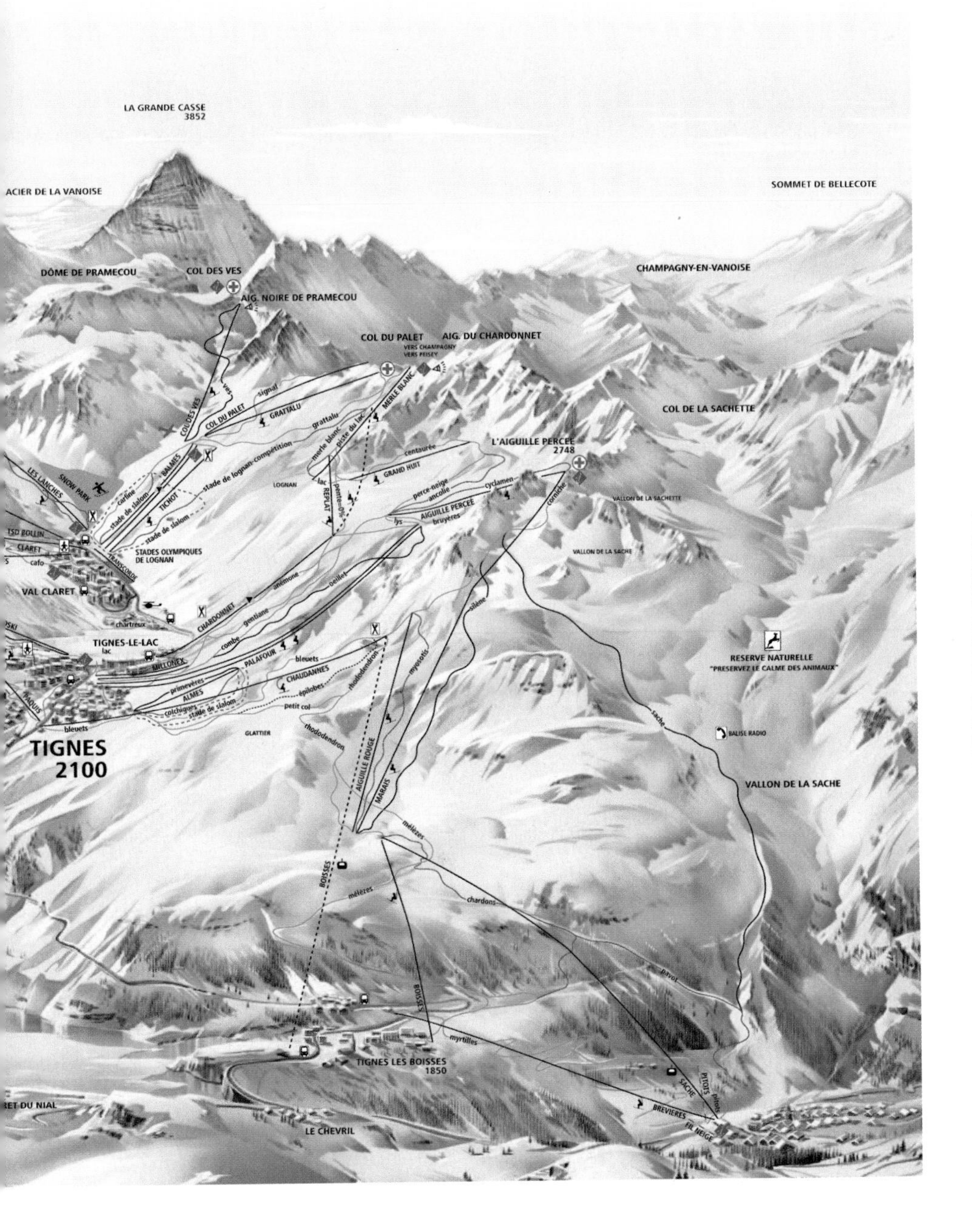

Station de ski Les Arcs. Cette station est considérée par plusieurs comme un exemple positif d'aménagement. Pourquoi, selon vous ? Est-ce loin de Val-d'Isère ?

En montagne, des risques naturels

En haute montagne, le risque d'avalanches est connu. Les autorités ont en main des plans de mesures d'urgence pour faire face à ce type de catastrophes. Elles en ont aussi élaboré advenant des crues torrentielles, des glissements de terrain ou l'érosion des pentes.

Ces dernières années, les changements climatiques se sont ajoutés à la liste des phénomènes pouvant mener à des catastrophes naturelles. En raison de leur altitude, de leur pente et de leur exposition au soleil, les écosystèmes montagneux sont en fait les premiers à subir les effets des changements climatiques : fonte des glaces, progression des forêts, augmentation du niveau des lacs, chute de parois rocheuses. Les scientifiques sont unanimes : la hausse des températures pourrait dessiner une nouvelle géographie des Alpes, et donc de la Savoie. Il faudra sans doute réorienter les activités touristiques. Ainsi, des stations de ski en basse altitude risquent de disparaître, faute de neige. Des stations balnéaires remplaceront-elles les stations de ski ? Les Savoyards seront encore une fois devant des défis d'adaptation.

Que signifie l'expression « dessiner une nouvelle géographie des Alpes, et donc de la Savoie » ?

carrefour Science

Tourisme et avalanches

Chaque hiver, les skieurs sont au rendez-vous en Savoie et sautent sur leurs planches, à l'assaut des Alpes. Des hôtels, des remonte-pentes, des lignes électriques et des routes ont été construits pour eux. C'est pourquoi, dans cette région touristique, les avalanches sont susceptibles de causer des dégâts importants.

Comment se forment les avalanches ?

Au cours de l'hiver, les chutes de neige se suivent… mais ne se ressemblent pas. Selon la température et l'humidité ambiantes, la neige peut être sèche et légère ou encore lourde et mouillée. Les couches s'accumulent les unes sur les autres, formant un épais manteau hétérogène. Sur les plans inclinés comme les pentes de ski, l'équilibre est fragile. En effet, l'adhérence entre les différentes couches de neige n'est pas toujours parfaite.

Un phénomène soudain comme le passage d'un skieur, la chute d'une crête de neige ou un changement de température peut rompre l'équilibre du manteau neigeux. Alors, des couches se détachent et se mettent à glisser. Certaines avalanches avancent à près de 400 kilomètres à l'heure ! Elles coûtent la vie à plus de 150 personnes annuellement.

Prévenir les dégâts

Les scientifiques ont imaginé diverses astuces pour réduire les dangers liés aux avalanches. En France par exemple, il existe un réseau regroupant 140 postes d'observation situés en haute altitude, dans des endroits particulièrement à risque. Ces postes sont visités tous les jours par des spécialistes qui mesurent la température et les précipitations, perforent le manteau neigeux pour vérifier l'épaisseur et les caractéristiques des différentes couches de neige, évaluent la hauteur des crêtes, etc.

6.40 Des panneaux comme ceux-ci informent les skieurs du risque d'avalanche.

2 Aménager ou protéger ?

L'avenir de la Savoie et de ses habitants tient dans cette question : comment protéger la diversité de l'espace de vie en continuant de recevoir de plus en plus de touristes ? C'est une question qui se pose partout dans les Alpes. Plusieurs associations tentent d'y répondre. Les huit États alpins ont même signé un document sur la protection des Alpes, la Convention alpine, dans lequel le développement touristique durable est au centre des préoccupations. Il y est question d'attirer les touristes dans une région, tout en préservant la richesse de ses paysages et de sa culture.

D'où vient le nom « Savoie » ? De l'appellation gauloise que lui donna la tribu des Sabaudes (vers l'an 350). Savoie vient de « Sapaudia », un mot qui signifie « pays des sapins ». Tout simple !

Qu'en pensent les Savoyards ?

Trois Savoyards de générations différentes, tous concernés par le tourisme sur leur territoire, nous livrent leur témoignage dans les pages qui suivent. Chacun perçoit sa région différemment selon la place qu'il occupe dans sa collectivité. Le tourisme procure-t-il les mêmes avantages à tous les membres ? La Savoie doit-elle continuer de miser sur le ski ou se diversifier davantage ? Ces questions, les citoyens, les responsables de l'aménagement du territoire et même les multinationales du tourisme se les posent.

6.41

Station thermale d'Aix-les-Bains, sur la rive du lac du Bourget.

6.42

Station de ski Les Ménuires.

Nature, calme et tranquillité... ou nature et activités touristiques en croissance ?

6.43

Christophe, producteur de fromage et... moniteur de ski

Christophe a 26 ans. Il vit près d'Albertville, dans un petit village de 250 habitants. Après avoir obtenu son diplôme en agriculture, il a repris la fromagerie artisanale de ses parents. Mais ses revenus étaient insuffisants. Alors, comme d'autres de ses amis, il est devenu moniteur de ski à Val-d'Isère durant l'hiver. Selon lui, le tourisme de masse en Savoie a des avantages, mais aussi des inconvénients.

« Je pensais que les touristes qui visitent la région achèteraient ma production de fromage. Je me trompais : ils consacrent leur budget uniquement au ski. En favorisant le développement économique et la création d'emplois, le tourisme a permis à la Savoie de conserver sa population. Toutefois, le tourisme a apporté des changements de comportements et de valeurs. Beaucoup de jeunes préfèrent un emploi saisonnier dans les centres touristiques. Alors, certaines activités traditionnelles comme l'agriculture disparaissent au profit de l'industrie touristique. Et puis, ce n'est pas toute la région qui profite du tourisme. Les aménagements sont concentrés dans les centres urbains et les stations de ski. Les espaces ruraux savoyards sont situés loin de ces foyers touristiques. Les meilleures routes mènent des grandes villes aux stations de ski, qui ont poussé ces dernières années comme des champignons. Je me demande s'il n'y a pas trop de stations de ski... »

Nadia, responsable en communication à l'Office de tourisme d'Aix-les-Bains

Nadia a 45 ans. Née en banlieue de Paris, elle est installée en Savoie depuis 10 ans, où elle occupe un emploi en communication. Pour elle, le tourisme en Savoie aide au développement économique de la région.

« Grâce au tourisme, la Savoie est un territoire très dynamique. Regardez les chiffres officiels : le tourisme représente 50 % de l'économie de la région. Sans cette industrie, c'est tout le territoire qui s'effondrerait sur le plan économique. Plus de 20 000 personnes vivent directement de l'industrie touristique du ski. C'est vrai, les stations de renommée internationale comme Courchevel ou Val-d'Isère sont les premières à profiter du tourisme. Mais avec le développement du tourisme vert (ou tourisme de nature), d'autres villages vont aussi parvenir à en tirer profit. N'oublions pas que la Savoie attire de nombreux touristes, même en été, pour ses paysages d'une rare beauté et son riche patrimoine culturel. Et puis, avec l'autoroute qui arrive jusqu'à Albertville, c'est l'accès à tout le territoire qui a été amélioré... »

6.44

6.45

Quels liens peut-on faire entre ces deux photos et les pos de Nadia ?

Jean-Claude, membre d'une association de mise en valeur du patrimoine de la Savoie

Une fois à la retraite, Jean-Claude, 62 ans, a décidé de quitter Lyon et de s'installer en Savoie, sa région natale. Il y a créé une association de mise en valeur du patrimoine savoyard. Selon lui, il faut diversifier les activités touristiques en Savoie…

« Le paysage de la Savoie a radicalement changé ces 50 dernières années. Pendant l'hiver, la haute saison touristique, la population passe de 367 000 habitants à plus de 700 000 ! Et l'on cherche encore à en attirer toujours plus en construisant des routes, des ponts, des stations de ski… On veut même aménager les espaces protégés ! Regardez le paysage avec ces stations de ski qui sont à moitié vides pendant l'été ! Heureusement, les adeptes de la marche en montagne sont nombreux à venir faire de la randonnée l'été dans le parc national de la Vanoise et dans les parcs régionaux. De plus, le Tour de France a fait la renommée de plusieurs sommets comme celui du Galibier, situé à l'extrême sud de la Savoie. Mais la majorité des touristes viennent l'hiver et se concentrent dans les stations de ski. Notre association essaie de leur faire connaître les produits locaux : des fromages uniques, des recettes de fondue et les vins blancs de Savoie, par exemple. Je constate qu'une nouvelle catégorie de touristes vient en Savoie, été comme hiver, pour profiter de ses richesses culturelles et pour rencontrer ses habitants. Le tourisme sera-t-il plus diversifié à l'avenir ? »

6.46

6.47

Quels liens peut-on faire entre ces deux photos et les propos de Jean-Claude ?

1. **Selon vous, pourquoi ces trois personnes ont-elles un point de vue différent sur le tourisme dans leur région ?**
2. **D'après vous, quel type de tourisme ira en se développant en Savoie ? Pourquoi ?**

1 La lagune de Venise : admirée, visitée, menacée... pourquoi ?

Qui n'a jamais vu d'images de Venise ? C'est la ville des amoureux qui se baladent en gondole sur le Grand Canal, des touristes qui explorent les dédales de ruelles ou visitent les cathédrales et les musées. Le lieu est aussi célèbre pour son carnaval masqué. On y vient de partout pour admirer son patrimoine qui compte 16 000 œuvres d'art, 400 palais, une centaine d'églises et 30 couvents.

Toutefois, les millions de touristes qui visitent Venise chaque année voient-ils toutes les facettes de la ville ? Petite ville piétonnière, avec une capacité d'accueil limitée, Venise est étroitement liée à sa lagune*. D'ailleurs, un vaste mouvement international s'est créé pour sa « sauvegarde ». Ce territoire touristique serait donc menacé ? Par quoi au juste ? Pourra-t-on encore visiter la ville dans 100 ans ?

A Qu'est-ce qui caractérise la lagune de Venise ?

Un archipel* urbain, au cœur d'une lagune

Venise est au nord de l'Italie, dans une région appelée « Vénétie ». Située au centre d'une lagune, la ville s'étend sur un ensemble compact de 118 îles très rapprochées, reliées par 200 canaux. Il s'agit donc d'un archipel urbain. La lagune est séparée de la mer Adriatique par une longue bande de sable, le Lido. Trois passes ou portes ouvrent sur la mer : la passe du Lido, la passe de Malamocco et celle de Chioggia. Ces ouvertures assurent à la lagune un équilibre entre l'eau douce, qui vient de l'écoulement des fleuves, et l'eau salée, qui vient de la mer avec le mouvement des marées. Venise n'est rien sans sa lagune, qui constitue un écosystème original que les habitants tentent de maîtriser depuis plus de 1500 ans.

*

Lagune : Étendue d'eau séparée de la mer par une bande de terre.

Archipel : Ensemble d'îles.

CARTE 6.8 VENISE EN ITALIE

6.48

Image satellitale de la lagune de Venise prise par le satellite *Spot 2*. L'image permet d'observer les trois grandes composantes de la lagune. Quelles sont-elles ?

Le Grand Canal, c'est la « rue » principale

Il n'y a pas de voitures à Venise : on y circule en *vaporetto**, en *motoscafo**, en gondole* ou à pied. Pour se rendre d'un lieu à un autre, il faut emprunter des ruelles et faire bien des détours ! Presque toutes les ruelles débouchent sur le Grand Canal, un chenal long de près de 4 km qui sépare la ville en deux. Il a été construit pour permettre aux bateaux venant de la mer d'aller décharger leurs marchandises dans la ville. Il est bordé de palais, anciennes demeures des riches commerçants de Venise. Quatre ponts enjambent ce chenal : le pont du Rialto est le plus ancien.

*

***Vaporetto* :** Mot italien qui désigne un bateau de transport en commun, une sorte de « bateau-bus ». Au pluriel, on parle de *vaporetti*.

***Motoscafo* :** Bateau rapide assurant la liaison entre la terre ferme et Venise. Au pluriel, on parle de *motoscafi*.

Gondole : Barque plate et longue à un seul aviron typique du paysage de Venise, mais utilisée de nos jours presque exclusivement par les touristes.

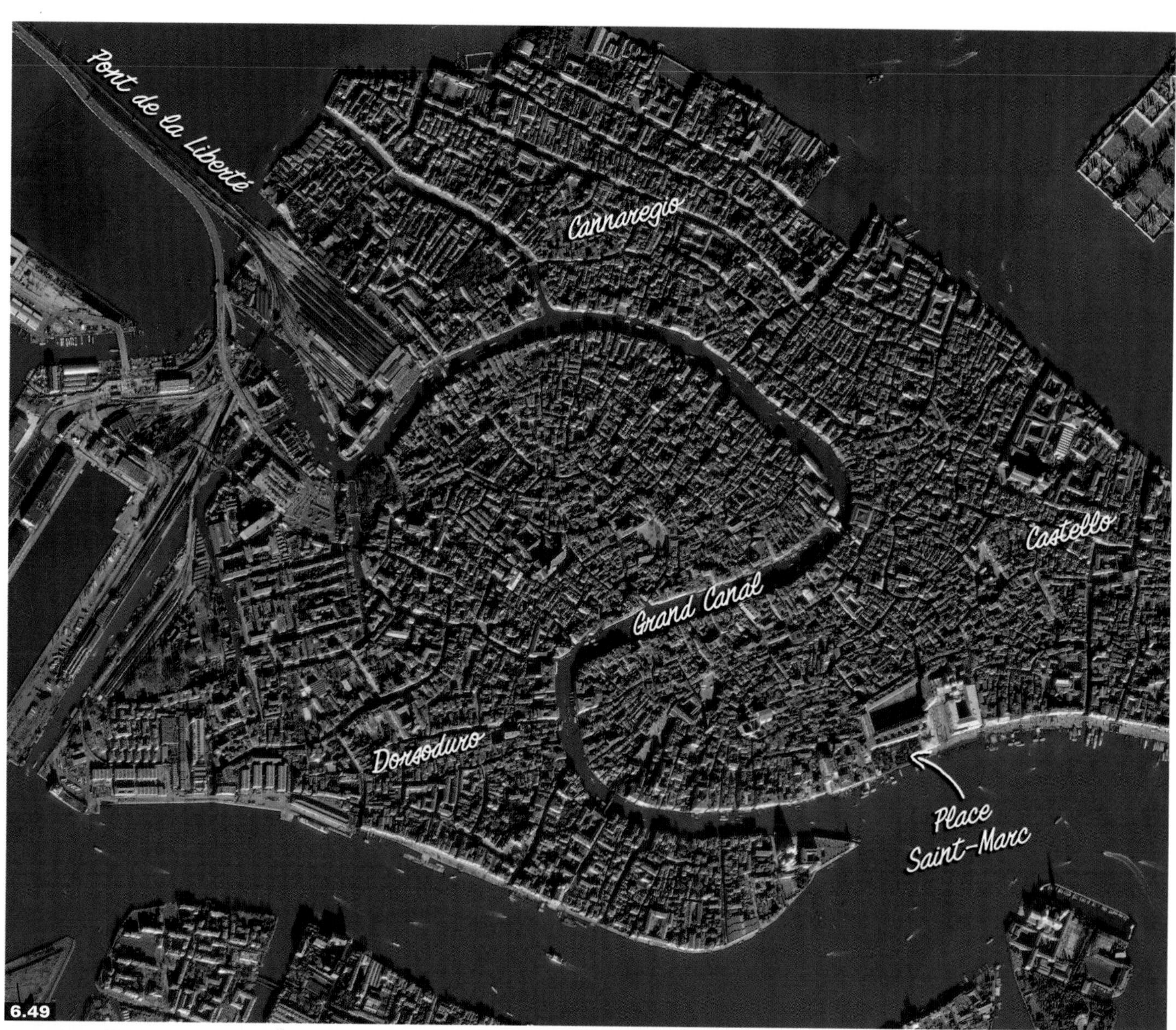

Image satellitale de Venise prise par le satellite *Ikonos* le 27 novembre 2000. L'image permet de voir le rôle du Grand Canal et des autres canaux dans l'organisation du territoire. Des infrastructures modernes existent à Venise. Où sont-elles situées ? Quel est leur rôle, selon vous ?

Un territoire urbain organisé

Le territoire urbain de la lagune ne se limite pas à la ville touristique de Venise. Il comprend les éléments suivants.

CARTE 6.9 La lagune de Venise

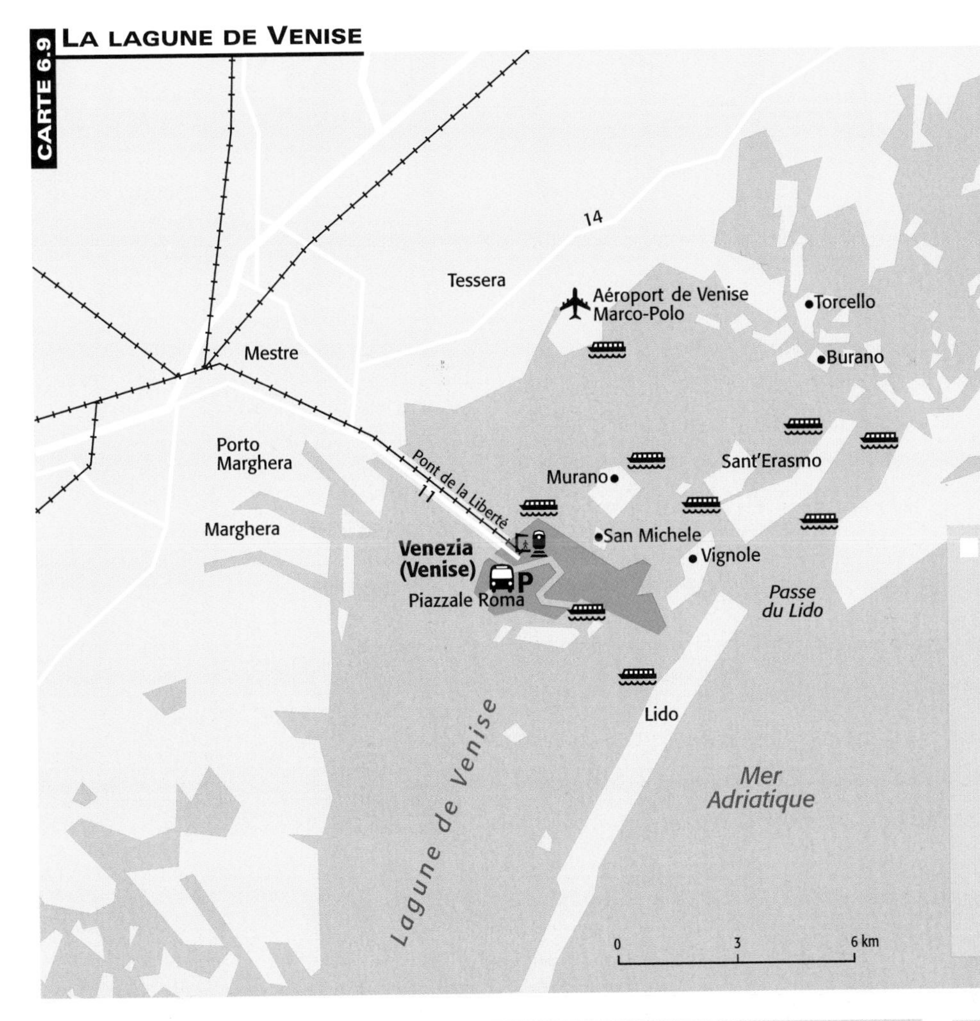

Un centre historique. La fonction de ce quartier est essentiellement touristique. Le lieu que les touristes admirent de nos jours n'est qu'une partie de la ville édifiée aux 15e et 16e siècles. De nombreux palais de cette époque ont été démolis. Ceux qui ont été restaurés se sont vu attribuer une fonction moderne : hôtel, banque, musée, hôtel de ville…

D'autres îles. Certaines sont désertes. D'autres, moins fréquentées, abritent des monuments et offrent des paysages lagunaires exceptionnels. Les îles les plus connues sont :

- Lido, célèbre pour ses plages sur la mer Adriatique et ses palais.
- Murano, connue pour la qualité de l'artisanat du verre.
- Burano, avec sa dentelle et ses petites maisons aux couleurs éclatantes.
- Torcello et ses édifices datant du 7e siècle.
- La Giudecca, qui compte de nombreux trésors architecturaux.
- San Michele, qui abrite le cimetière de Venise où sont enterrées plusieurs personnalités mondialement connues.
- Sant'Erasmo et Vignole, qui constituent le potager de Venise.

Des villes sur la terre ferme, comme Mestre, Marghera et Porto Marghera, arrachées aux marécages au début du 20e siècle. Ces villes avaient jusqu'à maintenant une fonction industrielle. Les choses commencent toutefois à changer. Des architectes sont à transformer un ancien secteur industriel en gigantesque parc de divertissement, présenté comme le « plus grand parc sur l'eau de l'Europe ».

Donc, pour bien comprendre l'aménagement de la lagune de Venise, il faut relier toutes ces îles et toutes ces villes.

Le tourisme de masse

En 2004, la ville a reçu 15 millions de touristes ! De 1976 à 1991, le nombre de pizzerias, de restaurants et de pensions a augmenté de… 144 %. La capacité d'accueil de la ville est saturée. Et plus il y a de touristes, moins il y a de Vénitiens ! En effet, depuis les années 1950, la ville se vide de sa population. On comptait 174 808 habitants dans le centre historique en 1951. En 2004, à peine quelque 60 000 personnes y demeurent. Venise est en train de devenir la ville d'une seule réalité, celle du tourisme de masse.

B Peut-on vivre à Venise ?

Imaginez, l'Unesco posait déjà la question en… 1969 ! Les impôts sont élevés, le coût de la vie aussi. Loyer, nourriture, restaurants, transport… tout coûte cher. Sans compter la présence massive des touristes à l'année, la pollution de plus en plus grande, le risque d'inondation plus fréquent et le transport plus lent que sur la terre ferme. Bref, les Vénitiens quittent la ville parce que la vie y est devenue trop difficile.

Vivre à Venise est devenu un luxe. Pourtant, la ville ne peut pas exister uniquement pour les touristes. Il faut des Vénitiens à Venise : des enfants, des écoles, des terrains de jeu, des services, un centre urbain normal, quoi. Trouvera-t-on un équilibre entre le tourisme de masse et la qualité de vie des habitants ? L'avenir de ce territoire en dépend.

Curieux

Venise « flotte »-t-elle sur la lagune ?

Vue de haut, Venise ressemble à un radeau ; on dirait qu'elle flotte sur l'eau. Mais, il n'en est rien. La ville est construite sur des milliers de pieux enfoncés dans le sol plus ou moins vaseux, sous l'eau, jusqu'à la couche d'argile dure plus profonde. Ces pieux constituent la base sur laquelle on peut bâtir une sorte de plancher fait de brique et de bois. De là, la construction des édifices peut commencer. Le bois est le principal matériau utilisé. Par souci de légèreté, seules les façades sont en marbre ou en matériau plus lourd. Les maisons ont rarement plus de deux étages… pour la même raison !

6.50

6.51 Foule devant le palais des Doges durant le Carnaval de Venise.

2 Venise menacée : par quoi au juste ?

Selon les Vénitiens, la lagune a trois ennemis : la mer, la terre et... les humains. Pourtant, la lutte contre l'envahissement de la lagune par ces trois éléments ne date pas d'hier. Qu'en est-il au juste de nos jours ?

*

Acqua alta **: Phénomène des « hautes eaux », lié à la marée océanique, mais aggravé par la basse pression atmosphérique, les fortes pluies et l'affaissement de la cité. Ce phénomène peut se produire jusqu'à 50 fois par année !**

La pollution industrielle

6.52

Les fumées des raffineries de Porto Marghera sont chargées de soufre et dégagent une acidité qui, en retombant avec les pluies, ronge les pierres, endommage la végétation et pollue la lagune.

Les marées de touristes

6.53

En 2003, près de 500 bateaux de croisière ont débarqué 700 000 touristes à Venise. Les quais et les fondations des palais sont atteints par les remous et les vibrations de ces bateaux. Des groupes réclament l'interdiction de leur entrée dans la lagune.

Les inondations

6.54

Venise est littéralement construite sur l'eau. Les Vénitiens sont donc habitués aux inondations, comme en témoigne cette photo de la place Saint-Marc. D'ailleurs, dans des documents aussi anciens que 589, on parle de la fameuse *acqua alta**, cette marée exceptionnellement haute. Les nombreuses interventions humaines ont toutefois aggravé la situation, allant même jusqu'à menacer la survie de la ville et de sa lagune.

Pour comprendre le phénomène des inondations à Venise, voir la rubrique Carrefour science à la page suivante.

L'affaissement du sol

De plus en plus de Vénitiens vont vivre à Mestre. Pour fournir de l'eau à la population sans cesse croissante, on a pompé l'eau du sous-sol. Cela a eu pour conséquence de réduire de façon dangereuse le volume de la nappe souterraine. Le sol de Venise a alors commencé à s'enfoncer. En un siècle, Venise s'est affaissée de 23 cm. On a réagi depuis, et l'eau est apportée d'ailleurs.

La lagune de Venise : créée par la nature ou par les humains ?

La lagune de Venise est un écosystème fragile. L'équilibre entre les forces de la nature et les interventions humaines demeure incertain.

À l'origine, la lagune s'est formée par l'accumulation de roches, de sable, de boue et de résidus forestiers, tous arrachés à la terre par les fleuves Brenta, Sile, Musone et Piave, puis transportés jusqu'à leur embouchure dans la mer Adriatique. En s'amassant, ces débris ont formé des étendues de terre de quelques mètres à deux ou trois kilomètres de largeur, entourées par les eaux des fleuves et de la mer.

L'eau qui circule dans la lagune n'est ni douce ni salée : elle est saumâtre. Venise respire au rythme de la marée. À toutes les six heures, l'eau salée pénètre dans la lagune puis en ressort, mêlée à l'eau saumâtre.

La lagune aménagée

Normalement, la lagune se serait embourbée de débris transportés par les fleuves, laissant place à la terre ferme. Toutefois, pendant 1000 ans, les habitants de la ville ont lutté pour conserver ce site : ils ont asséché les terres, creusé des canaux, dévié des fleuves et aménagé les îles.

Le prix du développement

Au cours de la deuxième moitié du 20e siècle, le développement économique et touristique de Venise a brisé l'équilibre déjà fragile de la lagune. Des industries chimiques et pétrochimiques se sont installées dans la région. Elles se sont mises à rejeter des polluants dans les eaux, empoisonnant la faune et la flore. Ces mêmes usines ont pompé des quantités incalculables d'eau dans les nappes souterraines qui retiennent les terres. L'eau pompée a aussi servi à alimenter en eau potable le nombre grandissant d'habitants qui sont allés s'installer à Mestre, par exemple. Tranquillement, le sol s'est affaissé parce qu'il n'y avait plus rien pour le retenir. On a cessé de pomper l'eau depuis quelques années, mais le phénomène persiste, malgré les efforts investis pour remédier à la situation.

De plus, alors qu'il était autrefois interdit de creuser des canaux de plus de 4 mètres de profondeur, il existe aujourd'hui de véritables autoroutes aquatiques de 20 mètres qui permettent le passage des pétroliers, de cargos et de paquebots. Ces embarcations soulèvent des vagues qui grugent lentement les berges et les édifices.

La menace de l'*acqua alta*

Les marées de hauteur exceptionnelle, que les habitants de Venise appellent *acque alte* (pluriel de *acqua alta,* en italien), constituent une autre menace de taille pour la ville. Ces marées ne sont pourtant pas nouvelles… Il suffit en effet qu'un vent puissant souffle sur la mer Adriatique et que la pression atmosphérique soit à la baisse pour que le niveau des eaux se mette à monter.

Ce qui est nouveau cependant, c'est la fréquence et l'ampleur du phénomène. En effet, pour étendre

6.55 Le système de la lagune

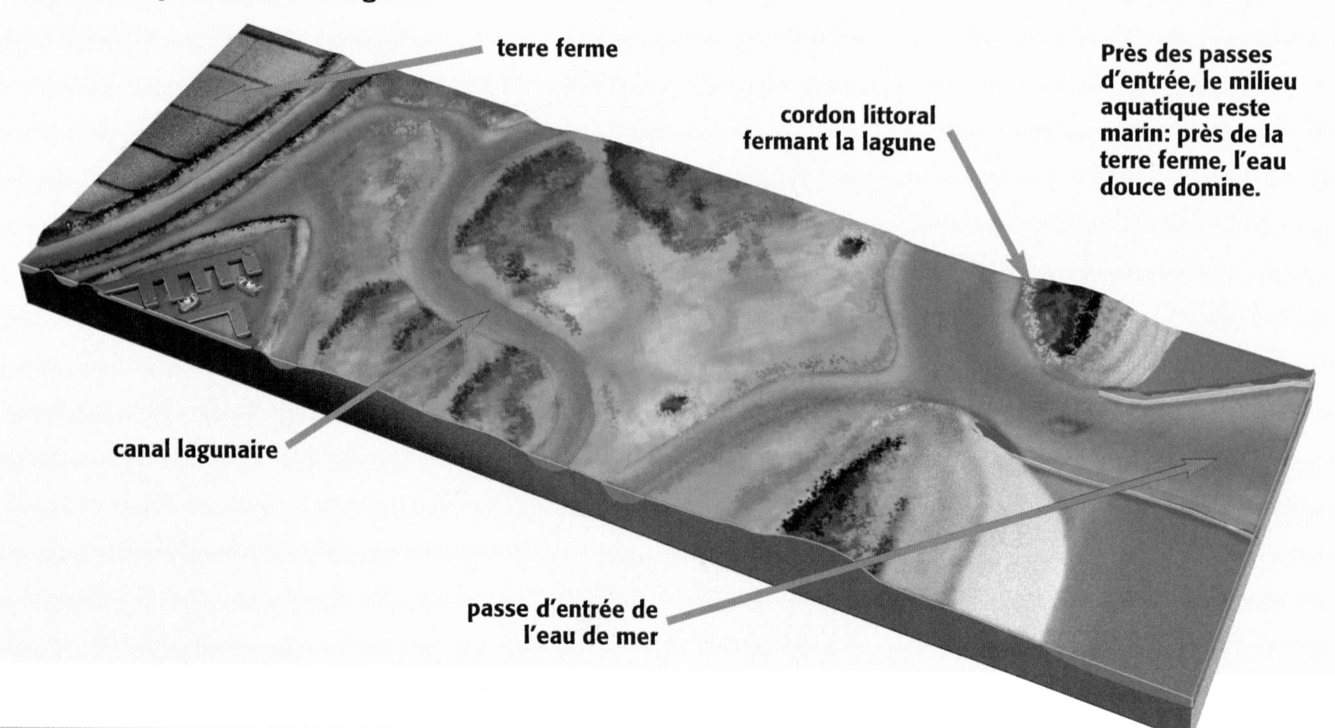

leurs activités, les habitants ont asséché de nouvelles parcelles de terre. Ils ont aussi construit des bassins fermés pour la pêche. Résultat : l'espace disponible pour l'étalement des marées est de plus en plus restreint. Ayant moins de place à l'horizontale, l'eau monte à la verticale.

Alors qu'autrefois la surface des rues de Venise ne disparaissait sous les eaux qu'à l'occasion, la chaussée est aujourd'hui noyée environ 50 fois par année.

À la rescousse de Venise

De nombreux comités d'experts ont été mis sur pied pour analyser en détail les caractéristiques géologiques et écologiques de la lagune. Les mouvements des eaux, les activités des usines et les pratiques de pêche ont aussi été étudiés à la loupe. En fait, aucune ville au monde n'a été étudiée avec autant de minutie que Venise !

Le projet MOSE

Plusieurs solutions ont été imaginées par les scientifiques pour sauver la ville des eaux. Celle qui a reçu le plus d'attention est sans aucun doute le projet *Modulo Sperimentale Elettromeccanico,* qu'on appelle plus simplement MOSE.

Brièvement, il s'agit d'équiper les trois ports d'entrée de la lagune d'immenses caissons dont le rôle serait de contrôler l'entrée d'eau dans la lagune lorsque la marée dépasserait un mètre.

La controverse

MOSE a été mis sur la table en 1981 et approuvé en 2001. D'ici 2011, 79 caissons seront construits. Pourtant, le projet est loin de faire l'unanimité. Les écologistes affirment que la phase de construction détruira plusieurs milieux naturels. En outre, durant la phase d'opération, la fermeture des portes rompra la continuité naturelle qui existe entre la lagune et la mer.

Pour les experts en écologie, la lagune n'est pas qu'un simple bassin que l'on peut ouvrir ou fermer au besoin, mais un écosystème complexe dont il faut maintenir l'équilibre. Ils croient que des mesures comme l'ouverture des bassins de pêche, l'interdiction d'accès aux pétroliers et aux paquebots, l'arrêt du pompage de l'eau de la nappe phréatique ainsi que la réduction de la pollution seraient de loin préférables. Bien sûr, ces mesures auraient des impacts économiques sur la région, mais, selon eux, la santé écologique de la lagune n'a pas de prix...

L'inondation de 1966...

Voilà une date importante dans la mémoire des Vénitiens. En novembre de cette année-là, une grande partie de Venise a été inondée. Plusieurs éléments permettent d'expliquer ce phénomène : la marée, les mauvaises conditions atmosphériques et l'affaissement de la ville.

Les dégâts sont majeurs : la place Saint-Marc est envahie sous 2 mètres d'eau, la cité est submergée et 6000 Vénitiens perdent leur habitation. Toute la planète se tourne alors vers Venise : il faut sauver ce patrimoine de l'humanité et restaurer sites, monuments et œuvres d'art. Des études sont alors menées dans le but de comprendre les problèmes de la ville et de sa lagune. Aujourd'hui, sous l'égide de l'Unesco, 50 comités comptant 11 pays investissent dans divers projets de sauvegarde de Venise.

6.56

3 Trois jours à Venise, en août...

Simon et Anna ont fait le tour de l'Europe pendant quelques semaines l'été dernier. Après un séjour en France, ces jeunes Québécois ont entamé leur périple en Italie par Venise. Trois jours dans la Sérénissine*! Leur itinéraire était déjà tracé. Mais ont-ils pu faire tout ce qu'ils avaient planifié ? Voici l'itinéraire prévu ansi que des extraits du journal de Simon.

*

Sérénissine : Titre honorifique donné jadis à certains princes. On appelle Venise la « Sérénissine ».

Doge : Chef élu du temps où Venise était une république. La ville fut rattachée à l'Italie en 1866.

Itinéraire prévu :

Jour 1 : Arrivée à l'aéroport de Venise Marco-Polo, trajet jusqu'à l'hôtel situé dans le quartier Dorsoduro. Dîner à la place Saint-Marc et visite du palais des Doges*. En fin de journée, visite de la basilique Saint-Marc.

Jour 2 : Le matin, descente du Grand Canal en *vaporetto* jusqu'à la lagune, dans le quartier de Castello. Visite de la place San Zaccaria. Dîner dans le quartier de Castello, près de l'Arsenal. Trajet vers le Lido. Promenade à vélo sur le littoral et fin d'après-midi à la plage. Retour en *vaporetto* vers Venise.

Jour 3 : Le matin, découverte des chefs-d'œuvre des grands peintres vénitiens au musée de l'Accademia. L'après-midi, achat de souvenirs et départ pour Florence en train.

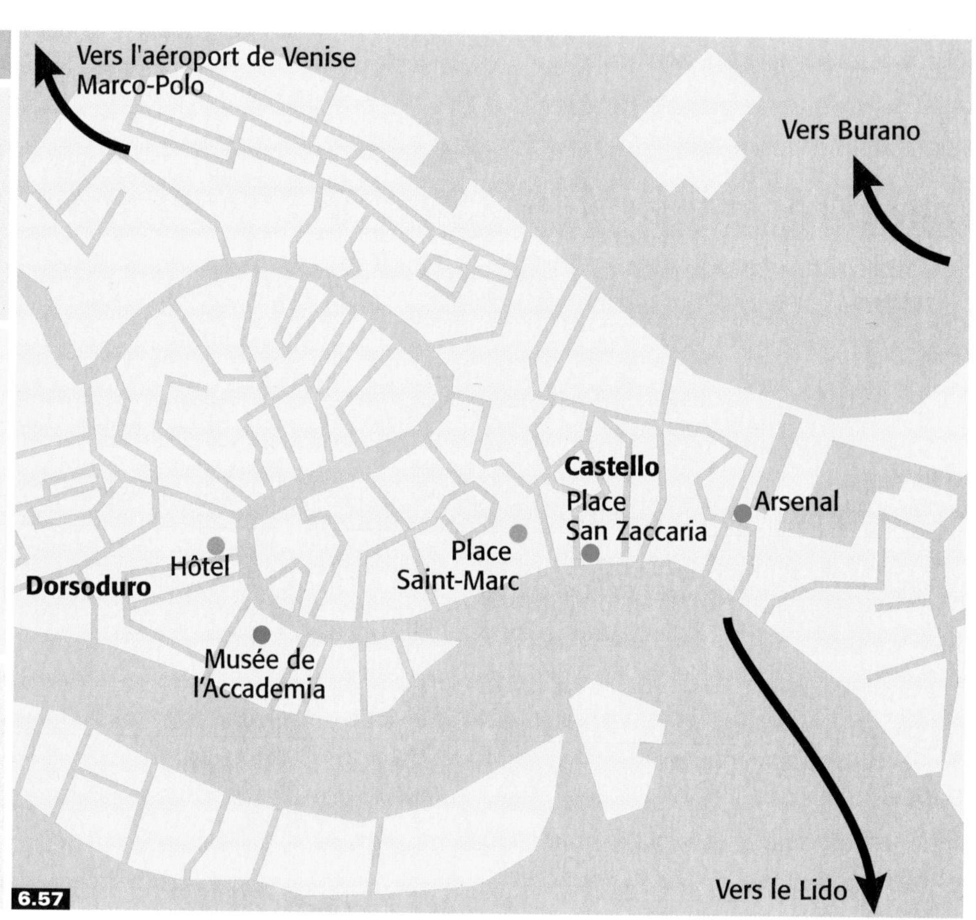

6.57

Première journée

En fin de matinée, nous atterrissons à l'aéroport de Venise Marco-Polo, près de la ville de Mestre. Vite, nous nous dirigeons vers l'hôtel où nous avons réservé une chambre il y a de cela plusieurs mois. On nous avait prévenus : l'été, les touristes sont nombreux. Il est 13 h et la ville est des plus animées. Sitôt nos bagages déposés, nous nous rendons à pied vers la place Saint-Marc pour y déguster un bon repas et un espresso.

Arrivés à proximité, quelle surprise ! Les rues piétonnières sont à sens unique ! Il y a tellement de touristes que tout le monde doit marcher dans la même direction pour faciliter la circulation. Nous n'avons pas le choix, nous suivons la masse pour finalement déboucher sur la Place. Quel spectacle saisissant ! Le campanile* est majestueux et, au fond, on aperçoit la basilique Saint-Marc et le palais des Doges. Mais que de touristes ! Impossible de trouver une table à la terrasse d'un des nombreux cafés. Quant aux prix, ils sont exorbitants !

Déçus, nous nous rabattons sur un restaurant situé dans une petite rue adjacente. Pour finir la journée, nous visitons le palais des Doges. Son architecture, les œuvres et les trésors qu'il recèle nous laissent béats d'admiration. Le lieu est tout à fait sublime. Malheureusement, il nous aura fallu faire la queue pendant plus de deux heures avant d'y entrer. Épuisés, nous retournons à l'hôtel.

*

Campanile : Tour isolée, souvent près d'une église, où sont placées les cloches. Le campanile de Saint-Marc abrite 5 cloches et fait 96 m de hauteur.

6.58

La place Saint-Marc.

.59

ıgorgement sur le Grand Canal.

Deuxième journée...

Levés tôt, nous marchons jusque dans le quartier Cannaregio. Là, en face de la gare, avec, encore une fois, de nombreux autres touristes, nous prenons le vaporetto comme on prend l'autobus. Nous naviguons sur le Grand Canal qui serpente à travers la ville. Nous croisons une nuée d'autres vaporetti bondés de touristes venus admirer les multiples palais sur les rives de cette « rue » principale. Malgré l'heure matinale, le Grand Canal est déjà encombré de gondoles et de bateaux de plaisance. Où sont les Vénitiens ? Ici, tout le monde a l'air en vacances, sauf les gondoliers, bien sûr ! Près du pont du Rialto, c'est encore pire ! Il y a un embouteillage de gondoles et de vaporetti.

Fatigués de cette foule, nous décidons d'aller passer le reste de la journée sur le Lido en espérant qu'il y aura moins de monde. Nous empruntons donc un autre vaporetto pour nous rendre sur l'île. Déception : tout est tellement cher ! Il faut payer pour avoir droit à un coin de plage. La location de vélos est inabordable. Nous décidons de rester quand même pour admirer les belles villas construites au début du 20e siècle. Le soir, nous flânons dans Venise.

6.60 Le Lido et ses plages.

La troisième journée...

Étourdis par la masse de touristes et les files interminables devant les immeubles les plus connus, nous annulons notre visite au musée Accademia. Nous nous contenterons d'admirer les grands maîtres vénitiens dans des livres d'art ! À la place, nous prenons le vaporetto vers l'île Burano pour apprécier sa quiétude et ses maisons colorées. Nous croisons bien quelques groupes de touristes, mais rien de comparable avec la masse qui s'agglutine sur la place Saint-Marc. Enfin, nous pouvons goûter à la fameuse dolce vita italienne, cette douceur de vivre typiquement méditerranéenne.

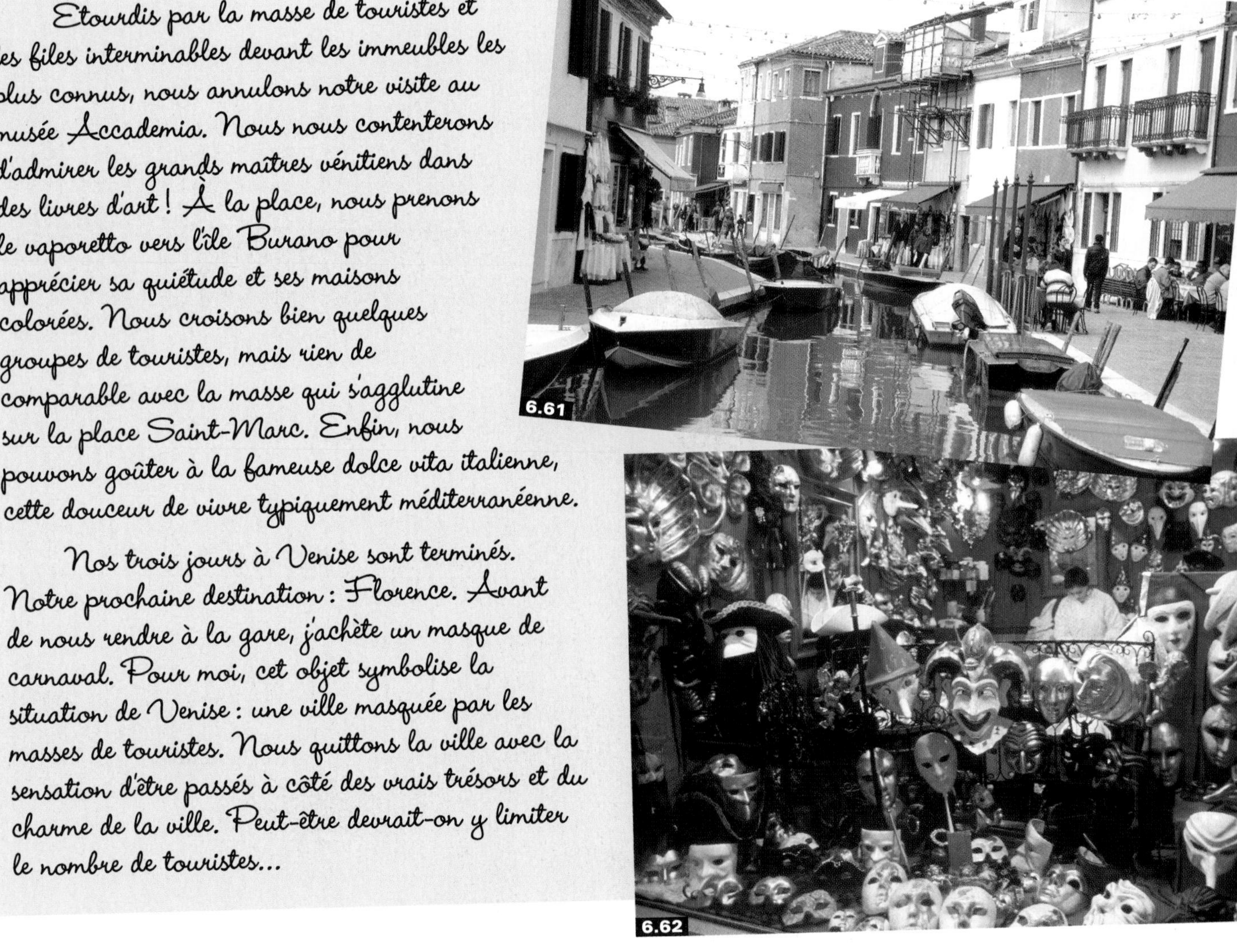

6.61 L'île de Burano.

6.62

Nos trois jours à Venise sont terminés. Notre prochaine destination : Florence. Avant de nous rendre à la gare, j'achète un masque de carnaval. Pour moi, cet objet symbolise la situation de Venise : une ville masquée par les masses de touristes. Nous quittons la ville avec la sensation d'être passés à côté des vrais trésors et du charme de la ville. Peut-être devrait-on y limiter le nombre de touristes...

4 Le tourisme dans la lagune de Venise : atout ou contrainte ?

C'est sûr, Venise vit grâce au tourisme. Il s'agit de la principale activité économique. Une grande partie des Vénitiens, même ceux qui demeurent sur la terre ferme, vivent du tourisme. De plus, une portion des revenus de cette activité sert à financer l'entretien et la restauration de la ville. Les particularités de Venise en font un site internationalement reconnu. C'est un peu comme si Venise appartenait au monde entier.

Malheureusement, le tourisme de masse cause de nombreux problèmes.

- Il contribue à la dégradation de la lagune et de la ville : pollution, exode des Vénitiens vers la terre ferme, consommation excessive d'eau potable, détérioration des œuvres et des sites, etc.
- Il cause une pénurie de logements pour les Vénitiens. De nombreuses résidences se transforment en hôtels et en pensions.
- Seuls les monuments les plus prestigieux sont rénovés. Le reste de la ville est abandonné aux promoteurs. Les canalisations et les fondations dans les quartiers moins fréquentés nécessitent pourtant aussi des travaux.

6.63 **Typiques du paysage vénitien,** ces édifices nécessitent des travaux. Est-ce uniquement parce qu'ils sont anciens ?

6.64 **La place Saint-Marc** est si belle : de plus en plus de touristes viennent l'admirer. Sont-ils trop nombreux pour la capacité d'accueil de la ville ?

1 L'Île-de-France : un territoire « trop » visité ?

L'Île-de-France est une région de France qui englobe Paris et ses alentours. Ce n'est donc pas une île ? Eh non ! La région doit son nom aux cours d'eau qui ceinturaient son territoire d'origine et qui lui donnaient l'aspect d'une langue de terre entourée d'eau. L'exploitation du réseau hydrographique a d'ailleurs permis le développement de cette région de France.

L'Île-de-France est aujourd'hui constituée de 8 départements totalisant environ 11 millions d'habitants. Paris, capitale de la France, est un de ces départements. C'est d'ailleurs le département qui a la plus grande densité de population de toute la France avec 2 125 246 habitants[1] sur 105 km^2. Ajoutons à cela que l'Île-de-France est la première destination touristique du monde. Ça fait donc beaucoup de monde… dans ce grand centre urbain !

Cela correspond à 20 164 hab./km^2. En guise de comparaison, à Montréal, la densité est de 3678 hab./km^2 et à Québec, de 928 hab./km^2.

CARTE 6.10 **L'ÎLE-DE-FRANCE, UN TERRITOIRE ORGANISÉ**

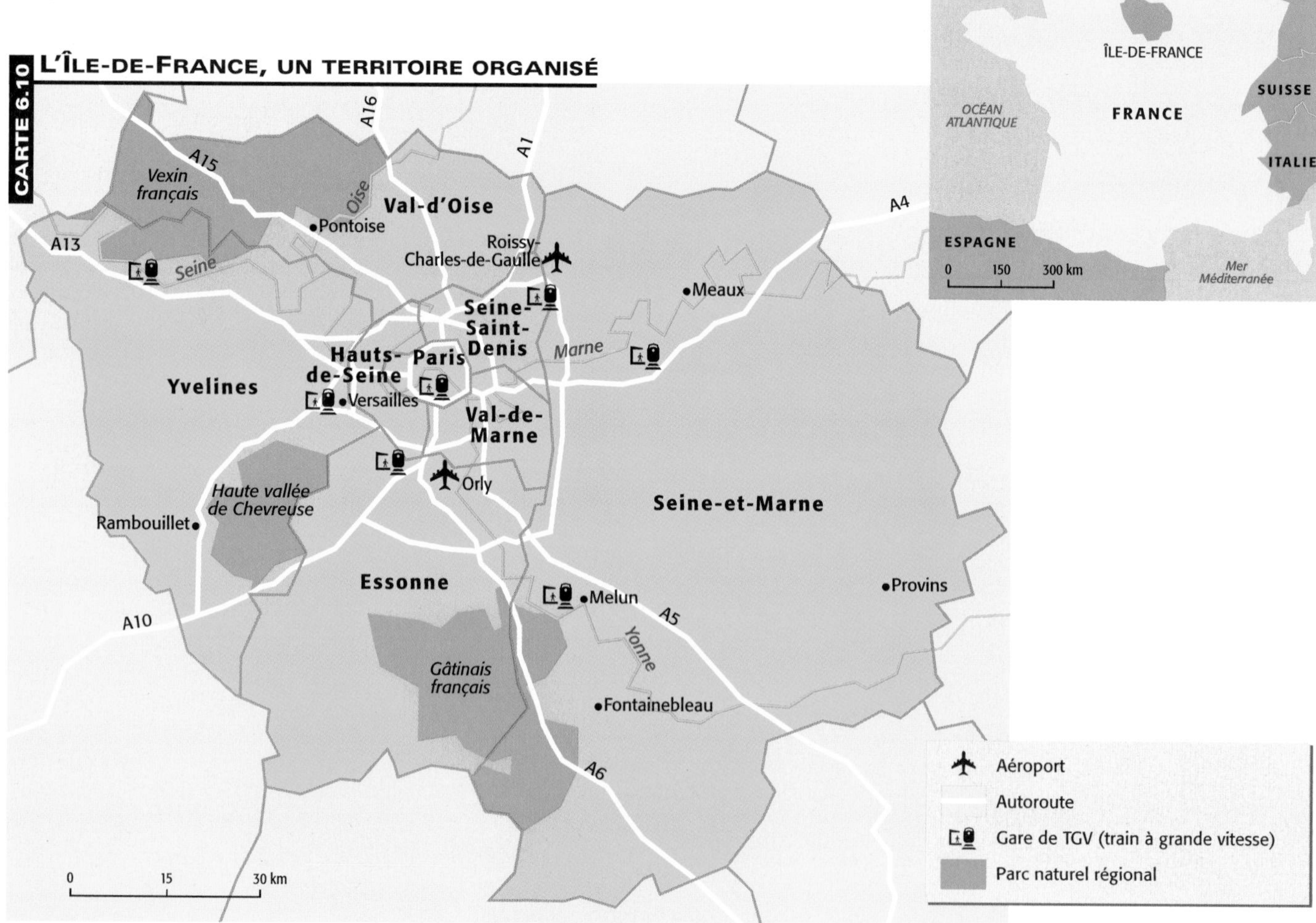

Comment cette carte représente-t-elle l'organisation du territoire de l'Île-de-France ?

1. Donnée du recensement de 1999.

Pour gérer les déplacements, la région possède un réseau de transport routier, ferroviaire et aéroportuaire très développé. Mais, selon les experts, ce réseau atteindra bientôt son point de saturation, c'est-à-dire qu'il atteindra la limite de sa capacité. L'Île-de-France est donc devant un défi : comment aménager son territoire pour faciliter les déplacements des 11 millions de Franciliens*... et des millions de touristes ?

6.65
Boulevard Périphérique de Paris enjambant les voies ferrées menant à la gare de Lyon.

6.66
Le réseau de transport est très développé en Île-de-France. Pourquoi est-ce une condition indispensable au développement du tourisme sur ce territoire ?

*

Francilien : Nom donné aux habitants de l'Île-de-France.

Les sites les plus visités en Île-de-France

L'Île-de-France compte au moins 12 sites ou édifices qui attirent chacun plus d'un million de visiteurs par année ! Ces monuments religieux, musées, sites naturels ou parcs de divertissement sont principalement concentrés à Paris. Le réseau de transport de l'Île-de-France est déjà saturé à cause de la densité de population de Paris et de ses proches banlieues. Alors, imaginez la situation lorsque les touristes viennent s'ajouter aux Franciliens sur les routes, dans les trains et dans les aéroports !

❶ Le château de Versailles

Le château est situé dans la ville de Versailles, en banlieue de Paris. Construite par Louis XIV (le Roi-Soleil) dans la seconde moitié du 17e siècle, cette résidence royale est un site historique culturel très important. De Paris, on peut se rendre à Versailles en train, en autobus, en automobile, ou en s'inscrivant à un des très nombreux circuits touristiques offerts quotidiennement.

3,7 millions de visiteurs par année

❷ L'Aquaboulevard de Paris

Situé dans la ville de Paris, c'est le plus grand parc aquatique d'Europe. On y trouve jeux d'eau en ambiance tropicale, magasins de sport, salles de cinéma, restaurants, etc.

4,9 millions de visiteurs par année

❸ L'Arc de triomphe

L'Arc de triomphe est au centre d'un carrefour constitué de 12 avenues, dont la principale est l'avenue des Champs-Élysées. Monument haut de 50 m inauguré en 1836, il est un des emblèmes de Paris à travers le monde.

1,2 million de visiteurs par année

❹ La tour Eiffel

La tour Eiffel porte le nom de l'ingénieur qui l'a conçue, Gustave Eiffel. Haute de 300 m, elle a été construite pour l'Exposition universelle de Paris de 1889. Elle a accueilli jusqu'à maintenant plus de 200 millions de visiteurs. À sa vue, le monde entier reconnaît la ville de Paris !

5,9 millions de visiteurs par année

CARTE 6.11 — LES SITES LES PLUS FRÉQUENTÉS EN ÎLE-DE-FRANCE

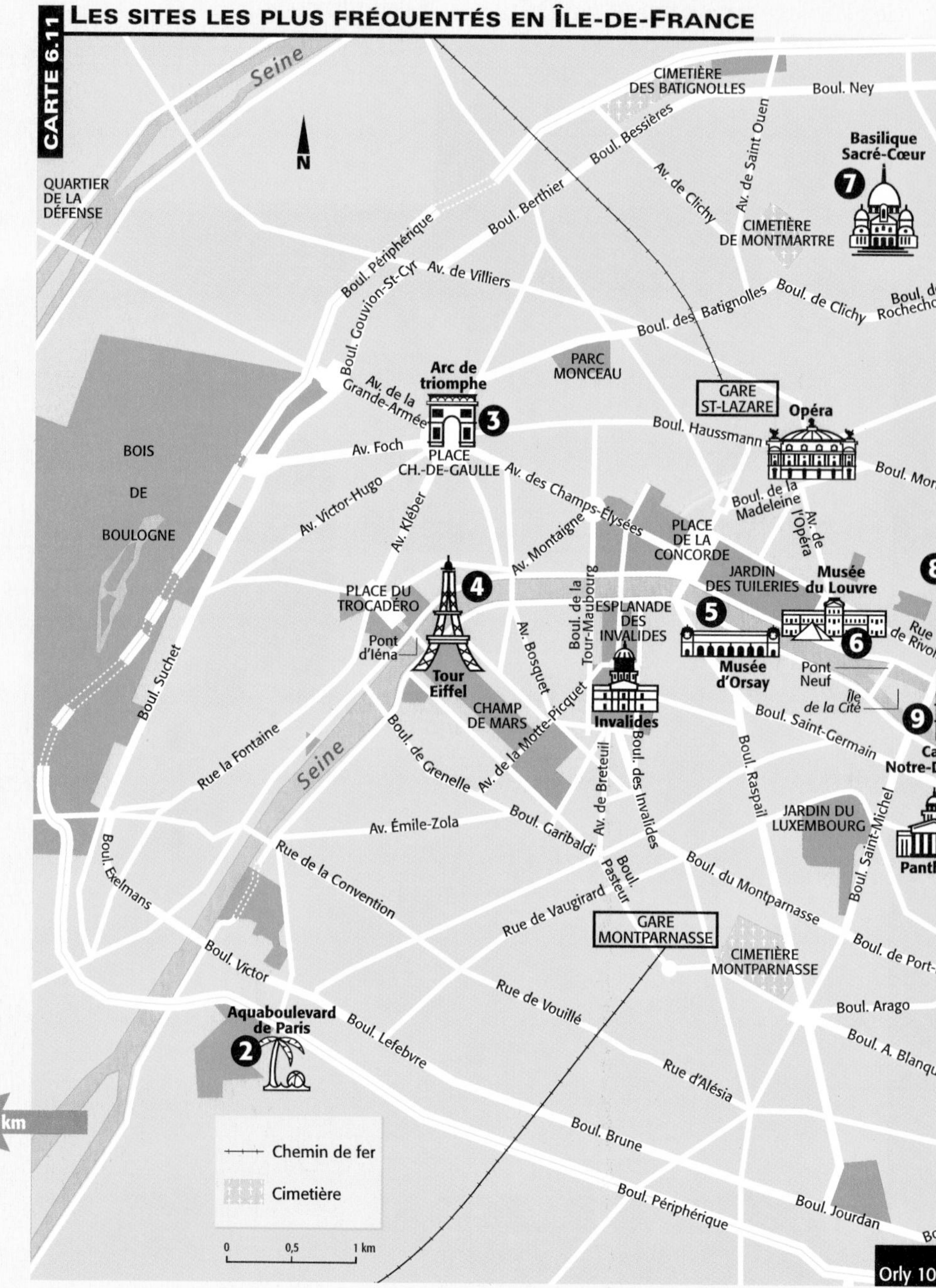

Château de Versailles

A13

17 km

Département : Yvelines

5 Le musée d'Orsay

Installé sur les rives de la Seine, au cœur de Paris, le musée d'Orsay a été aménagé en 1986 dans les anciens bâtiments de la gare d'Orsay. Ses collections représentent toutes les formes d'expression, de la peinture à l'architecture, en passant par la sculpture et la photographie.

1,8 million de visiteurs par année

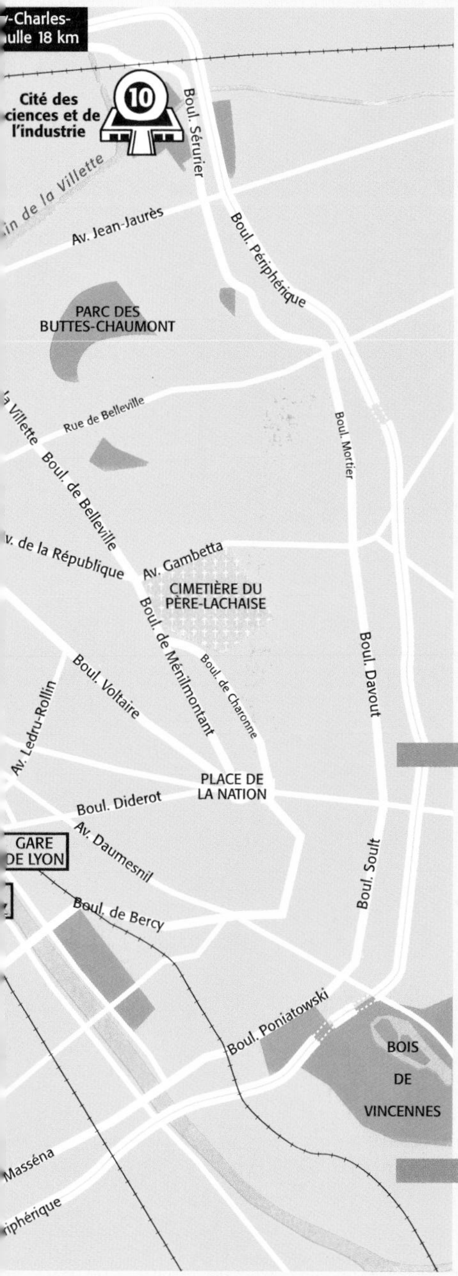

6 Le musée du Louvre

Le musée du Louvre est un des plus grands musées du monde. Son entrée principale est une pyramide de verre placée au centre d'une grande place piétonnière donnant sur d'immenses jardins. Transporter des millions de touristes près du site constitue donc un grand défi.

5,7 millions de visiteurs par année

7 La basilique du Sacré-Cœur

La basilique du Sacré-Cœur est un édifice « récent », construit au 19e siècle. Elle est située sur la butte Montmartre, le site naturel le plus élevé de Paris. Le quartier entourant l'église offre donc des vues magnifiques sur Paris ; de plus, dans ses rues étroites, les visiteurs trouvent de nombreux bistrots et restaurants pittoresques.

8 millions de visiteurs par année

8 Le Centre Georges-Pompidou

Ce centre d'art moderne regroupe un ensemble de lieux de culture : musée, bibliothèque, centre consacré à la musique, etc. Installé au cœur de la ville depuis le milieu des années 1970 dans un édifice high-tech aux allures de raffinerie, le Centre Pompidou contraste avec les immeubles environnants du Vieux-Paris.

5,3 millions de visiteurs par année

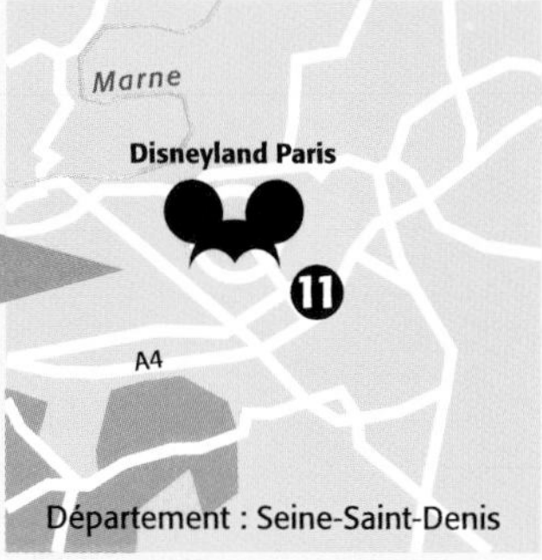

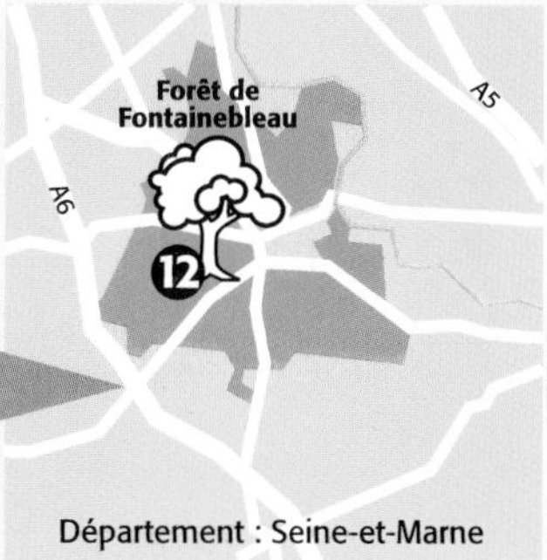

9 La cathédrale Notre-Dame de Paris

Outre son importance sur le plan architectural, ce monument religieux, situé sur l'île de la Cité, a inspiré de nombreux poètes, artistes et musiciens, tel Victor Hugo. Le succès de la comédie musicale Notre-Dame de Paris, de Luc Plamondon et de Richard Cocciante, montre que chaque époque manifeste son intérêt pour ce monument qui date de 1163. La cathédrale Notre-Dame de Paris est l'une des églises les plus visitées de toute la France.

10 millions de visiteurs par année

10 La Cité des sciences et de l'industrie

Inaugurée en 1986 à La Villette dans le nord-est de Paris, la Cité des sciences et de l'industrie est un des grands centres de vulgarisation scientifique d'Europe.

2,9 millions de visiteurs par année

11 Disneyland Paris

C'est le site le plus fréquenté. Eh oui ! On ne va donc pas en Île-de-France juste pour ses musées et ses châteaux ! Disneyland Paris est un immense centre de divertissement (attractions, boutiques, restaurants, hôtels, golf, piscines, patinoire, tennis, lac...). Situé à 30 km à l'est de Paris, il y est relié par le métro, le TGV (train à grande vitesse) et une grande autoroute.

12,4 millions de visiteurs par année

12 La forêt de Fontainebleau

Cette forêt abrite la collection de plantes et d'animaux la plus diversifiée de toutes les plaines d'Europe de l'Ouest et d'Europe centrale. Est-ce une forêt sauvage ? Non ! Elle a été entièrement façonnée par les hommes depuis plusieurs siècles. Elle est classée réserve de la biosphère par l'Unesco depuis 1998. Pourtant, elle compte 144 km de routes surfréquentées par les touristes et les visiteurs. Au centre de ce massif, on trouve... la ville de Fontainebleau ! Préserver cet écosystème est un souci constant.

12 millions de visiteurs par année

Source : Observatoire régional du tourisme, Paris Île-de-France. Données de 2003

SIXIÈME PARTIE LE TERRITOIRE TOURISTIQUE DE L'ÎLE-DE-FRANCE

A Qu'est-ce qui caractérise l'organisation du territoire de l'Île-de-France ?

- Quarante millions de touristes par année ! Et la plupart sont des étrangers. Ils viennent en Île-de-France pour les nombreux attraits de la région ou pour affaires. Le territoire doit ainsi être organisé pour concilier divers types de tourisme.

6.67 Provenance des touristes étrangers en Île-de-France

Reste du monde
Belgique
Pays-Bas
Asie/Australie/Océanie
Japon
Espagne
Royaume-Uni
États-Unis
Italie
Allemagne

Source : Observatoire régional du tourisme, Paris Île-de-France. Données de 2003.

- Le flux touristique est surtout concentré sur Paris. L'Île-de-France est d'ailleurs à la recherche d'un meilleur équilibre entre Paris et les autres départements. Par exemple, Disneyland Paris, le site le plus fréquenté, se trouve dans le département de Seine-et-Marne. La localisation du site en dehors de Paris contribue à diminuer la concentration touristique dans la capitale.

6.68 On mesure ici l'importance que Disneyland Paris soit situé en dehors de... Paris !

CARTE 6.12 **LE TRAFIC DU TRANSPORT EN COMMUN EN ÎLE-DE-FRANCE**

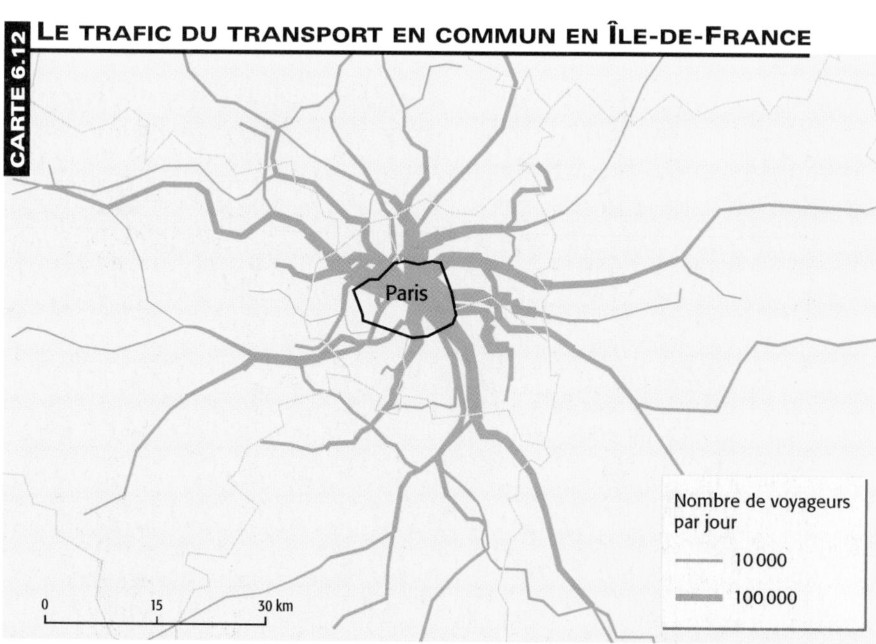

Source : Site Internet du gouvernement français ; ministère de l'Équipement, des Transports, de l'Aménagement du territoire, du Tourisme et de la Mer.

Pourquoi le transport en commun est-il un enjeu important en Île-de-France ?

6.69

En arrière-plan, on peut apercevoir la basilique du Sacré-Cœur. Quelle est la zone touristique représentée sur cette photo?

- Paris est organisée en zones touristiques. Ces zones désignent certains quartiers qui connaissent une affluence exceptionnelle et qui représentent des lieux stratégiques pour la circulation dans la capitale. Pour mieux contrôler les embouteillages, la pollution sonore et atmosphérique ainsi que la surfréquentation des sites, l'arrêt et le stationnement y sont interdits en dehors des emplacements réservés aux autobus. L'île de la Cité, l'île Saint-Louis, les quartiers du Louvre, du Centre Pompidou, de la butte Montmartre (où se trouve la basilique du Sacré-Cœur) et de la tour Eiffel sont des exemples de zones touristiques.

- Deux grands aéroports internationaux accueillent plus de 71 millions de passagers chaque année: l'aéroport d'Orly et celui de Roissy-Charles-de-Gaulle. Comme ces aéroports sont situés dans des zones très urbanisées, la circulation aérienne entraîne différents types de nuisances telles que le bruit, la pollution atmosphérique, le risque d'accidents majeurs. On comprend que la croissance du trafic aérien inquiète ceux qui habitent à proximité. Un organisme a été chargé d'étudier ce problème et de suggérer des solutions.

6.70

Aéroport Roissy-Charles-de-Gaulle. Quel est l'usage des sols situés à l'arrière-plan de la photo?

B Qu'est-ce qui attire les touristes en Île-de-France ?

Les touristes se regroupent en fonction de trois types d'attraits en Île-de-France : le tourisme culturel (ex. le musée du Louvre), le tourisme de nature (ex. la forêt de Fontainebleau) et le tourisme de divertissement (ex. le parc de divertissement Disneyland Paris).

Les visiteurs sont attirés par :

- les châteaux, les monuments et les musées. On vient en Île-de-France admirer ces constructions regroupant des trésors datant de centaines d'années. Paris, en particulier, est un véritable musée : le musée du Louvre, l'Arc de triomphe, la cathédrale Notre-Dame de Paris, et tant d'autres. Soulignons que près de la moitié des 400 châteaux (et leurs jardins) de la région sont classés patrimoniaux.
- la variété et la qualité des paysages, qui sont à l'origine de la renommée de cette région. L'Île-de-France possède en effet une très grande variété de paysages culturels, industriels, naturels et aussi agricoles (ex. la région de Brie, à l'est de Paris, renommée pour ses fromages). Des peintres célèbres tels que Monet et Renoir ont fait connaître mondialement les paysages harmonieux de la région. Plus de 600 espaces sont protégés pour leur qualité paysagère et la richesse de la flore et de la faune. L'Île-de-France compte trois grands parcs naturels : les parcs naturels régionaux du Vexin français, de la haute vallée de Chevreuse et du Gâtinais français.

6.71
Versailles : un château, des jardins, une ville.

6.72
Parc national régional du Vexin français. En Île-de-France, les parcs naturels ne sont jamais loin des villes.

- l'« art de vivre » des Franciliens, et plus globalement celui des Français, développé au cours des siècles et reconnu internationalement. On peut penser à la gastronomie ou à la mode par exemple. À cette réputation s'ajoute une infrastructure touristique de qualité qui attire le tourisme d'affaires en facilitant la tenue de congrès, de salons et de rencontres internationales.
- son tourisme fluvial : des bateaux de touristes proposent des circuits principalement sur la Seine, mais aussi sur l'Oise, la Marne ou l'Yonne par exemple. Mentionnons d'ailleurs que l'Île-de-France est le premier port fluvial de France et le deuxième d'Europe. Mais, comme sur les routes, la circulation pose problème sur les cours d'eau !
- ses 60 terrains de golf, qui font de l'Île-de-France la région où on en trouve le plus en France, ses diverses autres installations sportives (ex. Stade de France) et ses parcs récréatifs (ex. Disneyland Paris).

6.73

Circuit touristique sur la Seine. Ces paysages ont inspiré des peintres impressionnistes tel Monet.

6.74

Inauguration du Stade de France, situé à Saint-Denis, au nord de Paris. Construit en 1998 pour accueillir la Coupe du monde de soccer, le stade attire des centaines de milliers de spectateurs chaque année. Grâce au transport ferroviaire, on s'y rend et on en sort facilement.

2 Un défi : faciliter les déplacements sans trop modifier le paysage

Plus de 4 000 000 de voitures, 185 000 motos, 14 500 taxis, 7000 autobus, 2 lignes de tramways, 14 lignes de métro, des trains, des vélos, des patins à roues alignées, etc. : un véritable casse-tête d'organisation. Sur leurs territoires, les êtres humains créent des problèmes... mais ils trouvent aussi des solutions ! Dans leur recherche de solutions face au problème de déplacement, les autorités doivent tenir compte :

- de l'impact maximum tolérable sur le milieu ou les paysages ;
- de l'agrément des visiteurs ;
- de la perturbation apportée à la vie économique et sociale locale.

6.75

Voici des exemples de solutions déjà appliquées ou en voie de l'être en Île-de-France :

- contrôle strict des accès aux sites et de la circulation, en particulier dans le centre historique de Paris ;
- fermeture de certaines routes ;
- ouverture de stationnements réservés à des fins touristiques ;
- création de zones piétonnières ;
- développement du transport en commun ;
- mise en place d'une ligne de transport fluvial sur la Seine.

Les îles interdites aux cars...

C'est en débarquant d'un bateau que les groupes de touristes vont désormais visiter Notre-Dame. Lutte contre le bruit et la pollution atmosphérique oblige : dès le 5 avril, les autocars seront interdits sur les deux célèbres îles de la capitale. Ils n'auront plus le droit de s'arrêter et, a fortiori, de stationner, pour faire descendre leurs clients, autant sur l'île Saint-Louis que sur celle de la Cité, où se trouve pourtant la cathédrale, monument le plus visité de France avec près de 10 millions de visiteurs chaque année.

Seuls quatre ponts seront ouverts au transit des autocars, avec interdiction absolue de faire descendre leurs passagers, sous peine de fortes amendes. Actuellement, plus d'une centaine d'autocars stationnent en même temps, certains jours, sur l'île de la Cité. [...]

La mairie de Paris et la préfecture de police vont étendre l'interdiction en créant une nouvelle « zone touristique » jusqu'au boulevard Saint-Germain. C'est maintenant tout le centre historique de Paris qui se ferme, après la butte Montmartre, au stationnement des autocars en dehors des 500 emplacements réservés, dont 200 en surface.

[Alors, comment les touristes feront-ils pour accéder aux sites ?] Un système de navettes fluviales [sur la Seine] va donc être mis en place à partir du mois d'avril pour amener à bon port les touristes qui ne veulent ni marcher ni utiliser les transports en commun. [...]

Cinq bateaux pourront embarquer chaque jour 4500 touristes pour les conduire aux deux îles. À partir de 2005, huit bateaux seront affectés à une desserte qui devrait alors faire escale au Louvre. « Ce système et une tarification adaptée permettront de surcroît de ralentir le rythme infernal de certaines visites-marathons », se félicite Jean-Bernard Bros, adjoint au maire de Paris, chargé du tourisme. [...]

Source : Christophe de Chenay, *Le Monde*, vendredi 31 janvier 2003, p. 12.

Un troisième aéroport international à l'aube de 2015 : une solution ?

Depuis plusieurs années, le projet de construire un troisième aéroport en Île-de-France ou à proximité du territoire suscite bien des débats. Un nouvel aéroport pourrait faciliter le transport des touristes et des Français. Mais ce qui est un avantage pour les uns peut être perçu comme un inconvénient par les autres. Aussi, tous ne sont pas d'accord avec la construction d'un nouvel aéroport.

Quels sont les enjeux dans ce débat ? Les habitants de la région ne sont pas les seuls concernés : il s'agit en effet d'un grand projet d'aménagement d'intérêt national et international. Comment concilier les besoins en transport aérien avec la qualité de vie sur le territoire ?

DES ARGUMENTS POUR

« C'est une occasion unique de développement pour le département où cet aéroport sera implanté. »

« Les riverains des aéroports d'Orly et de Roissy ne veulent pas que le trafic augmente dans leurs quartiers. Ils subissent déjà suffisamment de nuisances dont la pollution par le bruit et la pollution de l'air. Il faut un nouvel aéroport. »

« Les deux aéroports internationaux existant sont arrivés à saturation. La France et aussi le monde a besoin de ce nouvel aéroport. »

« Il est possible de gérer les aéroports en tenant compte de l'intérêt général. Par exemple, attribuer les couloirs aériens en fonction de la moindre nuisance des avions, voter une loi qui interdise la construction d'habitations dans des périmètres définis autour des aéroports, apporter une aide à la transformation d'entreprises en milieu rural, se concerter avec la population et les élus locaux, etc. »

DES ARGUMENTS CONTRE

« Nous avons droit à un environnement sain : un nouvel aéroport augmentera la pollution atmosphérique et sonore. »

« Ce sont des milliers d'hectares de terres agricoles les plus riches d'Europe qui seront détruits. Ce patrimoine doit être protégé. »

« Les deux aéroports internationaux existant ne sont pas encore utilisés à leur capacité maximale. Il est possible de revoir l'organisation du trafic de ces aéroports et de mieux utiliser les autres aéroports du pays. C'est le réseau ferroviaire (TGV) qu'il faut plutôt développer. »

« Un aéroport à la campagne, est-ce possible ? Ce serait beaucoup de nuisances sur des terres très fertiles, car il faudrait construire des autoroutes et des voies de chemin de fer pour le rejoindre. La solution, c'est d'aiguiller des vols sur les aéroports les plus proches, dans d'autres régions françaises ou européennes. »

1 Tahiti : quelle île se cache derrière la carte postale ?

Tahiti est la plus grande et la plus connue des îles de la Polynésie-Française*, vaste archipel situé dans l'océan Pacifique Sud. Pour la plupart des touristes, Tahiti est un rêve du bout du monde, une promesse de paradis faite de sable blanc, de lagons, de cocotiers et de Maohis* tous plus séduisants les uns que les autres... Voilà le mythe que les brochures touristiques et les cartes postales entretiennent.

Vous vous en doutez, la réalité est un peu différente ! Chaque territoire comporte des atouts, certes, mais aussi des contraintes. Tentons de découvrir l'île qui se cache derrière la carte postale...

*

Polynésie-Française : Territoire d'outre-mer (TOM) français. La Polynésie-Française est gérée par un gouvernement autonome, mais elle appartient à la France.

Maohis : Polynésiens de souche dont les aïeuls sont nés sur le territoire aujourd'hui appelé la Polynésie-Française. Les Maohis représentent les deux tiers de la population, les autres habitants étant d'origine métisse, chinoise ou européenne (surtout française).

CARTE 6.13 **DURÉE APPROXIMATIVE DES VOLS ENTRE TAHITI ET QUELQUES GRANDES VILLES**

OCÉAN PACIFIQUE
Tōkyō : 13 h
San Francisco : 10 h
Montréal : 15 h
Paris : 21 h
Tahiti

6.76

Où trouve-t-on Tahiti sur une carte ?

Tahiti est l'île principale d'un vaste archipel; elle compte environ 150 000 habitants. C'est sur cette île que se trouve Papeete, la seule ville à 4000 km à la ronde ! C'est là qu'est construit l'aéroport international de Faaa, où atterrissent les touristes en visite en Polynésie-Française.

CARTE 6.14 TAHITI EN POLYNÉSIE-FRANÇAISE

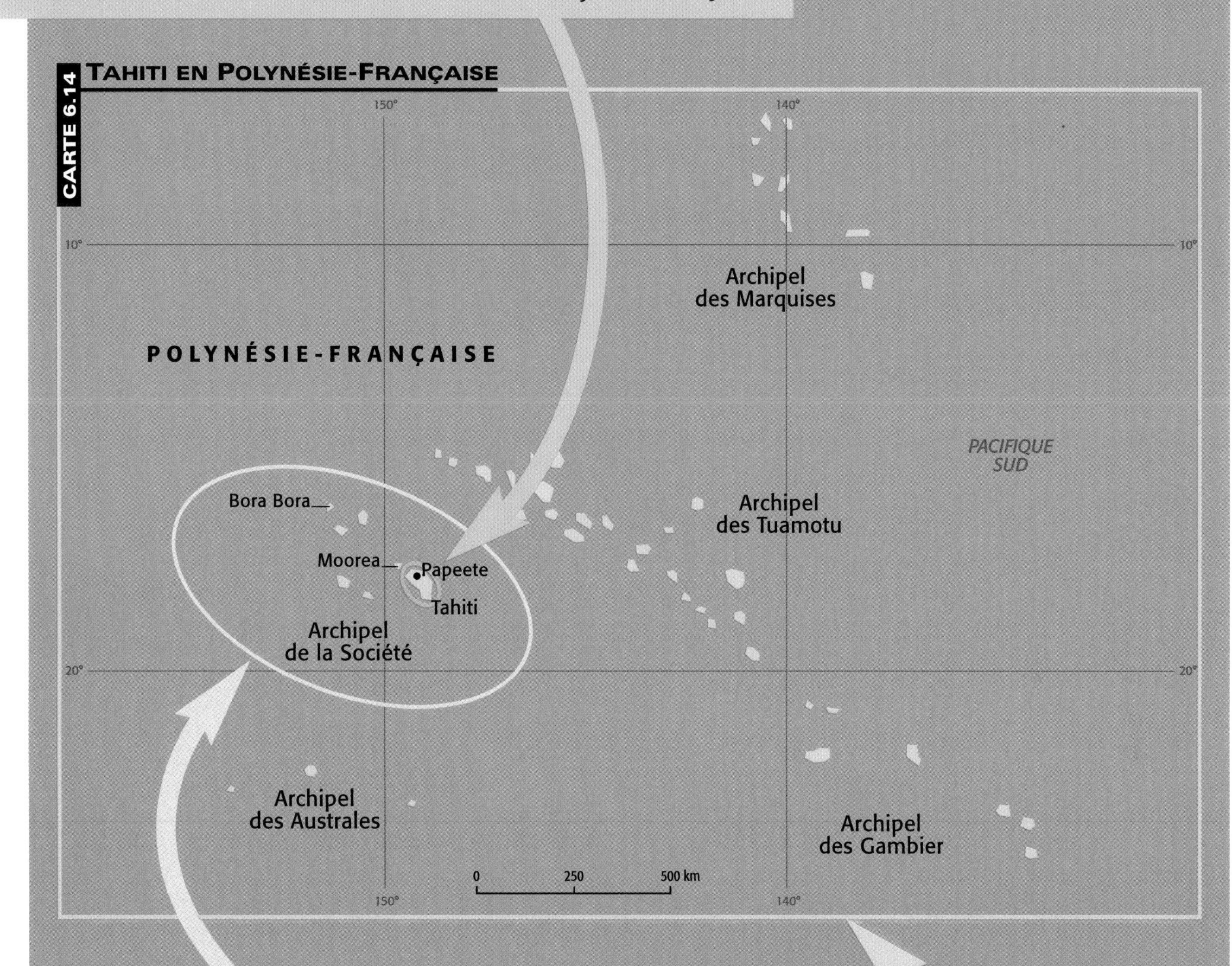

Tahiti est située dans l'**archipel de la Société**, qui comprend huit autres îles dont Moorea et Bora Bora, bien connues des touristes.

L'archipel de la Société est un des cinq archipels qui composent la **Polynésie-Française.** Les autres sont : les îles Marquises, que le peintre Paul Gauguin a contribué à faire connaître ; les îles Gambier, où se pratique la culture des perles noires ; les îles Tuamotu, où se trouvait le Centre d'expérimentation du Pacifique (centre d'essais nucléaires français) ; les îles Australes, peu habitées et peu fréquentées par les touristes.

A Pourquoi les touristes vont-ils à Tahiti ?

Tahiti reçoit en moyenne 200 000 visiteurs par année. Pourquoi choisir Tahiti plutôt qu'une autre île du monde ? Toutes les îles du Sud ne se ressemblent-elles pas ? La principale raison donnée par les touristes qui se rendent à Tahiti est l'impression d'exotisme qui se dégage de cette île. Tahiti, c'est loin de chez eux ! En effet, Tahiti, c'est loin, que l'on soit d'Europe, d'Amérique du Nord et même du Japon, territoires d'où viennent la majorité des touristes. L'éloignement est associé au rêve et au besoin de dépaysement.

6.77

Bora Bora. Pourquoi ces paysages sont-ils généralement photographiés du ciel ?

Ce qui attire les touristes…

- **Les paysages naturels.** Tahiti, Bora Bora, la Polynésie-Française sont synonymes de cocotiers, de sable blanc, d'eau turquoise… À l'origine de ces paysages naturels extraordinaires, on trouve des lagons et parfois des atolls. Ces paysages sont très impressionnants, surtout lorsqu'ils sont photographiés du ciel ! Ils sont d'ailleurs le symbole de la vie idéalisée du Pacifique Sud et de la rupture totale d'avec la vie stressante des touristes orientaux et occidentaux.

On en parle à la page suivante…

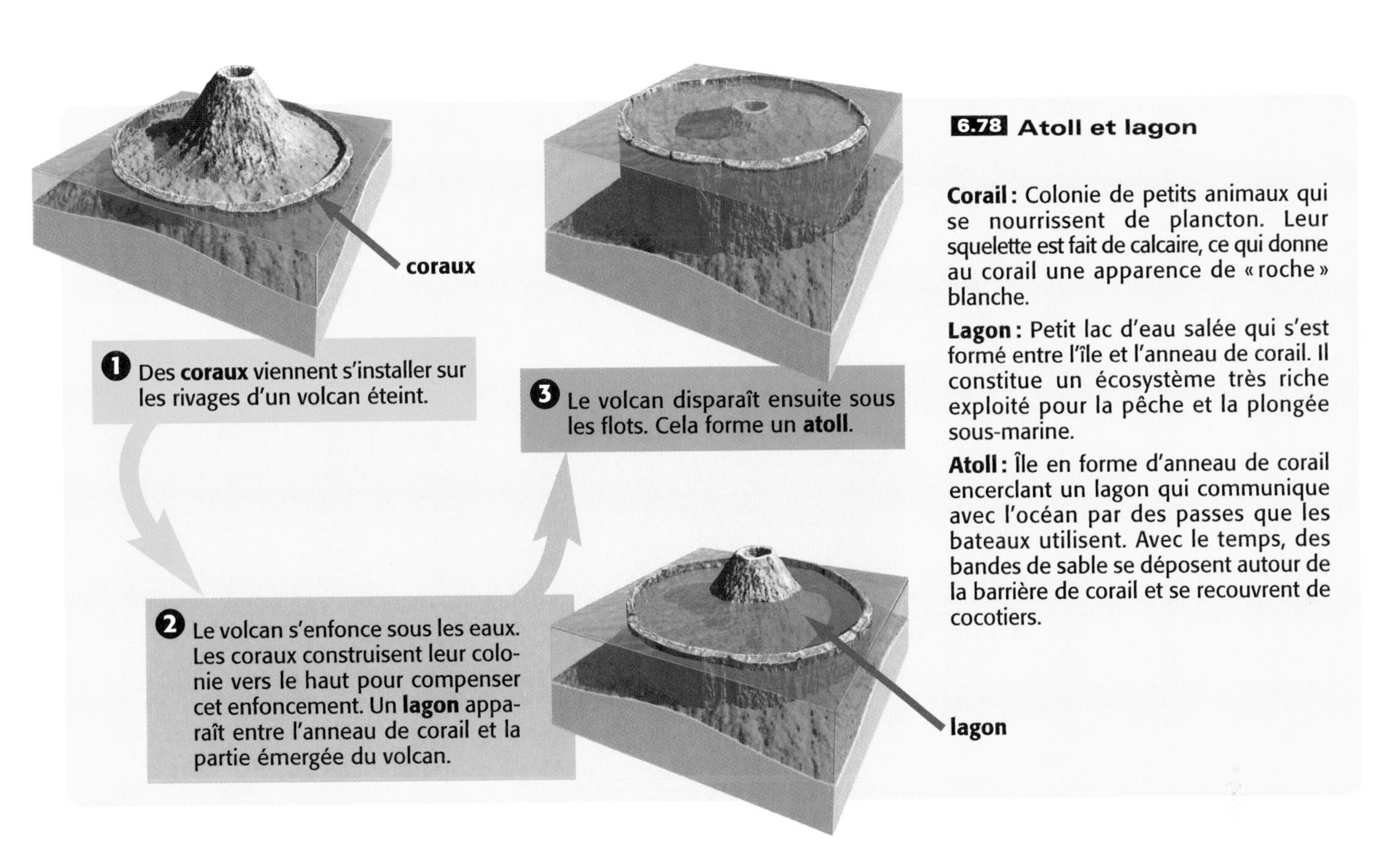

6.78 Atoll et lagon

Corail : Colonie de petits animaux qui se nourrissent de plancton. Leur squelette est fait de calcaire, ce qui donne au corail une apparence de « roche » blanche.

Lagon : Petit lac d'eau salée qui s'est formé entre l'île et l'anneau de corail. Il constitue un écosystème très riche exploité pour la pêche et la plongée sous-marine.

Atoll : Île en forme d'anneau de corail encerclant un lagon qui communique avec l'océan par des passes que les bateaux utilisent. Avec le temps, des bandes de sable se déposent autour de la barrière de corail et se recouvrent de cocotiers.

Les paysages volcaniques. Tahiti est une île formée de deux volcans éteints, réunis par l'isthme* de Taravao. Voilà pourquoi on y trouve aussi des plages de sable noir : les matériaux volcaniques noirs se sont désagrégés en sable fin. Peu de gens habitent les montagnes intérieures de l'île, plus difficiles d'accès. On y observe toutefois des grottes et des cascades magnifiques.

Un lagon, est-ce une petite lagune ?

*

Isthme : Langue de terre entre deux golfes ou deux mers qui réunit deux terres.

6.79

« Island Beach », Tahiti : une plage de sable noir fréquentée par les touristes.

- **Les sites pour le surf et la plongée sous-marine.** Les touristes sont aussi attirés par des activités très publicisées comme le surf, la plongée sous-marine dans les lagons et les excursions de pêche.

- **Les sites archéologiques et les spectacles folkloriques.** La Polynésie-Française a connu plusieurs vagues de migration en provenance des autres îles de la Polynésie, de l'Australie et de la Nouvelle-Zélande, de l'Amérique du Sud et même d'Asie. Il existe donc de nombreux sites archéologiques. Des légendes inventées par les différents peuples autochtones de Polynésie sont racontées. Les touristes apprécient aussi les spectacles et activités folkloriques proposés par les Maohis.

- **Les musées.** Depuis 2004, les attraits du territoire sont présentés aux visiteurs au Musée de Tahiti et de ses îles. La culture de la perle noire en Polynésie est, quant à elle, expliquée au musée... de la Perle noire. Et, au musée Paul-Gauguin, on explore la vie et l'œuvre de ce peintre français qui a séjourné et est mort en Polynésie-Française.

6.80 ***Femmes de Tahiti (Sur la plage)*, Paul Gauguin, 1891.** L'artiste français Paul Gauguin a passé quelques années de sa vie à Tahiti et dans l'archipel des Marquises. Son œuvre et ses idées ont fait connaître ces îles. Certains trouvent que ses tableaux ont véhiculé une image peu réaliste de la vie des Polynésiens.

Ce qui éloigne les touristes...

- **La réalité locale,** qui n'est pas toujours à la hauteur de l'image idyllique propagée à l'extérieur. Ainsi, la majorité des touristes qui vont à Tahiti n'y retournent pas pour un second voyage. Plusieurs sont déçus par la pollution du lagon, des plages et des sites de plongée sous-marine, par la pauvreté des habitants, par l'encombrement de la circulation à Papeete. En Polynésie-Française, l'installation d'hôtels en bordure des lagons exploite la beauté des paysages, mais nuit au corail et pollue les lagons. Pour accéder aux sites paradisiaques inhabités, il faut sortir des sentiers battus. Mais il n'est pas toujours possible d'accoster dans les atolls déserts vantés par la publicité : ils sont sans port, sans aérodrome et sans eau douce !

Selon vous, qu'est-ce qui peut éloigner les touristes dans une ville comme Papeete?

- **La distance.** Malgré son caractère exotique, l'éloignement des grandes zones d'où viennent les touristes devient une contrainte : pour plusieurs, c'est 20 heures de vol pour se rendre à Tahiti... Et c'est sans compter les nombreuses heures nécessaires au déplacement entre les îles et les archipels, une fois sur place !
- **Le coût du voyage.** Lorsque c'est plus loin, c'est habituellement plus cher. Les tarifs aériens sont élevés pour se rendre à Tahiti. De plus, les touristes jugent que le rapport qualité-prix des services hôteliers n'est pas toujours avantageux comparativement à d'autres destinations du même type. À Tahiti, le tourisme de luxe a été privilégié. Or, les touristes riches choisissent plutôt des destinations comme Hawaii ou les Antilles, qui s'apparentent davantage au style américain. Le taux d'occupation des grands hôtels à Tahiti n'est environ que de 65 %.

6.81

Papeete, capitale de Tahiti. C'est une ville touristique attrayante, mais c'est aussi une ville portuaire, avec une zone d'entrepôts, des réservoirs de pétrole, un système de transport et de gestion des déchets peu efficace.

B Le tourisme à Tahiti : la seule ressource ?

Contrairement à ce que plusieurs croient, le tourisme n'est pas la principale activité économique de Tahiti.

- La culture de la perle noire est l'activité la plus importante pour l'économie de la région. Plus de 500 fermes cultivent les huîtres productrices et exportent 500 000 perles par an vers le Japon, la France, le Canada et l'Australie.
- À Papeete, le secteur des services (commerces, gestion, santé, éducation, administration) emploie plus de personnes que le secteur touristique. En fait, entre la Seconde Guerre mondiale et la fin des années 1990, des militaires envoyés par les États-Unis, l'Angleterre et la France se sont installés dans la région, où on a créé le Centre d'expérimentation du Pacifique (centre d'essais nucléaires français). Les activités militaires ont apporté la prospérité dans la région. Puis, l'arrêt de ces activités et la fermeture du centre nucléaire ont entraîné une instabilité économique : perte d'emplois, départ des employés, diminution de revenus. Depuis, le territoire tente de se réorganiser et le tourisme est davantage exploité.
- D'autres secteurs contribuent de plus en plus à l'économie : la pêche, l'aquaculture et l'agriculture (vanille et coprah) étant parmi les principaux.

6.82 Des femmes vendent des colliers de perles noires.

Le tourisme demeure malgré tout un axe de développement important dans la région. Actuellement, il est très localisé : quatre touristes sur cinq vont à Tahiti. Les infrastructures nécessaires aux touristes se concentrent ainsi dans le nord-ouest de Tahiti, près de Papeete, où vivent déjà près de 30 000 habitants. Ce sont surtout les grandes chaînes hôtelières internationales états-uniennes et asiatiques qui absorbent les profits, plutôt que l'hôtellerie locale. Voilà un argument invoqué par les groupes qui soutiennent un tourisme durable pour inciter les voyageurs à « loger dans un faré » (c'est-à-dire « chez l'habitant »).

6.83 Les hôtels sont généralement bien intégrés au paysage des îles : choix des matériaux, inclinaison en pente, aménagement paysager, etc.

2 Tahiti : une île « durable » ?

Tahiti est une île, et une île est un écosystème riche mais fragile. Les territoires insulaires possèdent souvent de multiples atouts : une richesse culturelle, des paysages magnifiques, des ressources, notamment les océans, les littoraux et une grande diversité biologique. Mais, sur un territoire insulaire, développement et environnement sont encore plus étroitement liés qu'ailleurs. Voyons pourquoi :

- La taille d'une île est limitée et généralement petite. C'est un peu comme un radeau sur lequel vit une population.
- Du fait de la petite taille de l'île, les ressources sont limitées et rapidement surutilisées : petitesse des surfaces cultivables, réserves d'eau douce à protéger.
- L'isolement géographique exige une organisation du transport aérien et maritime souvent coûteuse.
- Bien que les territoires insulaires contribuent souvent peu aux changements climatiques mondiaux, ils sont plus vulnérables à ses conséquences : montée du niveau des mers et augmentation du sel dans l'eau potable, cyclones, raz de marée, inondations, destruction des récifs coralliens.
- Étant donné la fragilité des milieux insulaires, l'impact environnemental est plus grand. Par exemple, la gestion des déchets sur une île soulève souvent des problèmes majeurs.
- L'économie des territoires insulaires est souvent fragile et instable. Pourquoi ? Par exemple, parce que l'économie repose sur une seule activité (le tourisme ou autre) ou qu'elle est dépendante des importations. Ou bien parce que l'administration du territoire est complexe, une île étant le plus souvent une petite partie… d'un archipel !

Alors, que faut-il faire ? Faudrait-il fermer les îles au tourisme ? Ou plutôt se tourner vers un tourisme responsable ? Des États, des groupes de citoyens et des organismes touristiques se sont penchés sur ces problèmes pour trouver des solutions.

6.84

En 1994, le Réseau des petits États insulaires en développement (PEID) a été créé. Cent onze gouvernements d'États insulaires des océans Atlantique, Pacifique et Indien ont participé à sa création et se réunissent régulièrement depuis. Quel est l'objectif de ce réseau ? Mettre en œuvre un vaste programme de développement durable qui implique les gouvernements et toute la communauté internationale. Le Réseau soutient que le tourisme peut jouer un rôle important dans le développement économique des petites îles à condition qu'il respecte la culture et l'environnement de ces îles. Voici quelques orientations du programme du Réseau :

- Planifier le développement du tourisme dans les îles de façon qu'il ne détruise pas les ressources qui attirent les visiteurs.
- Étudier l'impact de toutes les activités touristiques sur l'environnement.
- Cibler des marchés précis parmi des types de tourisme centrés sur l'écotourisme, la découverte de la nature et la culture.
- Faire participer la population locale aux décisions et aux actions en matière de tourisme.
- Faire connaître au grand public la valeur du tourisme dans les territoires insulaires ainsi que la fragilité des ressources dont il dépend.

Tahiti est évidemment concernée par les enjeux soulevés par le Réseau. Ainsi, ce territoire insulaire mérite certes le détour pour ses paysages et la culture de ses habitants. Cependant, on sait maintenant que Tahiti, c'est plus qu'une carte postale. C'est un territoire fragile. Des voyageurs conscients de la richesse et de la fragilité de Tahiti peuvent contribuer à rendre l'île « durable ». Ainsi, les générations futures pourront visiter une île encore attrayante et différente de leur propre territoire.

6.85

Y a-t-il une « bonne » façon d'être touriste ?

Tout au long de ce dossier, nous avons vu qu'il existe différentes catégories de tourisme et, bien sûr, différentes façons de faire du tourisme.

Nous avons aussi compris qu'il n'est pas simple de découvrir le monde tout en respectant le lieu visité et les valeurs des groupes rencontrés.

Voici deux projets de voyage très différents. À la lumière de vos connaissances sur le tourisme durable, discutez de la valeur de chaque projet.

Y a-t-il une seule « bonne » façon de voyager, c'est-à-dire qui ne nuirait pas aux territoires visités et à leurs habitants ?

Écotourisme en montagne

Vincent et Amir prennent l'avion la semaine prochaine. Où vont-ils ? Depuis un an, ils planifient une longue randonnée dans les Alpes françaises. Leur point de départ est Val-d'Isère. Sac au dos, ils prévoient dormir dans des refuges ou dans des auberges de jeunesse et, bien sûr, faire des rencontres avec les gens de la région et d'autres randonneurs. Ils ont opté pour une forme d'écotourisme. Selon eux, c'est la « bonne » façon de voyager.

Tourisme culturel de groupe

Sofia et Karl ont décidé de s'offrir un cadeau : un voyage en Europe, dont une semaine à Venise ! Ils rêvent de visiter cette ville historique, joyau du patrimoine mondial.

« Peut-être ferions-nous mieux de passer par une agence qui se spécialise dans le voyage culturel de groupe, se disent-ils. Pas de problèmes d'organisation ! Nous serons assurés de visiter les sites les plus réputés. Nous pourrons profiter des connaissances des guides et rencontrer des gens qui partagent les mêmes intérêts que nous. » Selon eux, c'est la « bonne » façon de voyager.

1. **Pourquoi chaque groupe croit-il que sa façon de voyager est la bonne ? Sur quels critères repose leur point de vue ?**
2. **Quelle forme de voyage vous plairait le plus ? Pourquoi ? Quelles seraient, selon vous, les conséquences de votre choix sur le territoire visité ?**
3. **D'après les différents documents de votre manuel, quelles conditions faut-il respecter afin que le tourisme soit un outil de développement durable pour le territoire visité ?**

Tracer deux itinéraires de voyage

Avant de partir en voyage, la plupart des touristes étudient les cartes des territoires qu'ils comptent visiter. Préparer son itinéraire* constitue en effet une étape importante dans la préparation du voyage.

Imaginez que vous partez en vacances. Deux catégories de tourisme vous intéressent. D'abord, le tourisme culturel, et vous choisissez Venise sans hésiter. Puis, le tourisme de nature, et vous optez alors pour un safari-photo dans le parc national de Serengeti, en Tanzanie.

*

Itinéraire : Trajet d'un lieu à un autre.

6.86

Maintenant que vous avez choisi vos deux destinations, il vous reste à tracer votre itinéraire.

Première étape : direction Venise

Vous devez faire une carte pour représenter l'itinéraire entre l'aéroport de Venise Marco-Polo, où votre avion se pose, et la ville de Venise.

- Choisissez un moyen de transport. Attention ! Vous devez faire votre choix dans une perspective de tourisme durable. Voici donc les possibilités qui s'offrent à vous.
  - L'autobus jusqu'au Piazzale Roma.
  - Le *motoscafo* avec des arrêts à Murano, au Lido puis à la place Saint-Marc.
  - La location d'une auto jusqu'au stationnement du Piazzale Roma.
  - Le bateau-taxi, qui vous emmène où vous le désirez, moyennant une somme élevée.
- Dessinez une carte représentant votre itinéraire. Aidez-vous de la carte 6.9 du dossier pour vous documenter ou consultez d'autres cartes dans Internet.
  - Déterminez les lieux à localiser sur la carte en fonction de votre choix de moyen de transport.
  - Utilisez un symbole pour représenter le moyen de transport que vous avez choisi.
  - Faites une échelle qui respecte les proportions entre les lieux représentés.
  - Tracez votre itinéraire.

Deuxième étape: direction parc national de Serengeti

La deuxième étape de votre voyage vous emmène à l'aéroport de Dar es-Salaam, en Tanzanie.

Vous avez à faire une carte pour représenter l'itinéraire que vous suivrez à partir de là.

Vous devez d'abord prendre un autre avion, soit vers Arusha, soit vers l'aéroport du Kilimandjaro. À vous de décider. Prévoyez aussi tous les sites qu'il vaudrait la peine de visiter, car vous n'aurez peut-être pas l'occasion de retourner dans cette région.

Aidez-vous de la carte 6.3 pour faire votre carte ou consultez d'autres cartes dans Internet.

Sur votre carte, on doit trouver:

- les aéroports où vous atterrirez;
- les routes empruntées;
- le parc national de Serengeti;
- les villes où vous allez faire escale;
- des symboles pour les moyens de transport empruntés;
- les autres sites visités, s'il y a lieu.

Indiquez une échelle qui respecte les proportions entre les lieux représentés.

Tracez votre itinéraire.

Utiliser le courriel

Vous avez à convaincre un ou une élève de venir visiter une région touristique du Québec.

- Choisissez une région touristique du Québec dans le site officiel du gouvernement du Québec.
- Par courrier électronique, invitez votre coéquipier ou coéquipière à venir visiter la région que vous avez choisie. Dans votre message, n'oubliez pas de situer géographiquement la région choisie. Expliquez aussi ce qui fait que cette région est intéressante: la nature, la vie culturelle, la possibilité de pratiquer des sports, etc.
- Envoyez un second message, cette fois avec pièce jointe contenant au moins deux photos qui, selon vous, sont représentatives de la région. Choisissez une première photo qui illustre un lieu habituellement fréquenté par les touristes. Pour la seconde photo, sortez des sentiers battus: trouvez une image qui illustre un lieu moins fréquenté, mais néanmoins intéressant à découvrir.
- Accompagnez chaque photo d'une légende. Expliquez en quoi ces lieux sont significatifs pour la région.

Assurez-vous que vous avez la permission de reproduire les photos. N'oubliez pas d'indiquer la source.

se servant d'un atlas

Vous le consultez en classe, à la bibliothèque, à la maison… Feuilleter un atlas, c'est un peu comme parcourir la planète. Un atlas nous aide à situer un lieu, mais aussi à comprendre le monde. En géographie, c'est un outil de référence indispensable.

Que contient-il ?

- Différents types de cartes, à des échelles variées. On y trouve des cartes du monde, des cartes de pays, des cartes thématiques (climat, population, industries, etc.).
- Des renseignements sur la formation de la Terre, sur l'Univers, etc. Ces renseignements, souvent regroupés dans les premières pages, varient d'un atlas à l'autre.

À quoi sert-il ?

- À se situer et à s'orienter dans une région, dans un pays, dans le monde.
- À comprendre les liens entre les pays. L'actualité nationale et internationale est plus facile à saisir quand on est capable de situer les frontières entre les pays, par exemple.
- À cerner l'organisation d'un territoire et ses enjeux. Ainsi, une carte thématique aide à comprendre la distribution de la population ou des ressources (en énergie, en agriculture, etc.).

Comment l'utiliser ?

- D'abord, en consultant la table des matières. Elle nous livre le contenu de l'ouvrage et son organisation avec, bien sûr, les pages correspondantes.
- Ensuite, en consultant la légende générale. Souvent placée au tout début de l'ouvrage, elle permet de décoder les symboles utilisés sur les différentes cartes.
- Finalement, en consultant l'index. Placé à la fin de l'ouvrage, il permet de repérer les noms qui figurent sur les cartes. Chaque nom est accompagné d'un code facile à déchiffrer.
  - Le code peut être composé des coordonnées géographiques.
  - Il peut aussi être composé d'une lettre et d'un chiffre, un peu comme s'il s'agissait de coordonnées. Pour repérer un lieu sur la carte, il faut donc trouver le quadrilatère qui correspond à la lettre et au chiffre.

  Par exemple, vous cherchez « Phuket ». Vous consultez l'index et vous trouvez ceci, sous la lettre « P » :

  P

  Phuket (île) 134-135, A4

  Phuket (ville) 134-135, A4

Les pages où trouver Phuket.

Le quadrilatère à chercher pour trouver Phuket.

Voir la rubrique carto, à la page 55.

Phuket, est-ce une ville ou une île ? On peut penser que la ville est sur l'île, parce que les deux renvoient aux mêmes coordonnées. Consultez un atlas pour vérifier le tout.

À propos de la photo d'ouverture

L'île sur la photo constitue une destination de rêve pour bon nombre de touristes. Toutefois, avant de séjourner en un tel lieu, peut-être faudrait-il se poser quelques questions.

Où l'île est-elle située dans le monde ? Comment peut-on s'y rendre ? Y a-t-il un port, un aéroport ? Combien de temps allons-nous y séjourner ? Où allons-nous demeurer ? L'île est-elle habitée ? Si oui, par qui ? depuis combien de temps ? À qui appartient l'île ? Y a-t-il un village caché dans les arbres ? Y a-t-il de l'eau potable ? de la nourriture ? Où vont les déchets ? Quel climat caractérise cette île ? Pourquoi est-elle attirante pour la majorité des touristes ?

Petite île près de Tortola, une des îles Vierges appartenant au Royaume-Uni.

Pensez à Montréal ou à Laval : il s'agit aussi d'îles. Nous font-elles rêver de la même façon ? Pourquoi ?

POUR EN savoir plus...

Des livres et des périodiques

Mont-Tremblant

POTVIN, Denise. *Mont-Tremblant, au cœur des Laurentides*, Outremont, Éditions du Trécarré, 2003, 159 p.

Grands Lacs africains

GLOAGUEN, Philippe (directeur). *Le guide du routard Kenya-Tanzanie*, Paris, Éditions Hachette Tourisme, 2004, 598 p.

NOUZILLE, Vincent. « Les monts mythiques. Kilimandjaro, le géant sauvage », *L'Express*, n° 2663, 18 juillet 2002, p. 46-52.

Savoie

« Alpes. Le nouvel essor », *Géo*, n° 264, février 2001, p. 48-105.

Alpes : Savoie, Haute-Savoie, Paris, Éditions Gallimard, 1999.

BRESSAND, Béatrice, et Mario COLONEL. *L'ABCdaire du mont Blanc*, Paris, Éditions Flammarion, 2001, 119 p.

Venise

BOSSÉNO, Christian-Marc, Jean-Philippe FOLLET, et Pierre RIVAL. *L'ABCdaire de Venise*, Paris, Éditions Flammarion, 1998, 119 p.

DAVID, Catherine. « Il faut sauver Venise », *Le Nouvel Observateur*, n° 2018, 10 au 16 juillet 2003, p. 6-14.

« Passion Venise », *Géo*, n° 01542 (hors-série), mars 2004.

Île-de-France

« Paradis d'Île-de-France, un fastueux héritage », *Géo*, n° 247, 1999.

Tahiti

LAUDON, Paule, Jean-Michel BARRAULT, et Anne-Sophie BOURHIS-POZZOLI. *Tahiti et ses îles*, Paris, Éditions Nathan, 1999, 191 p.

LE RIDER, Béatrice (directrice). *La Polynésie*, Paris, Éditions Atlas, 1998, 128 p.

« Qu'est devenu le mythe du paradis terrestre ? », *Géo*, n° 215, janvier 1997, p. 77-79.

Des sites Internet

Mont-Tremblant

Archives de Radio-Canada (Mont-Tremblant).

Gares des Laurentides.

Grands Lacs africains

Site officiel de la République-Unie de Tanzanie.

Site du parc national de Serengeti.

Savoie

Tourisme en Savoie.

Venise

Unesco (Venise).

Île-de-France

RATP (plans de métro, recherche d'itinéraires, etc.)

Site officiel du tourisme de Paris Île-de-France.

Tahiti

Service du tourisme de la Polynésie-Française.

Tourisme Tahiti.

ANNEXES

Croquis et cartes : mode d'emploi

A Réaliser un croquis géographique

Qu'est-ce qu'un croquis géographique?

Un croquis géographique est un dessin qui propose une représentation simplifiée d'un paysage. Il peut être fait à partir d'une photo ou d'une observation sur le terrain.

Comment faire un croquis géographique ?	Par exemple…
1. Déterminer l'intention du croquis : à quoi servira-t-il ?	*J'observe la photo à partir de laquelle je veux faire un croquis. Mon intention est de montrer l'évolution du patrimoine de Montréal dans le temps.*
2. Déterminer les éléments à représenter.	*Voici les éléments que je retiens :* • *les grands ensembles de construction qui reflètent des époques différentes : ancien, moderne ;* • *l'axe de circulation : pont ;* • *des éléments de la nature : eau, arbres, parc.*

3. Dégager les trois plans : le plan rapproché, le plan moyen, et l'arrière-plan.

4. Choisir les symboles pour représenter chaque élément de façon simplifiée.

5. Tracer le croquis en utilisant les symboles choisis. On peut réaliser le croquis à la main ou à l'ordinateur, et on peut utiliser la couleur.

6. Construire la légende.

7. Donner un titre.

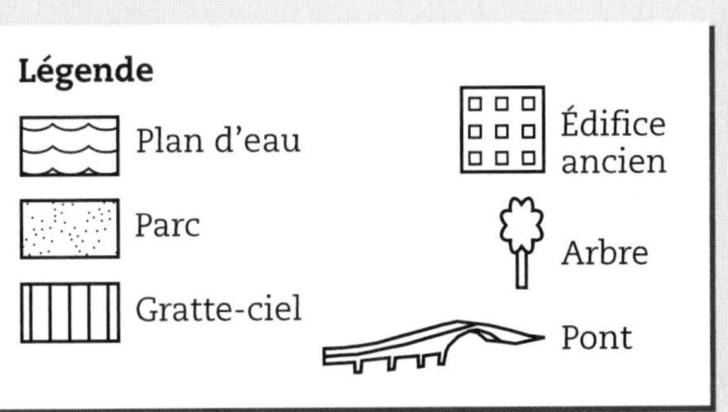

Mon croquis : **L'évolution du patrimoine de Montréal**

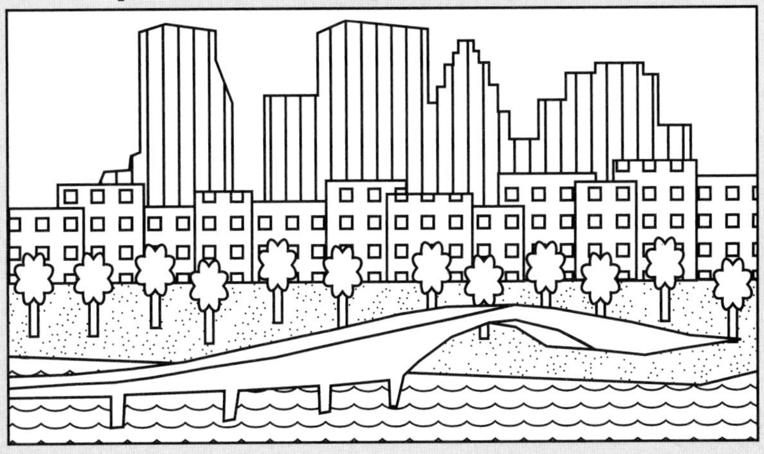

Réaliser une carte schématique

Qu'est-ce qu'une carte schématique ?

Une carte schématique est une carte qui propose une représentation simplifiée de l'organisation d'un espace.

Comment faire une carte schématique ?	Par exemple…
1. Déterminer l'intention de la carte : à quoi servira-t-elle ?	*J'aimerais représenter d'où viennent les aliments consommés au Japon.*
2. Se documenter en consultant plusieurs sources d'information.	*Je cherche :* • *une carte du Japon qui me servira de modèle pour le fond de ma carte (atlas, manuel, etc.) ;* • *des chiffres sur la population au Japon ;* • *des statistiques sur les cultures au Japon et sur les pays qui vendent des aliments au Japon (manuel, encyclopédie, Internet, etc.).*
3. Déterminer les éléments essentiels à représenter.	*Voici les éléments que je retiens :* • *les cultures (riz, autres cultures) ;* • *les importations alimentaires ;* • *les principales agglomérations.*
4. Choisir les symboles pour représenter les éléments retenus.	
5. Tracer la carte en y reportant l'information qu'on veut transmettre. Si possible, indiquer l'échelle. On peut réaliser la carte à la main ou à l'ordinateur, et on peut utiliser la couleur.	
6. Construire la légende.	
7. Donner un titre.	

Ma carte : **Se nourrir au Japon : cultures locales et importations**

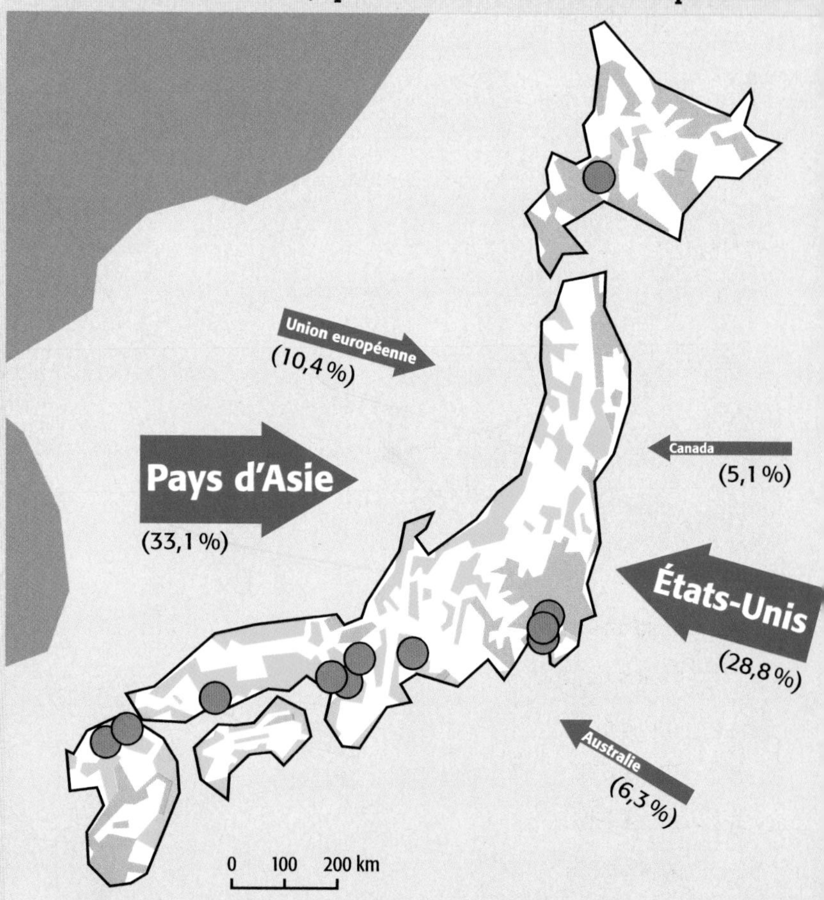

Légende

Cultures locales
- Riz
- Autres cultures

Importations alimentaires
- Pays d'où proviennent les aliments

Principales agglomérations
- plus de 1 million d'hab.

Utiliser le langage cartographique

Le choix des symboles est une étape importante dans la réalisation d'une carte schématique, car ce sont les principaux messagers de l'intention de la carte.

VOUS DEVREZ CHOISIR DES SYMBOLES POUR:

Localiser des éléments ponctuels

Exemples :

- ● Ville
- ▲ Montagne
- ⚓ Port
- Cyclone

Localiser des éléments qui s'étalent en surface

Exemples :

- Zone agricole
- Zone urbanisée
- Zone industrielle
- Zone sismique

Représenter des réseaux, des limites

Exemples :

- Route
- Voie ferrée
- Pont
- Ligne de partage des eaux

Montrer des déplacements, des échanges

Exemples :

- pays Provenance des importations
- Trajectoire des cyclones

VOUS DEVREZ AUSSI MONTRER DES HIÉRARCHIES ENTRE LES ÉLÉMENTS CARTOGRAPHIÉS EN VARIANT:

La couleur

Exemple :

Précipitations annuelles en mm

- moins de 200
- 200 à 400
- 400 à 800
- 800 à 1200
- plus de 1200

La taille

Exemple :

Agglomérations et villes

- plus de 2 millions d'hab.
- 1 à 2 millions d'hab.
- 500 000 à 1 million d'hab.
- moins de 500 000 hab.

Glossaire

Remarque : Plusieurs définitions contiennent des mots en italique. Ces mots sont également définis dans le glossaire. À la fin de chaque définition, une flèche renvoie à une ou des pages pertinentes de votre manuel où le mot apparaît.

A

Acculturation : Modification de la culture d'un groupe ou d'un individu qui résulte du contact avec une autre culture. ➨ **p. 227**

Acqua alta **:** Phénomène des « hautes eaux » lié à la marée océanique, mais aggravé par la basse pression atmosphérique, les fortes pluies et l'affaissement de Venise, en Italie. ➨ **p. 243**

Acropole : Dans la Grèce antique, citadelle ou petite cité fortifiée située en hauteur, qui abritait des lieux religieux, comme des sanctuaires et des temples. ➨ **p. 130**

Agglomération : Regroupement d'une ville et de sa banlieue, c'est-à-dire des localités qui l'entourent. ➨ **p. 66, 84**

Agriculture biologique : Mode de production agricole durable qui privilégie le recours aux techniques naturelles (ex. rotation des cultures, composts, *engrais* biologiques, alimentation animale naturelle) et évite l'usage de *pesticides*, d'herbicides, d'antibiotiques ou d'*OGM*. ➨ **p. 174**

Agriculture durable : Agriculture qui applique les principes du *développement durable*. Elle vise notamment à assurer les besoins de tous en nourriture et à protéger les ressources naturelles (sol, eau, air, *biodiversité* végétale et animale). ➨ **p. 173**

Agriculture intensive : Agriculture qui vise à obtenir rapidement une plus grande productivité et un meilleur rendement. ➨ **p. 173**

Aléa : *Phénomène naturel* susceptible d'entraîner un risque. ➨ **p. 61**

Aquaculture : Élevage d'organismes aquatiques (poissons, mollusques, crustacés, plantes) impliquant une intervention humaine (production, reproduction, alimentation, protection). ➨ **p. 176**

Aqueduc : Canal qui permet d'amener l'eau d'un point à un autre et qui peut servir à transporter l'eau potable. ➨ **p. 178**

Archipel : Ensemble d'îles. ➨ **p. 42, 239**

Atoll : Île en forme d'anneau de *corail* encerclant un *lagon* qui communique avec l'océan par des passes que les bateaux utilisent. Avec le temps, des bandes de sable se déposent autour de la barrière de corail et se recouvrent de cocotiers. ➨ **p. 263**

Autorités : Personnes ou organismes qui ont le pouvoir de prendre des décisions (par exemple, les autorités gouvernementales). ➨ **p. 11, 22, 68, 78**

B

Bandes riveraines : Aire de végétation permanente située en bordure d'un champ, le long d'un cours d'eau, d'un fossé ou d'un étang. Cette bande a une fonction de protection contre l'érosion des sols et la *pollution diffuse*. Elle contribue à la *biodiversité*. ➨ **p. 168**

Bassin versant : Ensemble du *territoire* qui recueille l'eau pour la concentrer dans une rivière et ses tributaires. ➨ **p. 170**

Bidonville : Quartier urbain défavorisé dont les habitations sont faites de matériaux de récupération. ➨ **p. 81**

Biodiversité : Nombre d'espèces différentes (d'animaux, de végétaux et de micro-organismes) qui caractérisent les *écosystèmes*. Synonyme de « diversité biologique ». ➨ **p. 25**

Braconnage : Action de chasser ou de pêcher malgré les interdits. ➨ **p. 49, 221**

C

Campanile : Tour isolée, souvent près d'une église, où sont placées les cloches. ➨ **p. 247**

Canton : Système de division des terres, différent du système seigneurial, implanté au 18e siècle dans certaines régions du Québec. À l'origine, les terres sont plutôt de forme carrée et les bâtiments construits assez loin de la route. ➨ **p. 160**

Cargo : Bateau qui transporte des marchandises. ➨ **p. 48**

Carte : Représentation d'un espace réel. ➨ **p. 15**

Carte historique : Représentation de l'organisation d'un espace à un moment donné dans le temps. ➨ **p. 17**

Carte mentale : Image, représentation que chaque personne se fait de lieux connus. ➨ **p. 15**

Carte routière : Représentation de différentes localités, des routes qui les relient ainsi que les distances d'un lieu à un autre. ➨ **p. 16**

Carte schématique : Carte qui propose une représentation simplifiée de l'organisation d'un espace. ➨ **p. 151, 276**

Carte thématique : Représentation de la distribution d'un phénomène à l'échelle locale, régionale ou mondiale. ➨ **p. 16**

Carte topographique : Représentation des caractéristiques physiques (relief, cours d'eau, lacs, zones boisées) et humaines (routes, zones habitées, chemins de fer, aéroports, barrages, etc.). ➨ **p. 17**

Cartographie : Science qui étudie et réalise les cartes géographiques. ➨ **p. 51**

Catastrophe naturelle : Événement dû à un *phénomène naturel* qui a causé des dommages importants aux personnes et aux biens. ➡ p. 61

Catégorie : Classe dans laquelle on range des éléments de même nature. ➡ p. 101

Cheptel : Ensemble des bestiaux. ➡ p. 172

Climat désertique : Climat caractérisé par une faible quantité de précipitations (moins de 250 mm par an) et par leur irrégularité d'une année à l'autre. ➡ p. 178

Collectivité rurale : Ensemble des habitants qui se sentent appartenir à une communauté rurale et au *territoire* qu'ils occupent. ➡ p. 161

Concession forestière : *Territoire* concédé à une entreprise qui a alors le droit d'y faire la coupe de bois. ➡ p. 214

Conservation : Action qui vise à conserver un bien, à le préserver de l'altération, de la destruction. ➡ p. 44, 99

Construction parasismique : Construction susceptible de mieux résister aux secousses sismiques. ➡ p. 67

Continuité : Caractère de ce qui est continu dans le temps et dans l'espace, de ce qui est perçu comme un tout. ➡ p. 126

Corail : Colonie de petits animaux qui se nourrissent de plancton. Leur squelette est fait de calcaire, ce qui donne au corail une apparence de « roche » blanche. ➡ p. 263

Cordillère : Chaîne de montagnes. ➡ p. 75

Cosmopolite : Se dit d'un territoire dont les habitants viennent de nombreux pays. ➡ p. 66

Critère : Élément qui permet de prendre une décision. ➡ p. 100

Croquis géographique : Dessin qui propose une représentation simplifiée d'un *paysage*. ➡ p. 198, 275

Croûte terrestre : Une des trois principales couches de la Terre. Enveloppe externe solide qui recouvre la planète. ➡ p. 69

Cyclone : Tempête tropicale caractérisée par des vents tourbillonnants très violents. Synonyme de « *typhon* » et d'« *ouragan* ». ➡ p. 60, 62, 86, 89-90

Débit : Volume d'eau qui s'écoule en un laps de temps donné. ➡ p. 183

Dégradation : Détérioration. ➡ p. 22, 27

Densité de population : Rapport entre le nombre d'habitants et la superficie d'un pays. ➡ p. 159, 192

Département : Division administrative du territoire de certains pays comme la France. ➡ p. 229

Développement durable : Mesure de protection d'un *territoire* qui vise à satisfaire les besoins de la population actuelle sans nuire aux besoins des générations futures. Le développement durable tend à un équilibre entre les trois aspects suivants : le développement social, le développement économique et la protection de l'*environnement* et du *patrimoine*. ➡ p. 13, 29

Doge : Chef élu du temps où Venise était une république. ➡ p. 246

Eaux usées : Eaux souillées par une utilisation urbaine, agricole ou industrielle. ➡ p. 27

Échelle : Rapport de proportion entre les distances réelles et leur représentation sur le papier. ➡ p. 16

Échelle de Mercalli : Échelle de 12 degrés qui mesure l'intensité d'un *séisme* à partir de ses effets. Elle porte le nom de celui qui l'a introduite en 1902, Giuseppe Mercalli, qui était un *sismologue* et un *volcanologue* italien. ➡ p. 73

Échelle de Richter : Échelle divisée en 9 degrés qui détermine la magnitude d'un *séisme*, c'est-à-dire la quantité d'énergie libérée en son *foyer*. Elle porte le nom de celui qui l'a créée en 1935, Charles E. Richter, qui était un *géologue* et un *sismologue* américain. ➡ p. 73

Échelle graphique : Échelle qui exprime le rapport de proportion entre les distances réelles et leur représentation sur le papier. Elle est présentée sous la forme d'une ligne droite divisée en sections de longueurs égales. ➡ p. 16

Écologiste : Spécialiste de l'écologie. Terme qui s'applique aussi aux partisans de la protection de la nature et du respect de l'*environnement*. ➡ p. 46

Écosystème : Ensemble constitué d'un milieu physique (sol, eau, etc.) et de tous les organismes qui y vivent (animaux, végétaux, micro-organismes). Il inclut les interrelations entre le milieu et les organismes. ➡ p. 24, 214

Écotourisme : Se dit des activités touristiques qui se pratiquent dans la nature, qui ont peu ou pas d'impact sur l'environnement et qui profitent à la population locale. ➡ p. 206

Engrais : Substance organique ou chimique que l'on mêle au sol pour le fertiliser. ➡ p. 167, 169

Enjeu : Personnes et biens menacés par un *risque d'origine naturelle*. Terme utilisé également lorsque des personnes ou des groupes qui partagent un même *territoire* ont des opinions opposées concernant l'utilisation de l'espace. On parle alors « d'enjeu territorial ». ➡ p. 8-9, 61

Environnement : Ensemble des relations qui existent entre l'être humain et ce qui compose son milieu de vie. Ces composantes sont à la fois physiques, chimiques, biologiques, écologiques, sociales et culturelles. ➡ p. 29

Environnementaliste : Spécialiste de l'étude de l'*environnement*. Plus largement, ce mot fait aussi référence à un groupe ou à une personne qui lutte pour la préservation de l'environnement. ➡ p. 29, 46

Épicentre : Zone située à la surface de la Terre où les secousses sont les plus violentes lors d'un *séisme*. ➡ p. 69

Équateur : Cercle imaginaire qui fait le tour de la Terre, à mi-chemin entre le pôle Nord et le pôle Sud. → **p. 42, 75**

Équitable : En géographie, terme utilisé pour désigner un juste partage d'une ressource entre les individus et les groupes. → **p. 13, 183**

Étalement urbain : Occupation de plus en plus grande de l'espace (ou de la surface du sol) par les villes. L'étalement urbain est lié au développement des banlieues, à l'usage de la voiture et à la construction des autoroutes. → **p. 166**

Ethnie : Groupe de personnes qui partagent une culture commune, c'est-à-dire une langue, une histoire, des institutions, etc. → **p. 13**

Exploitation agricole : Entreprise agricole, ferme. → **p. 157**

Exportations : Produits vendus à l'étranger. → **p. 84**

F

Faille : Cassure au niveau de la *croûte terrestre*. → **p. 68**

Faune : Ensemble des animaux dans un espace déterminé. → **p. 23**

Flore : Ensemble des végétaux dans un espace déterminé. → **p. 23**

Flux touristique : Circulation des touristes sur un trajet, du lieu d'origine à la destination. → **p. 209**

Fourrage : Plantes servant à l'alimentation du bétail. → **p. 157**

Foyer : Point à l'intérieur de la Terre où l'énergie est libérée lors d'un *séisme*. → **p. 69**

G

Géologue : Scientifique qui étudie la structure et la formation de la Terre. → **p. 73**

Gondole : Barque plate et longue à un seul aviron typique du paysage de Venise, en Italie. → **p. 240**

H

Hectare : Unité de mesure de superficie équivalant à 10 000 m^2. Symbole de l'hectare : ha. → **p. 122**

Hominidés : Famille de primates qui regroupe les humains actuels ainsi que des espèces considérées comme leurs ancêtres possibles. → **p. 221**

I

Image satellitale : Image de la Terre transmise par satellite. → **p. 14**

Infrastructure : Ensemble d'équipements collectifs de base (routes, aqueducs, réseau d'électricité, etc.). → **p. 122**

Irrigation : Ensemble de techniques permettant d'arroser artificiellement des terres agricoles (barrage, canal, détournement de cours d'eau, réservoir, etc.). → **p. 178**

Isthme : Langue de terre entre deux golfes ou deux mers qui réunit deux terres. → **p. 263**

L

Lagon : Petit lac d'eau salée qui s'est formé entre l'île et l'anneau de *corail*. Il constitue un *écosystème* très riche. → **p. 263**

Lagune : Étendue d'eau séparée de la mer par une bande de terre. → **p. 239**

Lahar : Coulée de boue formée de débris volcaniques et d'eau. → **p. 78-79, 88**

Légende : Information réunissant, sous la forme d'un tableau, tous les symboles figurant sur une carte ainsi que leur signification. → **p. 16**

Ligne de partage des eaux : Ligne imaginaire qui suit la crête d'une montagne et divise l'écoulement de l'eau de chaque côté des versants. → **p. 35, 170**

Littoral : Partie de terre située le long de la mer. → **p. 224**

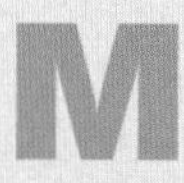

Magma : Roches brûlantes en fusion qui composent le *manteau*, une des trois principales couches de la Terre. → **p. 69**

Magnitude : Quantité d'énergie libérée par un *séisme*. → **p. 69**

Maladie de la vache folle : Encéphalopathie spongiforme bovine. Maladie mortelle qui affecte le système nerveux central des bovins. → **p. 174**

Mangrove : Type de forêt tropicale qui « avance » dans la mer. → **p. 44, 83**

Manteau : Une des trois principales couches de la Terre. Couche intermédiaire de la Terre faite de roches en fusion. → **p. 69**

Marée noire : Vaste nappe de pétrole répandue à la surface de la mer, qui pollue l'eau et les côtes. → **p. 51**

Méridiens : Sur un globe terrestre ou sur une carte, lignes verticales qui forment des demi-cercles en joignant les deux pôles. Les méridiens et les *parallèles* servent à situer un lieu avec précision sur la Terre. → **p. 55**

***Motoscafo* :** Bateau rapide assurant la liaison entre la terre ferme et Venise, en Italie. → **p. 240**

Multinationale : Entreprise ayant des activités dans plusieurs pays. → **p. 208**

Mythe : Histoire qui met en scène des personnages divins, inventée pour répondre aux questions que l'être humain se pose sur ses origines et sur celles du monde. → **p. 134**

N

Nappe phréatique : Réserve d'eau souterraine naturelle accumulée dans des cavités du sous-sol. ➡ **p. 167**

Naturaliste : Spécialiste des sciences naturelles. Aujourd'hui, on appelle aussi parfois « naturalistes » les personnes qui croient qu'on peut étudier la nature indépendamment de la société environnante. ➡ **p. 46**

Noyau : Une des trois principales couches de la Terre. Masse solide au centre de la Terre. ➡ **p. 69**

O

Ondes sismiques : Fortes vibrations produites par le choc brutal causé par l'étirement et la compression des *plaques tectoniques* qui finissent par se casser. ➡ **p. 69**

Organisme génétiquement modifié (OGM) : Organisme vivant dont on a modifié le patrimoine génétique en y insérant un ou plusieurs gènes issus d'un autre organisme vivant. ➡ **p. 174-175**

Ouragan : Tempête tropicale caractérisée par des vents tourbillonnants très violents. Terme surtout utilisé en Amérique du Nord et dans les Caraïbes. Synonyme de « *cyclone* » et de « *typhon* ». ➡ **p. 90**

P

Parallèles : Sur un globe terrestre ou sur une carte, lignes horizontales qui forment des cercles autour de la Terre. Les parallèles et les *méridiens* servent à situer un lieu avec précision sur la Terre. ➡ **p. 55**

Parc national : Parc naturel géré par les autorités d'un État. ➡ **p. 23**

Parc naturel : Grand espace où l'on vise à protéger le *patrimoine naturel*. ➡ **p. 23**

Parc régional urbain : Espace souvent habité où l'on tente de maintenir un certain équilibre entre les activités humaines et la nature. ➡ **p. 23**

Patrimoine : Objet, site ou paysage qui est reconnu par la société comme le témoin d'une époque et qui mérite d'être conservé et mis en valeur. ➡ **p. 98-99**

Patrimoine bâti : Ensemble des constructions auxquelles les collectivités accordent de la valeur. ➡ **p. 161**

Patrimoine mondial : *Patrimoine* qui appartient à toute l'humanité. ➡ **p. 16, 25**

Patrimoine naturel : Espaces naturels qu'on a décidé de conserver pour les générations futures. ➡ **p. 23**

Paysage : Partie de territoire telle qu'elle est perçue par celui ou celle qui l'observe. ➡ **p. 7**

Paysage urbain : Partie de la ville que l'œil peut percevoir d'un point donné. ➡ **p. 101**

Pesticides : Produits chimiques destinés à éliminer les insectes et autres parasites nuisibles. ➡ **p. 27**

Phénomène naturel : Phénomène où la nature est en cause : *séisme*, glissement de terrain, verglas, *raz de marée*, inondation, etc. ➡ **p. 61**

Planisphère : Carte de l'ensemble du globe terrestre en projection plane. ➡ **p. 16**

Plaques tectoniques : Morceaux de la *croûte terrestre* qui s'imbriquent les uns dans les autres, un peu comme un casse-tête. Ils flottent sur le *manteau*, couche intermédiaire de la Terre, se déplacent constamment et finissent par se casser et par former des *failles*. ➡ **p. 69**

Pluies acides : Pluies contenant des substances acides d'origine industrielle. ➡ **p. 27**

Pollution : Contamination d'un milieu naturel (eau, sol, air) par des substances toxiques. ➡ **p. 167**

Pollution diffuse : *Pollution* qui se répand dans les sols, les cours d'eau et les eaux souterraines bien au-delà de la source de contamination. ➡ **p. 168**

Pollution ponctuelle : *Pollution* dont la source est bien localisée. ➡ **p. 168**

Pratique agricole : Manière concrète de faire de l'agriculture. Par exemple, l'utilisation d'*engrais* chimiques et le compostage sont deux pratiques agricoles différentes. ➡ **p. 167**

Probabilité : Événement susceptible de se produire. ➡ **p. 61**

R

Rang : Habitat rural aligné en rangée le long d'une route ; les terres y sont découpées en rectangles étroits. Sur ces terres, les bâtiments s'alignent généralement le long de la route. ➡ **p. 160**

Raz de marée : Gigantesque vague due à un tremblement de terre ou à une éruption volcanique. On parle aussi de « *tsunami* », mot d'origine japonaise. ➡ **p. 83**

Reconstitution : Opération qui consiste à reconstruire un édifice ou un ensemble d'édifices disparus ou très endommagés. Ne pas confondre avec le mot « *restauration* ». ➡ **p. 103**

Repère : Signe, objet qui aide à retrouver un endroit. ➡ **p. 15**

Réserve de parc national : Espace mis de côté en attendant le règlement de toute revendication territoriale autochtone, dans le but d'en faire un *parc national*. ➡ **p. 30**

Réserve écologique : Espace où l'on cherche à protéger un *écosystème* rare ou à constituer un sanctuaire de *faune* et de *flore* sauvages. ➡ **p. 23**

Réserve marine : Zone à l'intérieur de laquelle la *faune* et la *flore* aquatiques sont protégées. ➡ **p. 45**

Réservoir magmatique: Lieu où est stocké le *magma* qui provient du *manteau* de la Terre. ➡ **p. 79**

Restauration : Opération qui consiste à redonner sa forme première à une œuvre d'art, à un édifice ou à un ensemble d'édifices, à l'aide de connaissances et de moyens techniques appropriés. Ne pas confondre avec le mot « *reconstitution* ». ➨ **p. 115**

Risque d'origine naturelle : Danger que certains *phénomènes naturels* (*cyclones*, inondations, *séismes*, etc.) représentent pour des personnes et des biens. ➨ **p. 61**

Rose des vents : Figure que l'on trouve sur une carte et qui indique normalement les quatre points cardinaux : le nord, l'est, le sud et l'ouest. Souvent, seul le nord est représenté à l'aide d'une flèche. ➨ **p. 17**

S

Safari : Expédition de chasse aux gros animaux sauvages, jadis très populaire dans plusieurs pays d'Afrique de l'Est. ➨ **p. 221**

Sanatorium : Maison de santé accueillant les personnes souffrant de tuberculose, maladie contagieuse très répandue au début du 20e siècle. ➨ **p. 214**

Savane : Immense plaine des pays chauds où poussent de hautes herbes et quelques arbres, véritable garde-manger de nombreux animaux. ➨ **p. 221**

Séisme : Synonyme de « tremblement de terre ». Violente secousse de la *croûte terrestre*. ➨ **p. 66**

Semi-nomade : Désigne le mode de vie de peuples qui adoptent de plus en plus une habitation fixe tout en conservant certaines habitudes de leur ancien mode de vie (comme se déplacer d'un *territoire* à l'autre pour faire paître leur bétail). ➨ **p. 225**

Sérénissime : Titre honorifique donné à certains princes jadis à Venise. ➨ **p. 246**

Sierra : Nom donné aux chaînes de montagnes dans les pays de langue espagnole. ➨ **p. 77**

Sismographe : Appareil servant à mesurer les mouvements à l'intérieur de la Terre. ➨ **p. 77**

Sismologue : Scientifique qui étudie les tremblements de terre. ➨ **p. 73**

Site : Emplacement défini en fonction de son usage (par exemple, site industriel) ou recherché pour ses qualités exploitables (par exemple, site patrimonial). ➨ **p. 12, 99, 101**

Site intégré : *Site* en harmonie avec ce qui l'entoure : la rue, le quartier (hauteur des édifices, choix des matériaux, etc.). ➨ **p. 126**

Source thermale : Source d'eaux minérales chaudes qui ont des propriétés thérapeutiques, c'est-à-dire qui peuvent aider à guérir des maladies. ➨ **p. 35**

Système d'information géographique (SIG) : Outil informatique qui regroupe des cartes et des bases de données. ➨ **p. 15**

T

Territoire : « Espace que des humains se sont approprié, qu'ils ont transformé et auquel ils ont donné un sens et une organisation particulière. » ➨ **p. 2, 6**

Toponyme : Nom de lieu. ➨ **p. 12**

Tourisme : Ensemble de phénomènes liés au déplacement volontaire et temporaire de personnes à l'extérieur du lieu qu'elles habitent. Le repos, le loisir et, de plus en plus, la découverte sont les objectifs de tels déplacements. ➨ **p. 204**

Tourisme de masse : Désigne le *tourisme* devenu un produit de consommation accessible à un grand nombre de personnes. Ce phénomène entraîne une augmentation des échanges et une concentration dans certains lieux très populaires. Cette très grande concentration menace l'équilibre environnemental et social des lieux visités. ➨ **p. 210**

Tourisme durable : Désigne le *tourisme* qui respecte les ressources du territoire et contribue au développement des communautés locales et à l'épanouissement des personnes. ➨ **p. 208**

Touriste : Personne qui se rend, pour plus de 24 heures, dans un *territoire* situé à au moins 80 km du lieu qu'elle habite normalement, et cela à des fins récréatives ou professionnelles. ➨ **p. 205**

Tsunami : Vague gigantesque provoquée par un tremblement de terre. On parle aussi de « *raz de marée* ». ➨ **p. 191**

Typhon : Tourbillon marin d'une extrême violence. Terme utilisé surtout en Asie. Synonyme de « *cyclone* » et d'« *ouragan* ». ➨ **p. 87, 90**

V

***Vaporetto* :** Mot italien qui désigne un bateau de transport en commun, une sorte de « bateau-bus ». ➨ **p. 240**

Ville à risque : Ville dont la population est exposée à des menaces d'origine naturelle, socioéconomique, technique ou biologique. ➨ **p. 60**

Ville patrimoniale : Ville qui, à l'échelle régionale ou mondiale, est reconnue pour son *patrimoine*. ➨ **p. 99, 108-109**

Volcanologue : Scientifique qui étudie les volcans. ➨ **p. 73**

Vulnérabilité : État de plus ou moins grande fragilité d'un *territoire* face aux *risques d'origine naturelle*. ➨ **p. 64**

Z

Zone : Portion de *territoire* délimitée par les *autorités* et attribuée à une activité principale. ➨ **p. 4**

Sources des photographies

Age Fotostock/Firstlight
Fritz Poelking - *Dossier 2 :* doc. 2.10

Agence Nuts/Office du tourisme Val-d'Isère
Dossier 6 : doc. 6.36 (et 4e de couverture)

Air Images
Philippe Guignard - *Dossier 1 :* doc. 1a (et p. 19) ; *Dossier 4 :* doc. 4.39 ; *Dossier 6 :* doc. 6.37, 6.65, 6.72

Alamy
Graham Lawrence - *Dossier 6 :* doc. 6.44

Alpha Presse
David Barnes/Photononstop - *Dossier 6 :* doc. 6.13 ; CNES/DIST SPOT /HOA-QUI - *Dossier 6 :* doc. 6.48 ; D. Dancer/Bios - *Dossier 2 :* doc. 2.1 (et p. 57) ; Michael Fairchild/Peter Arnold - *Dossier 6 :* doc. 6.25 ; Ron Giling/Lineair - *Dossier 6 :* doc. 6.27 ; J. Loic/Photononstop - *Dossier 6 :* doc. 6.75 ; R. Mazin/Photononstop - *Dossier 6 :* doc. 6.71 ; Michel Renaudeau/Hoa Qui - *Dossier 6 :* doc. 6.53 ; Xavier Richer/Photononstop - *Dossier 6 :* doc. 6.50 ; Peter Schickert/Das Fotoarchiv - *Dossier 6 :* doc. 6.22 ; Otto Stadler/Das Fotoarchiv - *Dossier 6 :* doc. 6.62, 6.64 ; Friedrich Stark/Das Fotoarchiv - *Dossier 6 :* doc. 6.24 ; Truchet/UNEP - *Dossier 6 :* doc. 6.77(et 4e de couverture)

Altitude
Yann Arthus-Bertrand - *Dossier 4 :* doc. 4.34 ; *Dossier 5 :* doc. 5.49

Archives Canadien Pacifique
Dossier 6 : doc. 6.19

Archives documentaires Haut-de-Seine
R. Henrard - *Dossier 4 :* doc. 4.38

Archives La Presse
Dossier 1 : doc. 1.4

ATHOC
Dossier 4 : doc. 4.65, 4.66 ; K. Vergas - *Dossier 4 :* doc. 4.62, 4.63

Banff/Lake Louise Tourism Bureau
Rankin Harvey - *Dossier 2 :* doc. 2.18

Banff National Park
Ron Seale - *Dossier 2 :* doc. 2.30 ; Al Williams - *Dossier 2 :* doc. 2.26

Chuck Bartlebaugh/CWI
Dossier 2 : doc. 2.41

Bibliotheca Alexandrina
Dossier 4 : doc. 4.6

California Department of Water Resources
Dossier 5 : doc. 5.34

Castanet-Hervieu
Dossier 2 : doc. 2.44

Rosalind Cohen, NODC, NOAA
Dossier 2 : doc. 2.50

Corbis
Dossier 5 : doc. 5.59 ; Paul Almasy - *Dossier 6 :* doc. 6.28 ; Archivo Iconografico, S.A. - *Dossier 6 :* doc. 6.80 ; David Ball - *Dossier 1 :* doc. 1.3 ; Yann Arthus-Bertrand - *Dossier 6 :* doc. 6.70, 6.79, 6.83 ; Dave Bartruff - *Dossier 5 :* doc. 5.54 ; Ashley Cooper - *Dossier 6 :* doc. 6.40 ; Robert Estall - *Dossier 5 :* doc. 5.7 ; Marc Garanger - *Dossier 6 :* doc. 6.32 ; Todd A. Gipstein - *Dossier 5 :* doc. 5.16 ; John Heseltine - *Dossier 6 :* doc. 6.73 ; Bob Krist - *Dossier 6 :* doc. 6.69 ; Danny Lehman - *Dossier 6 :* doc. 6.1 (et p. 273) ; George D. Lepp - *Dossier 5 :* doc. 5.39 ; Richard List - *Dossier 6 :* doc. 6.34 ; Ludovic Maisant - *Dossier 6 :* doc. 6.43 ; William Manning - *Dossier 6 :* doc. 6.59 ; Dennis Marsico - *Dossier 6 :* doc. 6.12 ; Douglas Peebles - *Dossier 6 :* doc. 6.81 ; Carl & Ann Purcell - *Dossier 5 :* doc. 5.32 ; *Dossier 6 :* doc. 6.31 ; Jose Fuste Raga - *Dossier 5 :* doc. 5.42 ; Reuters - *Dossier 5 :* doc. 5.1a ; Galen Rowell - *Dossier 1 :* doc. 1.14 ; Kevin Schafer - *Dossier 2 :* doc. 2.47, 2.53 (montage), 2.63, 2.64 (montage) ; Phil Schermeister - *Dossier 5 :* doc. 5.33 ; Antoine Serra - *Dossier 5 :* doc. 5.60 ; Paul A. Souders - *Dossier 2 :* doc. 2.29 ; Tim Thompson - *Dossier 6 :* doc. 6.47 ; Michael S. Yamashita - *Dossier 5 :* doc. 5.48, 5.52

Corbis/Magma
Dossier 3 : doc. 3.11 ; *Dossier 4 :* doc. 4.35 (et 1re de couverture, p. 110) ; Yann Arthus-Bertrand - *Dossier 2 :* doc. 2.58 ; *Dossier 4 :* doc. 4.57 (et p. 111) ; Morton Beebe - *Dossier 3 :* doc. 3.16 ; Bettmann - *Dossier 4 :* doc. 4.10, 4.56 ; Jonathan Blair - *Dossier 4 :* doc. 4.20 ; Jan Butchofsky-Houser - *Dossier 3 :* doc. 3.27 (et p. VIII) ; Raymond Gehman - *Dossier 2 :* doc. 2.39 ; Jason Hawkes - *Dossier 4 :* doc. 4.11 (et 1re de couverture) ; Gunter Marx - *Dossier 2 :* doc. 2.27 (et 1re de couverture) ; Christopher J. Morris - *Dossier 3 :* doc. 3.1a (et p. VII, 95) ; Sergio Pitamitz - *Dossier 4 :* doc. 4.14 ; James Randklev - *Dossier 3 :* doc. 3.8 (et 1re de couverture) ; Roger Ressmeyer - *Dossier 3 :* doc. 3.22, 3.42 ; Charles E. Rotkin - *Dossier 4 :* doc. 4.49, 4.51 (et p. 110) ; Paul A. Souders - *Dossier 3 :* doc. 3.35, 3.36, 3.44

Corbis/Sygma
Dossier 5 : doc. 5.63 (et 4e de couverture) ; *Dossier 6 :* doc. 6.68 ; Charles Jean Marc - *Dossier 5 :* doc. 5.8 ; A. Nogues - *Dossier 6 :* doc. 6.74 ; Della Zuana Pascal - *Dossier 6 :* doc. 6.8 ; Alberto Pizzoli - *Dossier 4 :* doc. 4.54 ; *Dossier 6 :* doc. 6.54 ; Haruyoshi Yamaguchi - *Dossier 5 :* doc. 5.57

Gaston Côté
Dossier 4 : doc. 4.1 (et p. 153)

Luc-Antoine Couturier
Dossier 4 : doc. 4.29 (et 1re de couverture, p. 110)

CP Images
Dossier 1 : doc. 1.15 ; Jacques Boissinot - *Dossier 4 :* doc. 4.33 ; Jeff McIntosh - *Dossier 2 :* doc. 2.15 ; Tannis Toohey - *Dossier 5 :* doc. 5.61

CP Images/AP
Dossier 2 : doc. 2.57 ; *Dossier 4 :* doc. 4.74 ; *Dossier 6 :* doc. 6.56 ; Victoria Arocho - *Dossier 5 :* doc. 5.37 ; Michael Burke - *Dossier 5 :* doc. 5.36 ; Patrick Gardin - *Dossier 6 :* doc. 6.35 ; Jonathan Hayward - *Dossier 2 :* doc. 2.32 (et p. IX) ; Lenny Ignelz - *Dossier 5 :* doc. 5.35 ; Laurent Rebours - *Dossier 6 :* doc. 6.46 ; Eric Risberg - *Dossier 3 :* doc. 3.14 ; *Dossier 5 :* doc. 5.44 ; Pat Roque - *Dossier 3 :* doc. 3.1d (et p. 95), 3.40, 3.41 ; Paul Sakuma - *Dossier 3 :* doc. 3.21

CRDI
Yves Beaulieu - *Dossier 3 :* doc. 3.32

Sébastien Cyr
Dossier 2 : doc. 2.4

Igor Czajkowski
Dossier 2 : doc. 2.8, 2.9, 2.42

Jacques Descloitres, MODIS Rapid Response Team, NASA/GSFC
Dossier 2 : doc. 2.44 (et p. IX) ; *Dossier 3 :* doc. 3.38 (et 1re de couverture)

Robert Desjardins, département de géographie, UQAM
Dossier 1 : doc. 1.17

Dick Dunn Canadian Paper Money Society/Banque du Canada
Dossier 2 : doc. 2.31 (L'utilisation et la modification des images de billets de banque ont été autorisées par la © Banque du Canada.)

Dorling Kindersley Media Library
Demetrio Carrasco - *Dossier 2 :* doc. 2.11

Denis Drolet
Dossier 4 : doc. 4.25, 4.26, 4.27, 4.31, 4.32

Earth Sciences and Image Analysis Laboratory, NASA
Dossier 4 : doc. 4.58 (Johnson, photo nº ISS005E16846) (et 1re de couverture)

Francedias.com
Serge Coupe - *Dossier 6 :* doc. 6.41

Natasha Genest
Dossier 5 : doc. 5.15

Getty Images/AFP
Aris Messinis - *Dossier 4 :* doc. 4.64 ; Kazuhiro Nogi - *Dossier 5 :* doc. 5.51

Getty Images/Stone
Glen Allison - *Dossier 6 :* doc. 6.76 ; Gavin Hellier - *Dossier 5 :* doc. 5.1b

Glenbow Archives
Dossier 2 : doc. 2.34

Great Canadian Railtour Compagny Ltd.
Dossier 2 : doc. 2.33 (et 1re de couverture, p. IX) (The Rocky Mountaineer®)

J.-F. Hamel et A. Mercier (SEVE)
Dossier 2 : doc. 2.43, 2.48, 2.49

Instituto Geofisico
Jean-Luc Leppenec/IRD - *Dossier 3 :* doc. 3.28 ; Patricia Mothes - *Dossier 3 :* doc. 3.29

Philippe Jonathan, architecte
Dossier 4 : carte 4.9

Pierre Lahoud
Dossier 1 : doc. 1c (et p. 19), 1.2 ; *Dossier 4 :* doc. 4.8, 4.28 ; *Dossier 5 :* doc. 5.4

Gary Lawrence
Dossier 6 : doc. 6.30 (et 4e de couverture), 6.84, 6.85

Eric Lawrie
Dossier 3 : doc. 3.25

Lonely Planet Images
Lee Foster - *Dossier 5 :* doc. 5.43 ; John Hay - *Dossier 5 :* doc. 5.55

Magnum Photos
Steve McCurry - *Dossier 3 :* doc. 3.37

Magnus Edizioni
Paolo Marton - *Dossier 4 :* doc. 4.42 (Aerial View of the Tiber Island)

Dominique Malatère
Dossier 2 : doc. 2.65

Megapress
Dossier 6 : doc. 6.3 ; Bognar - *Dossier 2 :* doc. 2.5 ; P. Brunet - *Dossier 2 :* doc. 2.68 ; Francke/Bilderberg - *Dossier 2 :* doc. 2.3 ; Planet Pictures - *Dossier 2 :* doc. 2.14 (et p. VIII) - *Dossier 6 :* doc. 6.5 ; Yves Tessier - Dossier 2 : doc. 2.20

Megapress/Réflexion
A. Gardon - *Dossier 2 :* doc. 2.21 ; M. Julien - *Dossier 2 :* doc. 2.19 ; F. Lépine - *Dossier 2 :* doc. 2.6

C.E. Meyer, U.S. Geological Survey
Dossier 3 : doc. 3.1c (et 1re de couverture, p. VII, 95)

Minden Pictures
Tui De Roy - *Dossier 2 :* doc. 2.59

Mountain High Maps © 1993 Digital Wisdom®, Inc.
Dossier 5 : carte 5.6 ; *Dossier 6 :* carte 6.6 (pour le relief)

Musée McCord d'histoire canadienne
Dossier 4 : doc. 4.12

National Portrait Gallery, London
Dossier 2 : doc. 2.61 (NPG 538)

NPS Photo (National Park Service)
Dossier 2 : doc. 2.2

Office du tourisme Val-d'Isère
Dossier 6 : doc. 6.38

Parc national des Îles-de-Boucherville
Dossier 2 : doc. 2.23

Parcs Canada
Dossier 2 : doc. 2.40

Douglas Peebles
Dossier 6 : doc. 6.82

Photo Alain Dumas
Dossier 1 : doc. 1.11

Photo Jacques Sierpinski
Dossier 6 : doc. 6.33, 6.39, 6.45

Gaël et Christian Poffet
Dossier 3 : doc. 3.26 (et p. VIII)

Point du Jour Aviation
Dossier 1 : doc. 1.1d (et p. 19), doc. 1.5

Ponopresse
Michel Ponomareff - *Dossier 4 :* doc. 4.76 (et p. 149)

Ponopresse/Gamma
Alexis Duclos - *Dossier 2 :* doc. 2.35 (et 1re de couverture) ; Raphael Gaillarde - *Dossier 6 :* doc. 6.52, 6.63 ; Denis-Michel Huot - *Dossier 6 :* doc. 6.26 ; José Nicolas - *Dossier 6 :* doc. 6.6 ; Eric Vandeville - *Dossier 4 :* doc. 4.53

Ponopresse/Rex Features
Antonelli - *Dossier 4 :* doc. 4.52 ; Travel Library - *Dossier 4 :* doc. 4.48

Ponopresse/Sipa
Catuffe - *Dossier 4 :* doc. 4.37 ; Florence Durand - *Dossier 5 :* doc. 5.62 ; C. Folco - *Dossier 4 :* doc. 4.4 ; Olympia - *Dossier 4 :* doc. 4.44

Pour la Science (mars 2001)
Jean-Michel Thiriet (dessin) - *Dossier 2 :* doc. 2.60

Les Publications du Québec
Dossier 1 : carte 1.1, 1.4

Publiphoto
Dossier 1 : doc. 1.9, 1.13 ; Paul G. Adam - *Dossier 3 :* doc. 3.13 ; *Dossier 4 :* doc. 4.5 ; *Dossier 6 :* doc. 6.7, 6.17, 6.18 ; E. Clusiau - *Dossier 6 :* doc. 6.3 ; J.P. Danvoye - *Dossier 6 :* doc. 6.9, 6.10, 6.11 ; J.C. Hurni - *Dossier 6 :* doc. 6.14 ; Yves Marcoux - *Dossier 4 :* doc. 4.2, 4.30 ; *Dossier 5 :* doc. 5.5

Peter Quine
Dossier 4 : doc. 4.16

Roland Renaud
1re de couverture

Ressources naturelles Canada
Dossier 1 : carte 1.7

Reuters
Guillermo Granja - *Dossier 3 :* doc. 3.1b (et 1re de couverture, p. VII, 95) ; Guang Niu - *Dossier 4 :* doc. 4.72 ; Giampiero Sposito - *Dossier 4 :* doc. 4.55

Robert Harding World Imagery
Dossier 4 : doc. 4.67 (et 1re de couverture), 4.69, 4.75 (et p. 111, 149)

San Francisco Art Commission
Dossier 5 : doc. 5.41 (« California », Mural by Maxine Albro, 1934, Coit Tower. Collection of the City and County of San Francisco.)

San Marcos
G. Zubiaur - *Dossier 4 :* doc. 4.21

Scala/Art Resource, NY
Dossier 4 : doc. 4.47, 4.50

Sépaq
Jean-Pierre Huard - *Dossier 2 :* doc. 2.12 (Parc national du Bic), 2.22 (Parc national de la Jacques-Cartier) ; Jean-Sébastien Perron - *Dossier 2 :* doc. 2.24 (parc national du Mont-Mégantic)

Sic-Kalt M., Rozensztroch D., Tiné C.
V. Leroux - *Dossier 4 :* doc. 4.70 (et 1re de couverture)

Sipa
Franck Lacroix - *Dossier 6 :* doc. 6.42

Le Soleil
Dossier 3 : doc. 3.24

SOPABIC
Photo Vincent Provost - *Dossier 6 :* doc. 6.15

Space Imaging (2005)
IKONOS Satellite image - *Dossier 6 :* doc. 6.49

SPOT Image Corporation
Inctus Geomatics - *Dossier 4 :* doc. 4.68 (CNES 2004)

Superstock
Dossier 1 : doc. 1.1e (et p. 19)

La Terre de chez nous
Dossier 5 : doc. 5.21

Jim Thorsell
Dossier 2 : doc. 2.13 (et p. VIII)

Tips Images
Dossier 3 : doc. 3.9 ; Chad Ehlers - *Dossier 5 :* doc. 5.53 ; Aris Mihich - *Dossier 3 :* doc. 3.31 (et 1re de couverture) ; Pixers - *Dossier 4 :* doc. 4.36 ; Guido Alberto Rossi - *Dossier 1 :* doc. 1.1b (et p. 19) ; *Dossier 3 :* doc. 3.34, 3.39 ; Dossier 4 : doc. 4.43 ; *Dossier 6 :* doc. 6.21, 6.29 (et 1re de couverture), 6. 60 ; Chris Sattlberger - *Dossier 6 :* doc. 6.23

Tourisme Mont-Tremblant
Dossier 6 : doc. 6.20 (et 4e de couverture)

Town of Lunenburg
Dossier 4 : doc. 4.22

The Trustees of The British Museum
Dossier 4 : doc. 4.59

UNESCO
Dominique Roger - *Dossier 4 :* doc. 4.40

Gorazd Vilhar
Dossier 5 : doc. 5.58

Visuals Unlimited
Walt Anderson - *Dossier 2 :* doc. 2.51

Adrian Warren (lastrefuge.co.uk)
Dossier 2 : doc. 2.46, 2.53 (montage), 2.62, 2.64 (montage)